repères

HISTOIRE ET ÉDUCATION À LA CITOYENNETÉ

Manuel de l'élève A

1re année du 2e cycle du secondaire

Andrée Thibeault

Jean-Pierre Charland

Nicolas Ouellet

ÉDITIONS DU RENOUVEAU PÉDAGOGIQUE INC.

5757, RUE CYPIHOT
SAINT-LAURENT (QUÉBEC)
H4S 1R3

TÉLÉPHONE : (514) 334-2690
TÉLÉCOPIEUR : (514) 334-4720
erpidlm@erpi.com

Directrice de l'édition
Monique Pratte

Chargées de projet
Dominique Page
Diane Plouffe
Marie-Claude Rioux
Danièle St-Jean

Correctrices d'épreuves
Viviane Deraspe
Marie-Claude Piquion

Recherchistes (photos et droits)
Pierre Richard Bernier
Jocelyne Gervais
Colette Lebeuf

Recherchiste documentaire
Aubert Lavigne-Descôteaux

Directrice artistique
Hélène Cousineau

Coordonnateur graphique
François Lambert

Couverture et conception graphique
Sylvie Morissette

Édition électronique
Fenêtre sur cour
Robert Dolbec
Alain Fréchette
Sylvie Morissette

Cartographe
Julie Benoit

Illustrateur
Bernard Duchesne : p. IV, VI, 2-3

Consultant pédagogique
Jean-Hugues St-Germain, enseignant,
polyvalente St-Jérôme

Réviseurs scientifiques
Guy Dorval, chargé de cours,
département de géographie, Université Laval
Martin Fournier, Ph.D. (histoire)
Benoît Grenier, Ph.D. (histoire)

Note au sujet des titres des œuvres d'art présentées dans le manuel

Certains titres d'œuvres d'art présentées dans le manuel sont en anglais. Lorsqu'il n'a pas été possible d'obtenir une traduction officielle de ces titres, ceux-ci ont été traduits. Les traductions sont placées entre crochets dans les bas de vignette accompagnant les œuvres d'art.

Dépôt légal – Bibliothèque et Archives nationales du Québec, 2007
Dépôt légal – Bibliothèque et Archives Canada, 2007

Imprimé au Canada
ISBN 978-2-7613-2003-0

1234567890 FR 0987
10763 ABCD PLM12

Mot des auteurs

L'histoire du Québec constitue un héritage précieux qu'il est primordial de conserver. C'est ainsi qu'à la lumière du passé, notre société actuelle prend tout son sens. En fait, dans notre histoire se trouvent toutes les histoires : celle des premiers habitants, celle de nos ancêtres d'origine européenne, celle des nouveaux arrivants et celle de tous les acteurs qui ont participé à l'évolution de notre société.

La collection **repères** survole 500 ans d'histoire québécoise. En s'appuyant sur de solides bases historiques, **repères** vous offre un découpage chronologique fidèle au nouveau programme de formation en histoire et éducation à la citoyenneté. Au début de chaque dossier, le manuel **repères** explore plusieurs avenues qui vous amèneront à observer différentes réalités sociales et à comparer le passé et le présent. **repères** vous propose un matériel riche et diversifié permettant de donner un sens aux enjeux d'aujourd'hui et aux débats actuels auxquels font face les citoyens québécois. L'apprentissage de notre histoire vous donne l'occasion de mieux reconnaître les valeurs démocratiques de notre société, de développer une identité citoyenne et un sentiment d'appartenance à la collectivité québécoise.

Table des matières

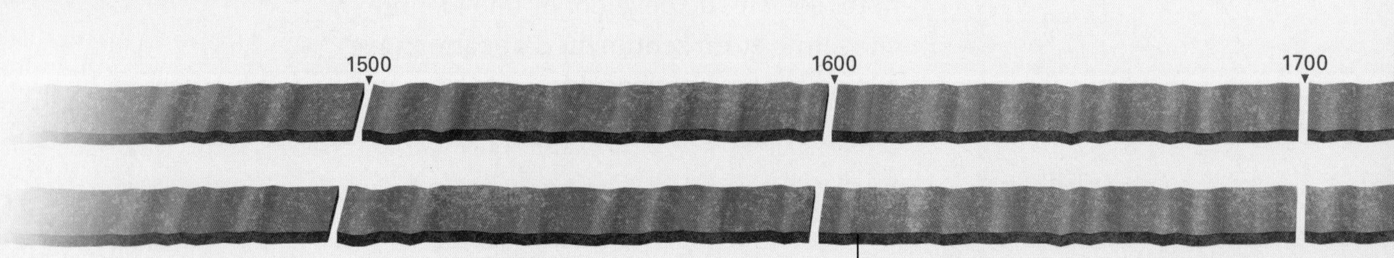

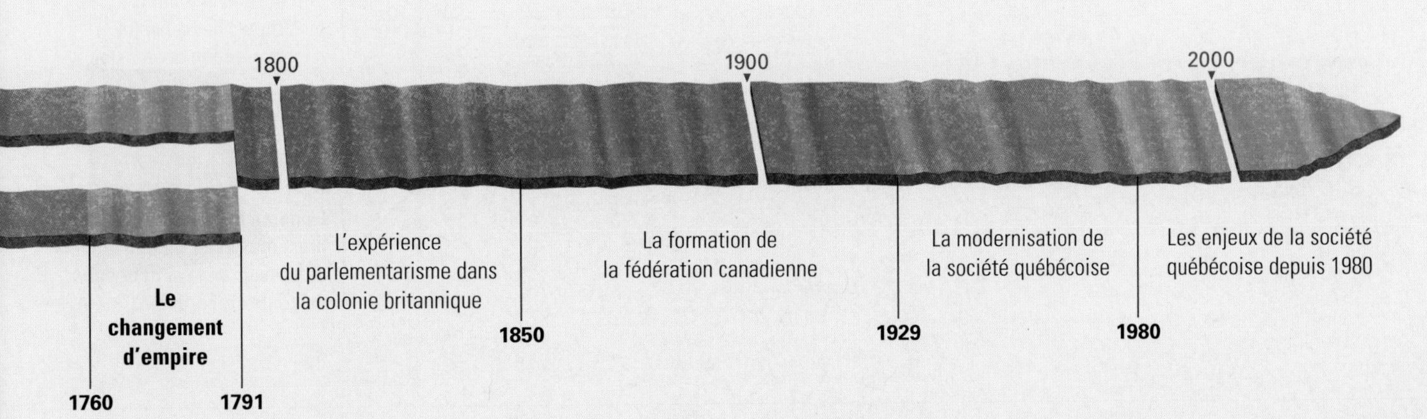

1800
1900
2000
L'expérience du parlementarisme dans la colonie britannique
La formation de la fédération canadienne
La modernisation de la société québécoise
Les enjeux de la société québécoise depuis 1980
Le changement d'empire
1760
1791
1850
1929
1980

Aperçu d'un dossier

Les pages d'ouverture

Le **numéro du dossier** et son concept central.

Le **titre** du dossier.

Un texte présente la **problématique** du dossier.

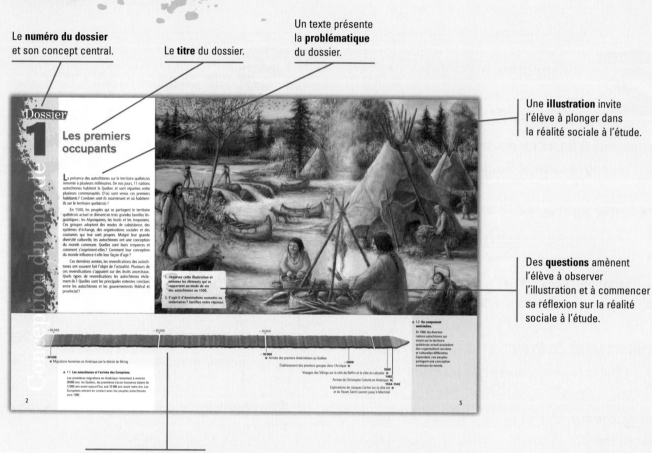

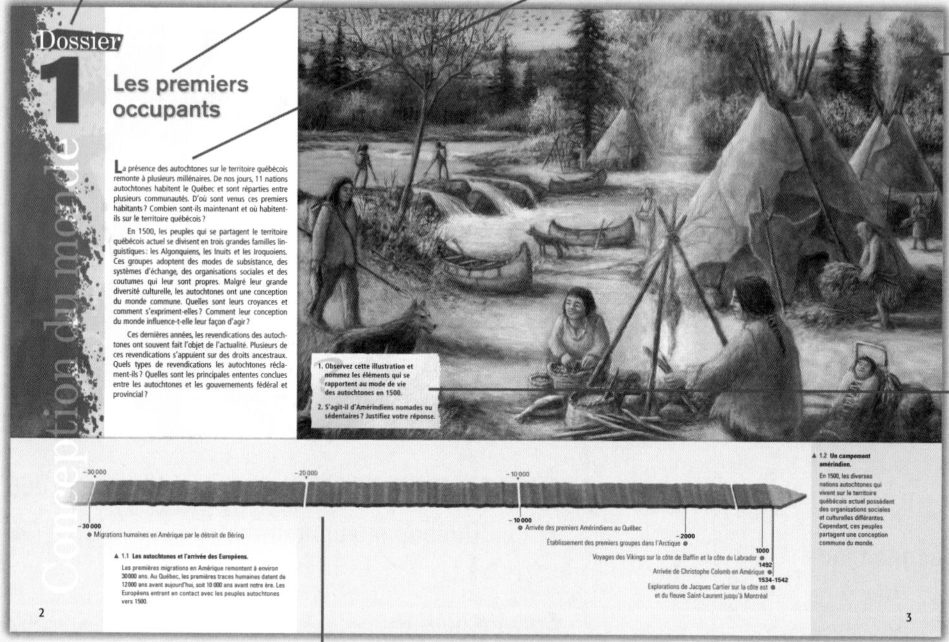

Dossier 1

Conception du monde

Les premiers occupants

La présence des autochtones sur le territoire québécois remonte à plusieurs millénaires. De nos jours, 11 nations autochtones habitent le Québec et sont réparties entre plusieurs communautés. D'où sont venus ces premiers habitants ? Combien sont-ils maintenant et où habitent-ils sur le territoire québécois ?

En 1500, les peuples qui se partagent le territoire québécois actuel se divisent en trois grandes familles linguistiques : les Algonquiens, les Inuits et les Iroquoiens. Ces groupes adoptent des modes de subsistance, des systèmes d'échange, des organisations sociales et des coutumes qui leur sont propres. Malgré leur grande diversité culturelle, les autochtones ont une conception du monde commune. Quelles sont leurs croyances et comment s'expriment-elles ? Comment leur conception du monde influence-t-elle leur façon d'agir ?

Ces dernières années, les revendications des autochtones ont souvent fait l'objet de l'actualité. Plusieurs de ces revendications s'appuient sur des droits ancestraux. Quels types de revendications les autochtones réclament-ils ? Quelles sont les principales ententes conclues entre les autochtones et les gouvernements fédéral et provincial ?

1. Observez cette illustration et nommez les éléments qui se rapportent au mode de vie des autochtones en 1500.
2. S'agit-il d'Amérindiens nomades ou sédentaires ? Justifiez votre réponse.

– 30 000 – 20 000 – 10 000

- – 30 000 Migrations humaines en Amérique par le détroit de Béring
- – 10 000 Arrivée des premiers Amérindiens au Québec
- – 2000 Établissement des premiers groupes dans l'Arctique
- 1000 Voyages des Vikings sur la côte de Baffin et la côte du Labrador
- 1492 Arrivée de Christophe Colomb en Amérique
- 1534-1542 Explorations de Jacques Cartier sur la côte est et du fleuve Saint-Laurent jusqu'à Montréal

▲ 1.1 **Les autochtones et l'arrivée des Européens.**
Les premières migrations en Amérique remontent à environ 30 000 ans. Au Québec, les premières traces humaines datent de 12 000 ans avant aujourd'hui, soit 10 000 ans avant notre ère. Les Européens entrent en contact avec les peuples autochtones vers 1500.

▲ 1.2 **Un campement amérindien.**
En 1500, les diverses nations autochtones qui vivent sur le territoire québécois actuel possèdent des organisations sociales et culturelles différentes. Cependant, ces peuples partagent une conception du monde commune.

2 3

Une **illustration** invite l'élève à plonger dans la réalité sociale à l'étude.

Des **questions** amènent l'élève à observer l'illustration et à commencer sa réflexion sur la réalité sociale à l'étude.

Une **ligne du temps** couvre la période rattachée à la réalité sociale à l'étude et permet d'en situer les grands événements dans le temps.

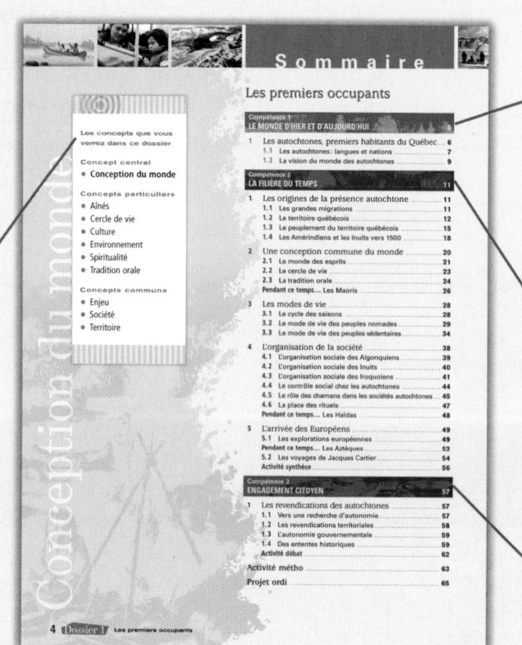

Sommaire

Les concepts que vous verrez dans ce dossier

Concept central
- Conception du monde

Concepts particuliers
- Aînés
- Cercle de vie
- Culture
- Environnement
- Spiritualité
- Tradition orale

Concepts communs
- Enjeu
- Société
- Territoire

Les premiers occupants

4 Dossier 1 Les premiers occupants

Un **encadré** énumère les concepts à l'étude dans le dossier.

La partie **Le monde d'hier et d'aujourd'hui** introduit l'objet d'interrogation du dossier en le situant dans un contexte pertinent.

La partie **La filière du temps** décrit les événements historiques liés à l'objet d'interprétation du dossier.

La partie **Engagement citoyen** présente l'objet de citoyenneté du dossier en le situant dans un contexte pertinent.

Quelques pages d'un dossier

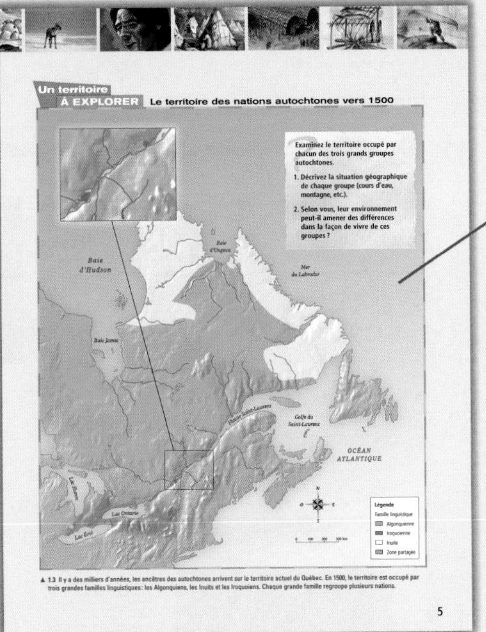

Une **carte** au début de chaque dossier montre le découpage du territoire à l'époque où se déroulent les événements abordés dans l'étude du passé.

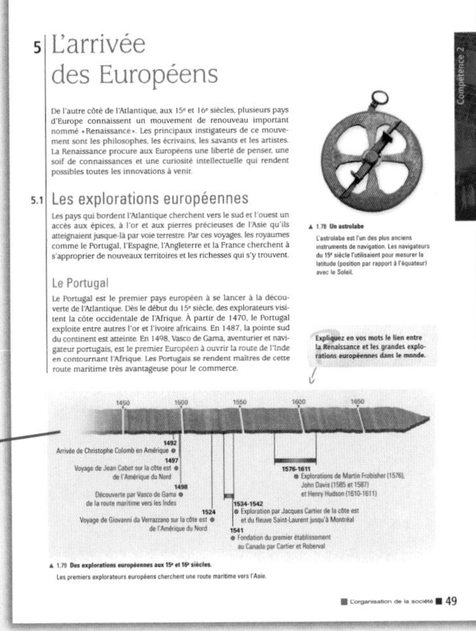

Des **lignes du temps thématiques** situent des événements-clés dans le temps.

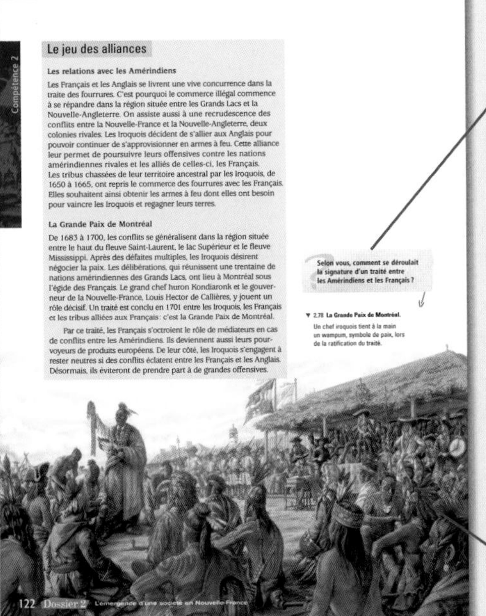

Le jeu des alliances
Les relations avec les Amérindiens
La Grande Paix de Montréal
122 Dossier 2 L'émergence d'une société en Nouvelle-France

Au fil des pages, des **questions** encouragent l'observation et suscitent la réflexion.

Des **tableaux** donnent de l'information de façon claire, précise et schématisée.

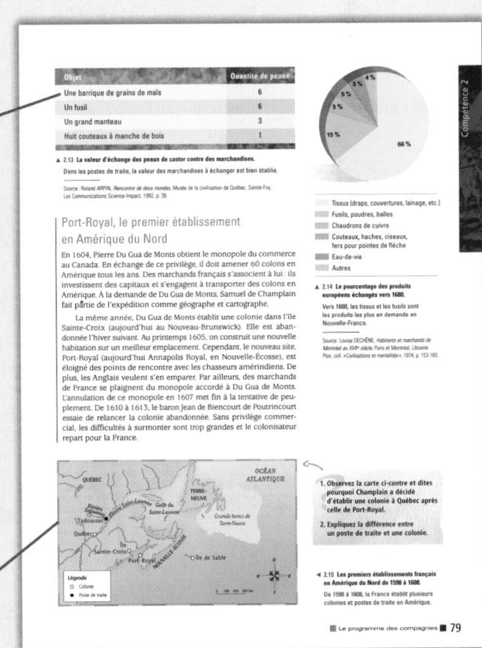

Des **illustrations** historiques soutiennent les propos et suscitent le questionnement.

Des **cartes géographiques et thématiques** favorisent la compréhension de la matière.

Quelques pages d'un dossier

Tous les **concepts** à l'étude dans le dossier sont définis et mis en contexte.

Des **mots-clés** sont définis en marge.

La force du nombre

Concept

Langue

Durant le gouvernement militaire, quelle est la situation économique des Canadiens ?

3.15 Une vue de l'est de Montréal.

160 Dossier 3 Le changement d'empire

Des graphiques simplifient la présentation de certaines données.

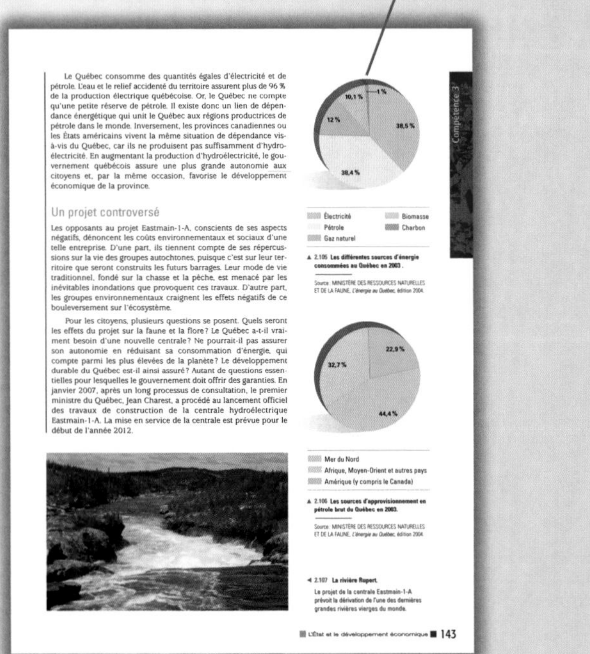

Les rubriques

Les rubriques **Saviez-vous que…** présentent des faits percutants et amusants.

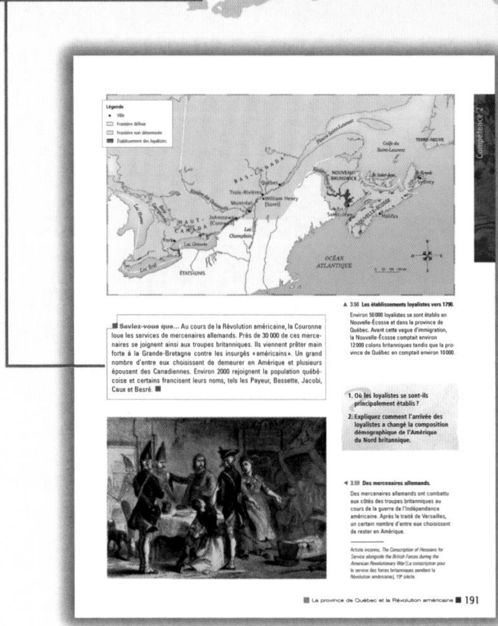

Les rubriques **Témoins de l'histoire** décrivent des personnages ou des lieux importants de l'époque présentée.

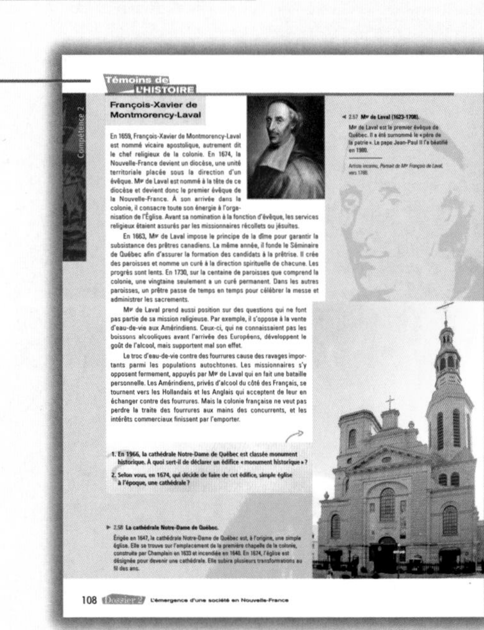

La rubrique **Activité débat** propose une discussion sur une question citoyenne d'actualité.

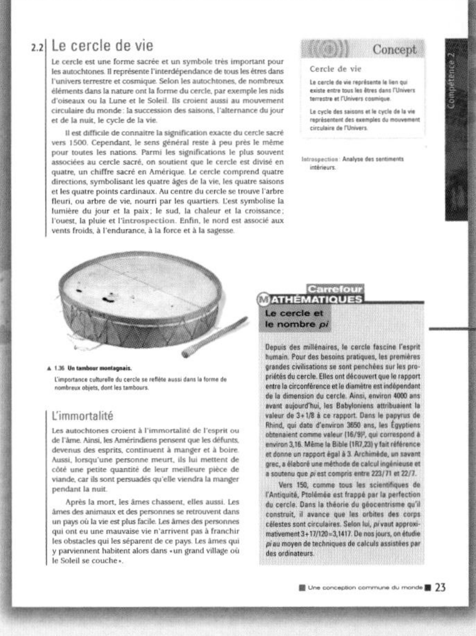

La rubrique **Carrefour** permet de faire un lien avec une autre discipline.

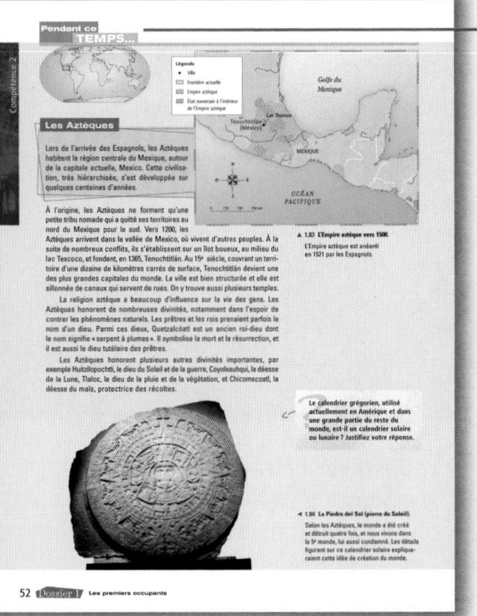

Les rubriques **Pendant ce temps...** permettent de comparer la société québécoise avec d'autres sociétés, à l'époque étudiée.

La rubrique **Activité métho** permet de mettre en application les divers aspects de la méthodologie historique.

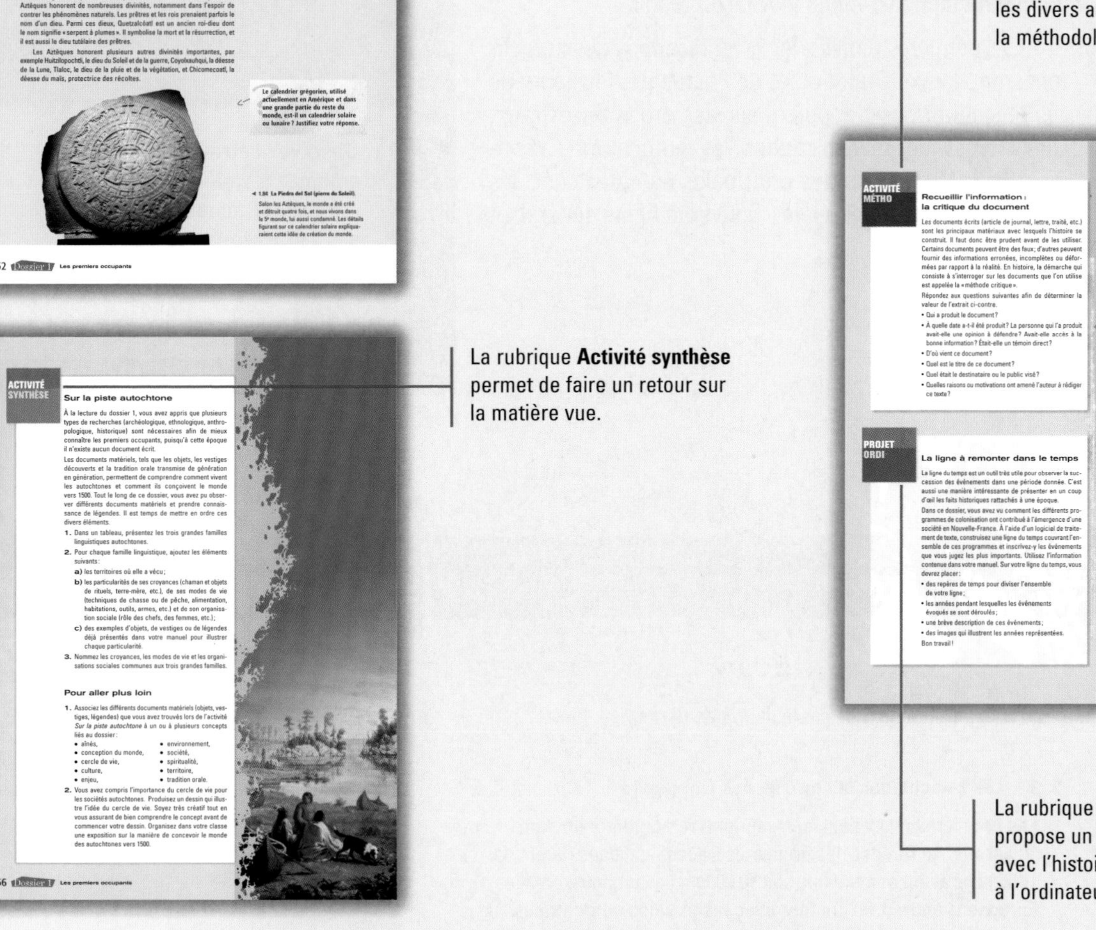

La rubrique **Activité synthèse** permet de faire un retour sur la matière vue.

La rubrique **Projet ordi** propose un projet en lien avec l'histoire, à réaliser à l'ordinateur.

Dossier 1

Conception du monde

Les premiers occupants

La présence des autochtones sur le territoire québécois remonte à plusieurs millénaires. De nos jours, 11 nations autochtones habitent le Québec et sont réparties entre plusieurs communautés. D'où sont venus ces premiers habitants ? Combien sont-ils maintenant et où habitent-ils sur le territoire québécois ?

En 1500, les peuples qui se partagent le territoire québécois actuel se divisent en trois grandes familles linguistiques : les Algonquiens, les Inuits et les Iroquoiens. Ces groupes adoptent des modes de subsistance, des systèmes d'échange, des organisations sociales et des coutumes qui leur sont propres. Malgré leur grande diversité culturelle, les autochtones ont une conception du monde commune. Quelles sont leurs croyances et comment s'expriment-elles ? Comment leur conception du monde influence-t-elle leur façon d'agir ?

Ces dernières années, les revendications des autochtones ont souvent fait l'objet de l'actualité. Plusieurs de ces revendications s'appuient sur des droits ancestraux. Quels types de revendications les autochtones réclament-ils ? Quelles sont les principales ententes conclues entre les autochtones et les gouvernements fédéral et provincial ?

1. Observez cette illustration et nommez les éléments qui se rapportent au mode de vie des autochtones en 1500.

2. S'agit-il d'Amérindiens nomades ou sédentaires ? Justifiez votre réponse.

−30 000 −20 000

−30 000
● Migrations humaines en Amérique par le détroit de Béring

▲ **1.1 Les autochtones et l'arrivée des Européens.**

Les premières migrations en Amérique remontent à environ 30 000 ans. Au Québec, les premières traces humaines datent de 12 000 ans avant aujourd'hui, soit 10 000 ans avant notre ère. Les Européens entrent en contact avec les peuples autochtones vers 1500.

▲ 1.2 **Un campement amérindien.**

En 1500, les diverses nations autochtones qui vivent sur le territoire québécois actuel possèdent des organisations sociales et culturelles différentes. Cependant, ces peuples partagent une conception commune du monde.

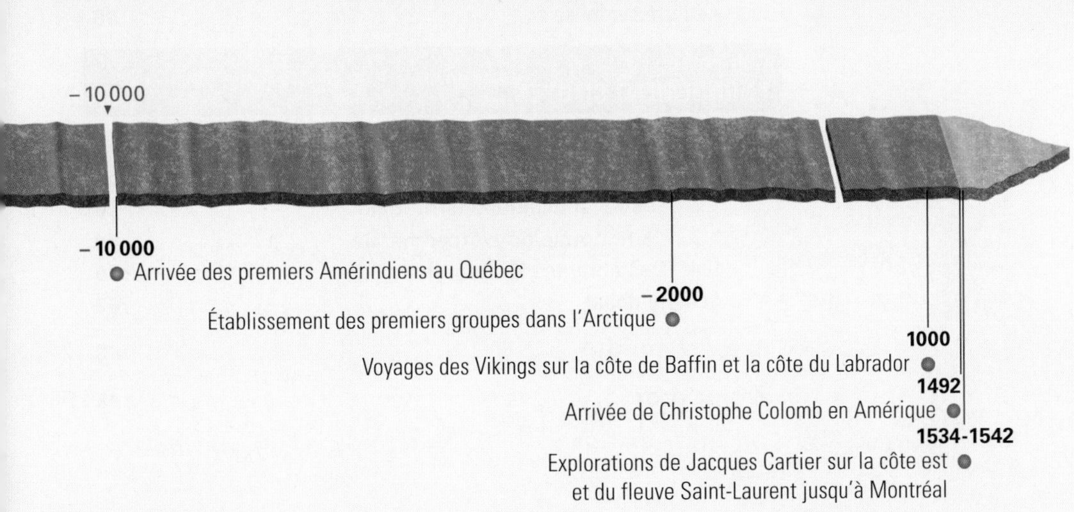

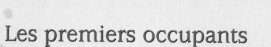

Sommaire

Les premiers occupants

Les concepts que vous verrez dans ce dossier

Concept central
- **Conception du monde**

Concepts particuliers
- Aînés
- Cercle de vie
- Culture
- Environnement
- Spiritualité
- Tradition orale

Concepts communs
- Enjeu
- Société
- Territoire

Conception du monde

Un territoire À EXPLORER — Le territoire des nations autochtones vers 1500

Examinez le territoire occupé par chacun des trois grands groupes autochtones.

1. Décrivez la situation géographique de chaque groupe (cours d'eau, montagne, etc.).
2. Selon vous, leur environnement peut-il amener des différences dans la façon de vivre de ces groupes ?

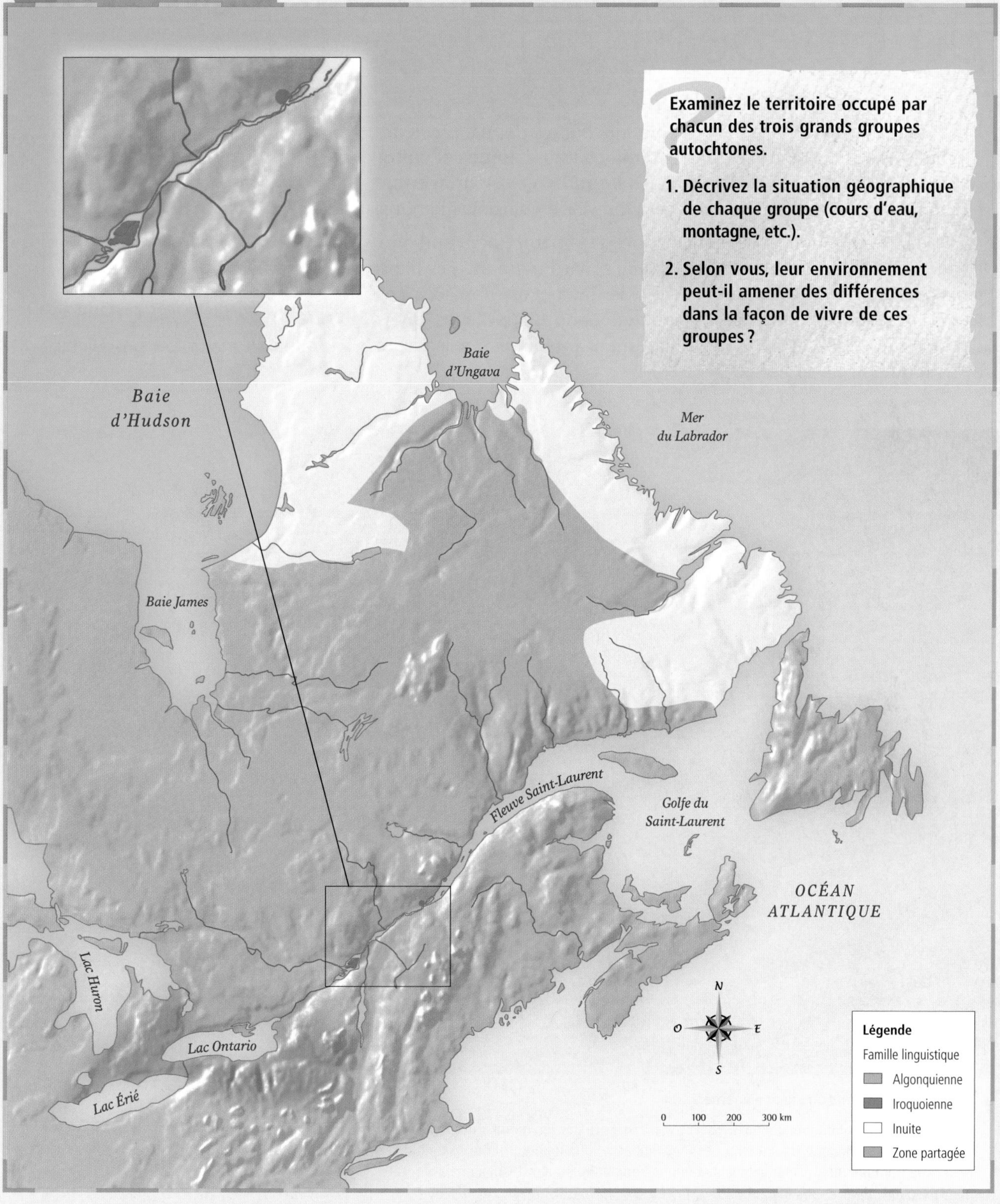

Baie d'Hudson
Baie d'Ungava
Mer du Labrador
Baie James
Fleuve Saint-Laurent
Golfe du Saint-Laurent
OCÉAN ATLANTIQUE
Lac Huron
Lac Ontario
Lac Érié
N
O
E
S
0 100 200 300 km

Légende

Famille linguistique

- Algonquienne
- Iroquoienne
- Inuite
- Zone partagée

▲ **1.3** Il y a des milliers d'années, les ancêtres des autochtones arrivent sur le territoire actuel du Québec. En 1500, le territoire est occupé par trois grandes familles linguistiques : les Algonquiens, les Inuits et les Iroquoiens. Chaque grande famille regroupe plusieurs nations.

1 Les autochtones, premiers habitants du Québec

Les autochtones vivent sur le territoire québécois depuis plusieurs millénaires. En 1500, trois grandes familles linguistiques et culturelles, les Algonquiens, les Inuits et les Iroquoiens, se partagent le territoire québécois. Chaque famille se subdivise en plusieurs nations.

Tous les autochtones dépendent alors de la nature pour survivre. Ils adoptent un mode de vie adapté à leur environnement. Les habitants du Nord, comme les Algonquiens et les Inuits, sont nomades. Les Iroquoiens sont sédentaires et habitent dans des villages qu'ils déplacent tous les 10 à 30 ans, notamment lorsque les ressources avoisinantes sont épuisées.

1. Que signifie le mot « autochtone » ?

2. Qui sont les autochtones du Québec ?

HIER

▲ **1.4 Des Amérindiens en canot d'écorce.**

Le mode de fabrication des canots d'écorce a été inventé par les nations autochtones. Dans la plupart des cultures autochtones, ces embarcations jouent un rôle essentiel. Elles sont notamment indispensables aux nations nomades du Nord, qui s'en servent pour parcourir de grandes distances.

Cornelius Krieghoff, *Indiens en canot*, vers 1856.

1.1 Les autochtones : langues et nations

Aujourd'hui, le territoire du Québec compte une cinquantaine de communautés autochtones réparties entre dix nations amérindiennes et une nation inuite. Leur population totale, estimée à plus de 80 000 personnes, ce qui constitue environ 1 % de la population totale du Québec.

Les autochtones se regroupent à l'intérieur de collectivités assez diversifiées. Comme en 1500, ils parlent différentes langues qui se classent en trois grandes familles linguistiques. Les autochtones d'aujourd'hui parlent généralement leur propre langue lorsqu'ils sont entre eux. Ils s'expriment également dans une langue seconde, soit le français ou l'anglais. Les Attikameks font ainsi partie de la famille algonquienne qui parle l'attikamek et utilise le français comme langue seconde. Pour leur part, les Inuits parlent des langues appartenant à la famille de l'inuktitut et utilisent en grande partie l'anglais comme langue seconde.

Donnez quelques exemples de l'influence amérindienne sur la culture québécoise.

AUJOURD'HUI

▲ **1.5 Une randonnée en canot dans une réserve faunique.**

Le canot est toujours utilisé pour la pêche, tant par les autochtones que par l'ensemble de la population. De nos jours, les autochtones s'adonnent à leurs activités de chasse, de pêche et de piégeage sur les terres publiques du Québec. Ces activités sont régies par des lois et des ententes prises par les gouvernements provincial et fédéral.

Les Amérindiens vivent généralement sur des réserves administrées par un conseil de bande, composé d'un chef et de conseillers. Les Inuits, quant à eux, résident dans des villages nordiques dirigés par un maire et un conseil municipal. Certains autochtones habitent en dehors des territoires qui leur sont réservés.

1. Y a-t-il une communauté autochtone à proximité de votre localité ou dans votre région ? Si oui, laquelle ?

2. Que savez-vous sur cette communauté ?

3. Quels moyens pouvez-vous utiliser pour trouver des informations sur cette communauté ?

▲ **1.6 Les nations et les communautés autochtones au Québec aujourd'hui.**

Les autochtones forment une cinquantaine de communautés dispersées sur tout le territoire du Québec. Ces communautés se répartissent entre 11 nations.

1.2 La vision du monde des autochtones

Au fil des siècles, les autochtones établissent un lien particulier avec la nature. Pour les Amérindiens et les Inuits, la Terre est sacrée et il faut la respecter. En fait, les autochtones considèrent qu'ils font eux-mêmes partie de la nature.

La majorité des autochtones préservent leur spiritualité et leur mode de vie jusqu'à la fin du 19e siècle. Par la suite, la sédentarisation et la création de **réserves** contribuent à la transformation de leurs modes de vie traditionnels.

Si la richesse du patrimoine autochtone demeure vivante, c'est notamment grâce aux aînés qui détiennent depuis toujours un rôle important dans la transmission des valeurs, des principes, des connaissances, des traditions, des langues et des cultures autochtones. Conscients que leur rôle n'a plus la même importance avec le développement de la société industrielle, les autochtones ont pris diverses initiatives visant la protection et la reconnaissance de leurs savoirs traditionnels.

Les conceptions du monde des autochtones reposent sur l'interdépendance de tous les êtres. En 1500, les peuples autochtones vivent en étroite relation avec la nature, dont ils croient faire partie.

Croyez-vous que ces valeurs ont toujours leur place dans la société d'aujourd'hui ? Justifiez votre réponse à l'aide d'exemples.

Réserve : Territoire officiellement attribué aux Amérindiens.

Compétence 1

▲ **1.7 Une aînée crie partageant ses connaissances avec son petit-fils.**

Depuis longtemps, les aînés sont responsables de la transmission des traditions ancestrales dans les communautés autochtones. Dans le passé, ils occupaient un rôle important dans l'organisation sociale grâce à leurs connaissances et à leur enseignement.

1. Observez la photographie ci-dessus. Quelle connaissance cette aînée autochtone transmet-elle à l'enfant ?

2. Selon vous, quelle place occupent nos aînés dans la société québécoise actuelle ?

L'extrait qui suit est un témoignage d'un aîné montagnais, né vers 1885. Ce témoignage, qui a été recueilli dans les années 1970, renvoie à une époque située avant 1960. Il est relativement récent si l'on considère que l'origine des nations amérindiennes au Québec remonte à plusieurs milliers d'années. Cet extrait permet d'entrevoir une conception du monde qui est particulière aux premiers occupants et que l'exploration de ce dossier permettra de mieux découvrir.

Récit d'un chasseur autochtone

« À ce propos, je vais vous raconter une histoire qui m'est arrivée.

[...] Une fois revenu dans le bois, je fis un rêve pendant la nuit. Dans mon rêve, il y avait des pistes de caribou qui passaient près de ma tente. Puis une voix me demanda mon couteau. Cette voix se transforma en un chant. Oui, quelqu'un chantait au loin. « C'est le caribou qui chante. » Oui, c'était bien le caribou. Cela, personne ne devrait en douter.

Ce rêve faisait partie de la chasse. Je pensais à la chasse même la nuit en dormant.

À l'aube je me suis levé. J'étais avec Sylvestre Nolin. Je lui ai dit: « Quelqu'un chante là-bas, tout près. » [...] La distance était courte [...] En arrivant au lac, on vit plusieurs pistes de caribou.[...] Le caribou était là, au beau milieu du lac. [...] J'ai tiré deux fois pour le tuer car il était loin et il courait bien. C'est bien le second coup qui l'a achevé. [...]

Oui, les choses se passaient comme ça autrefois. Le caribou vivait seul sur ce lac depuis le début de l'hiver. Personne ne réussissait à le trouver. C'est mon rêve qui m'a permis de le tuer et ce caribou-là, c'est moi qui devais le tuer.

Les vieux comprenaient la chasse par les rêves. Ils étaient tous comme ça. Dans les rêves ou dans la tente tremblante, le caribou parlait au chasseur. Il aidait le bon chasseur. Mais la magie, ce n'est pas tout. Un magicien peut souffrir de la faim. Sa propre magie peut lui attirer de la malchance.

Pour combattre la malchance, les Anciens faisaient des festins de caribou. J'ai moi-même participé souvent à ces festins.

[...] Il fallait absolument tout manger, même le foie du caribou. [...] Moi, j'ai vu ces choses. Elles sont véridiques. Il fallait faire ces choses sinon le caribou restait introuvable. Le chasseur qui respectait la viande de caribou avait de la chance dans ses chasses. Celui qui gaspillait, qui laissait négligemment de la viande de caribou sur la neige, ou dont les chiens mangeaient du caribou, celui-là devait s'attendre au pire.

[...] Les Anciens répétaient souvent: « Ne gaspillez jamais la viande du caribou, car il est protégé par un esprit. Oui, le caribou obéit à son maître Papakassik. Si les familles laissent traîner des pattes de caribou, si les chiens mangent du caribou, alors les Indiens souffriront. » »

Source: Serge BOUCHARD, *Récits de Mathieu Mestokosho, chasseur innu*, Montréal, Éditions du Boréal, 2004, p. 173-178.

▲ **1.8 Un caribou.**

Le caribou occupait une place importante chez les peuples autochtones.

Lisez attentivement cet extrait et relevez les indices qui permettent de comprendre la conception du monde des autochtones d'autrefois.

1 Les origines de la présence autochtone

Les Amérindiens et les Inuits qui peuplent les deux Amériques sont les descendants de gens venus d'Asie, il y a plusieurs milliers d'années.

1.1 Les grandes migrations

Les recherches n'ont pas encore déterminé avec certitude l'époque à laquelle les peuples autochtones sont arrivés en Amérique du Nord, ni leur provenance. Selon certaines hypothèses, l'Amérique se serait peuplée par vagues successives de petits groupes de chasseurs nomades venus d'Asie, il y a environ 30 000 ans. Pendant la dernière période glaciaire, ces groupes traversent le détroit de Béring. Un passage de terre relie alors l'Amérique à l'Asie, car le niveau de la mer était plus bas. Les premiers arrivants atteignent d'abord l'Alaska. Quelques millénaires plus tard, ils pénètrent à l'intérieur du continent en empruntant des corridors formés par le retrait des glaciers. Certains descendent vers le sud en quête d'un climat plus doux et d'autres se dirigent vers l'est.

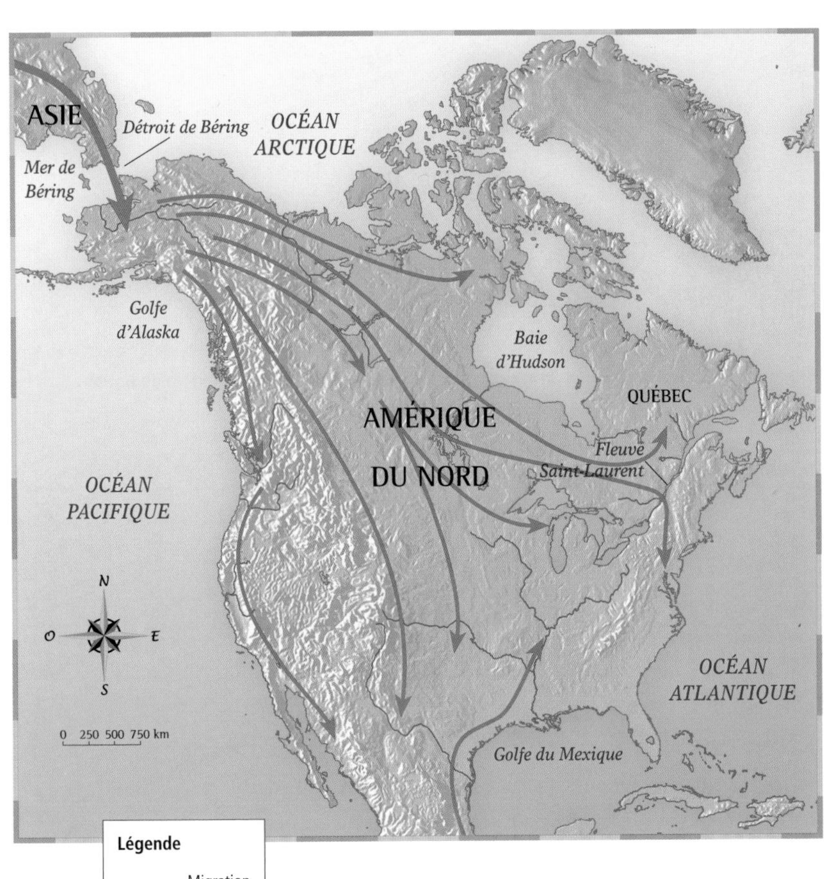

◄ **1.9 Les migrations humaines en Amérique du Nord au cours des âges.**

Cette carte actuelle montre des corridors qu'auraient empruntés les ancêtres des autochtones pour peupler le territoire de l'Amérique du Nord.

Selon vous, pourquoi ce mouvement migratoire des populations est-il devenu nécessaire ?

LA FILIÈRE DU TEMPS Compétence 2

1.2 Le territoire québécois

Il y a 30 000 ans, l'environnement physique du territoire nord-américain présente une image très différente de celle d'aujourd'hui. Le continent est recouvert de glace, car le climat est beaucoup plus froid. L'Amérique du Nord connaît quatre périodes de glaciation. La dernière période est appelée «Glaciation du Wisconsin».

La formation du territoire québécois

Le poids énorme de la **nappe glaciaire**, durant la dernière période de glaciation, a fait s'affaisser la croûte terrestre. Lors du retrait des glaciers vers le nord, il y a 12 000 ans, le niveau des océans s'est élevé. Les eaux ont par la suite envahi les vallées du Saint-Laurent et de l'Outaouais, créant l'immense **mer de Champlain**, aujourd'hui disparue. Libérée du poids des glaces, la croûte terrestre s'est mise à remonter. Au fil du temps, elle a continué à se relever et les eaux ont fini par se retirer. Le fleuve Saint-Laurent a creusé son lit et la végétation est apparue. Les animaux n'ont pas tardé à peupler la région. Les premiers groupes d'Amérindiens, qui vivaient de la chasse, de la pêche et de la cueillette, ont commencé à parcourir ce territoire.

Nappe glaciaire: Vaste étendue de glace qui recouvre une grande surface continentale sur plusieurs milliers de kilomètres.

Mer de Champlain: Mer qui inonde la vallée du Saint-Laurent après la fonte des glaces recouvrant l'Amérique du Nord.

Quel est le lien entre le retrait des glaciers au nord de ce qui s'appelle aujourd'hui la vallée du Saint-Laurent et la formation de la mer de Champlain?

▼ **1.10 Le fleuve Saint-Laurent, d'hier à aujourd'hui.**

Le fleuve Saint-Laurent prend son aspect actuel 6000 ans avant aujourd'hui.

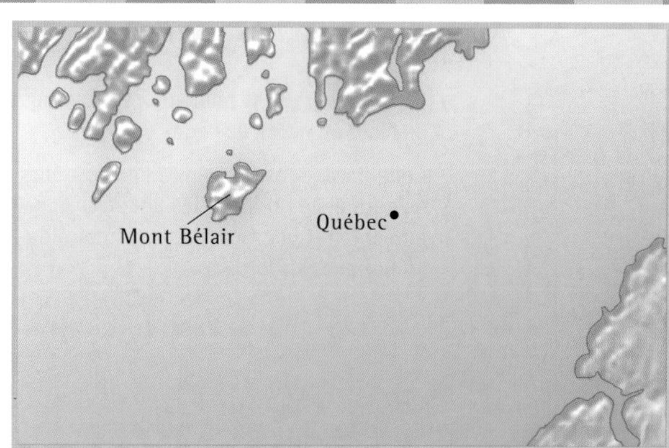

La vallée du Saint-Laurent est envahie par la mer de Champlain.

La mer de Champlain se retire. Les deux points les plus hauts de l'île d'Orléans émergent.

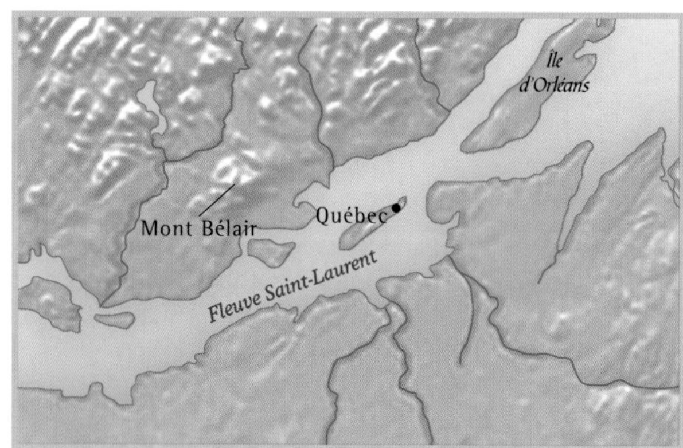

À mesure que la croûte terrestre remonte, la mer fait place au fleuve. À une altitude d'environ 60 m, de nombreux chenaux apparaissent autour des hautes terres émergées.

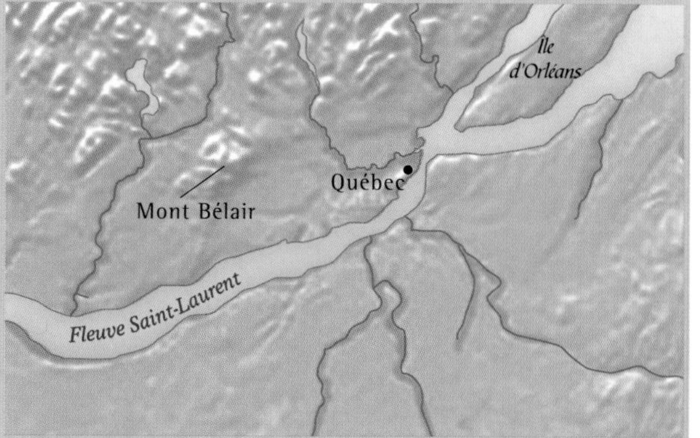

Après la fonte des glaces et le retrait de la mer de Champlain, le fleuve Saint-Laurent trouve progressivement son lit à travers les matériaux glaciaires.

Source: Adapté de Ressources naturelles Canada.

Les régions physiographiques du Québec

Le Québec compte trois grandes régions physiographiques : le Bouclier canadien, les Appalaches, dans le sud du Québec et, entre les deux, les basses-terres du Saint-Laurent et des Grands Lacs.

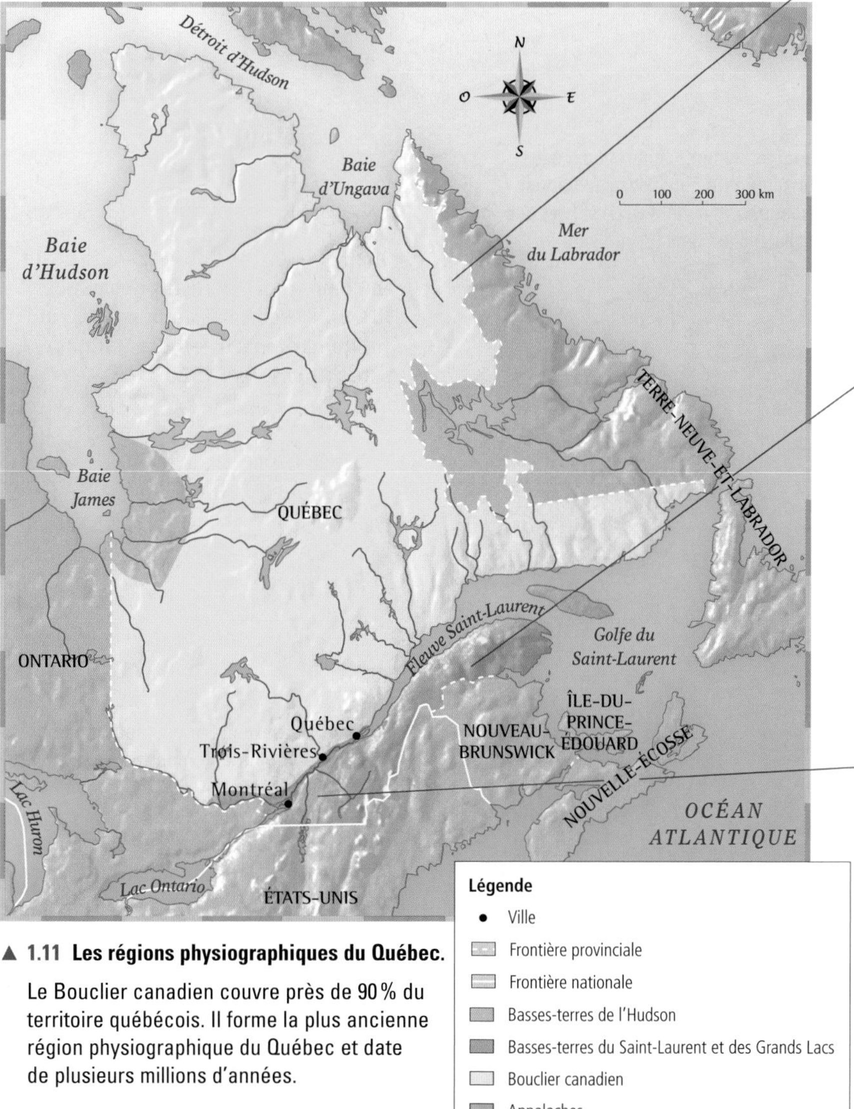

▲ **1.11 Les régions physiographiques du Québec.**

Le Bouclier canadien couvre près de 90 % du territoire québécois. Il forme la plus ancienne région physiographique du Québec et date de plusieurs millions d'années.

▲ **1.12 Un paysage du Bouclier canadien.**

Le Bouclier canadien, un plateau parcouru de milliers de lacs et de rivières, couvre la majeure partie du territoire québécois et la moitié du territoire canadien.

▲ **1.13 Un paysage des Appalaches.**

Les Appalaches constituent une vaste chaîne de montagnes qui s'étend du sud-est des États-Unis jusqu'à Terre-Neuve.

▲ **1.14 Une vue des basses-terres du Saint-Laurent.**

Les basses-terres du Saint-Laurent et des Grands Lacs forment un étroit corridor de terres fertiles réparties sur les deux rives du fleuve.

Le fleuve Saint-Laurent : un axe de développement

Le fleuve Saint-Laurent est à l'origine de la diversité des espèces au Québec. Il prend sa source dans les Grands Lacs et traverse une grande partie du Québec. Le bassin hydrographique de ce fleuve est immense puisque plusieurs affluents s'y déversent. Son **écosystème** forme un milieu riche et varié.

Le fleuve constitue une porte d'entrée naturelle vers l'intérieur du continent. À l'époque de la colonisation européenne, il permet l'accès au marché de la traite des fourrures. Aujourd'hui, une grande partie de la population habite le long des rives du Saint-Laurent.

Écosystème : Ensemble constitué d'un milieu physique (sol, eau, etc.) et de tous les organismes qui y vivent (animaux, végétaux, micro-organismes).

Quel genre de relief trouve-t-on dans chacune des trois grandes régions physiographiques du Québec ?

Les zones de végétation du Québec

Chaque région physiographique est caractérisée par des ressources particulières. Ces ressources dépendent du relief, de la structure rocheuse, de la proximité de l'océan, du climat, etc. En tenant compte de ces caractéristiques physiques, on a établi un certain nombre de zones de végétation au Québec : la toundra, la taïga, la forêt boréale, la forêt mixte et la forêt de feuillus.

Quelles questions pouvez-vous poser en comparant les cartes des pages 13 et 14 avec celle de la page 5, qui indique la répartition des nations autochtones vers 1500 ?

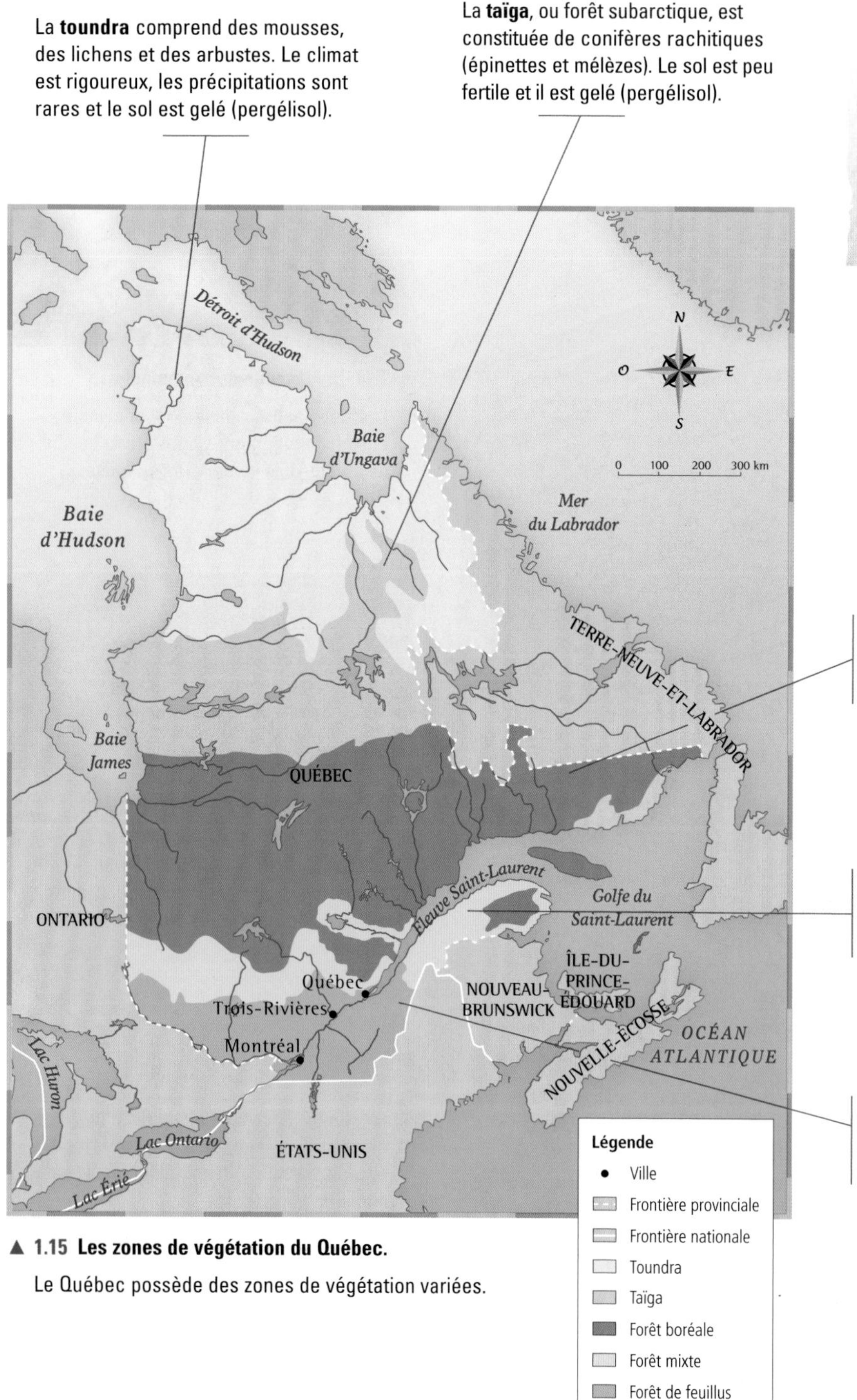

La **toundra** comprend des mousses, des lichens et des arbustes. Le climat est rigoureux, les précipitations sont rares et le sol est gelé (pergélisol).

La **taïga**, ou forêt subarctique, est constituée de conifères rachitiques (épinettes et mélèzes). Le sol est peu fertile et il est gelé (pergélisol).

La **forêt boréale** est constituée principalement de conifères (épinettes, sapins, pins, mélèzes, etc.) et d'un petit nombre de feuillus (bouleaux, trembles, etc.). Elle représente la plus abondante des zones forestières du Québec.

La **forêt mixte** est constituée de conifères (pins, sapins, pruches, épinettes, etc.) et de feuillus (merisiers, érables, bouleaux, etc.). Les dépôts argileux laissés par la mer de Champlain ont notamment favorisé son développement.

La **forêt de feuillus** comprend la plus grande diversité d'essences et d'espèces animales. Le climat est doux, la saison végétative est longue.

▲ **1.15 Les zones de végétation du Québec.**
Le Québec possède des zones de végétation variées.

1.3 Le peuplement du territoire québécois

Les premières nations qui font leur apparition dans le nord-est de l'Amérique du Nord, entre 12 000 et 8000 ans avant aujourd'hui, font partie de la famille algonquienne. Elles vivent de la chasse, de la pêche et de la cueillette, et sont nomades. La plupart d'entre elles occupent initialement la région des Grands Lacs. Les plus anciennes traces d'une occupation régulière et permanente des rives nord et sud du Saint-Laurent trouvées à ce jour datent d'environ 8000 ans.

Dans la grande région du nord-est de l'Amérique, au milieu d'une multitude de nations algonquiennes, une dizaine de nations iroquoiennes sont regroupées dans la partie la plus à l'est des Grands Lacs et dans la vallée du Saint-Laurent. Ces nations ont adopté un mode de vie qui leur est propre : elles sont sédentaires et elles pratiquent l'agriculture. Leur organisation sociale et leur réseau d'échanges sont plus structurés que ceux des nombreuses nations algonquiennes qui les entourent.

On ne sait pas exactement d'où viennent les nations iroquoiennes, car il n'existe aucune preuve de leur origine géographique ou culturelle. Deux hypothèses retiennent l'attention des spécialistes. La première est que ces nations seraient venues de régions situées plus au sud et qu'elles auraient progressé vers le nord-est en suivant les Grands Lacs et le fleuve Saint-Laurent il y a environ 3000 ans. La seconde est qu'elles habitaient déjà la région et qu'elles auraient adopté des façons de faire provenant du sud (pratique de l'agriculture, usage de la poterie, organisation politique) entre 1000 avant notre ère et 1000 de notre ère.

Les Inuits forment le dernier groupe en provenance d'Asie à avoir migré en Amérique. Leurs ancêtres auraient traversé le détroit de Béring dans des embarcations, il y a environ 4000 ans, et se seraient peu à peu répandus vers l'est, dans l'Arctique, de l'Alaska jusqu'au nord du Québec et du Labrador actuels. Ils étaient principalement des chasseurs de mammifères marins et des pêcheurs.

1.16 Une peinture rupestre d'origine amérindienne.

Cette peinture exécutée à l'ocre rouge représente un manitou et témoigne de la mythologie amérindienne.

Concept

Territoire

Un territoire est un espace que des humains se sont approprié.

Les premiers autochtones font leur apparition dans le nord-est de l'Amérique du Nord entre 12 000 et 8000 ans avant aujourd'hui. En 1500, plusieurs nations autochtones sont réparties sur le territoire. Les Amérindiens adaptent leur mode de vie au territoire qu'ils occupent.

Les métiers de l'histoire

Toutes les sociétés anciennes ont laissé des traces. Quels métiers de l'histoire peuvent en révéler les secrets ?

- Les premiers occupants ont laissé derrière eux toutes sortes d'objets et de vestiges que les **archéologues** étudient et interprètent à l'aide de méthodes scientifiques, par exemple le procédé de datation au carbone 14.
- De tradition orale, les Amérindiens et les Inuits ont transmis des récits et des chants de génération en génération. En les étudiant, les **ethnologues** découvrent les croyances, les légendes et les mythes des sociétés anciennes. L'ethnologie étudie les groupes humains.
- Plusieurs nations autochtones vivent sur le territoire québécois depuis des milliers d'années. Les **anthropologues** comparent les cultures passées et actuelles de ces nations. Ils tentent de comprendre et d'expliquer l'origine et l'évolution de leurs modes de vie, de leurs croyances, de leurs coutumes et de leurs organisations.

Les périodes du peuplement amérindien au Québec

En étudiant les régions peuplées et les objets trouvés sur les sites, les archéologues divisent le peuplement amérindien en quatre grandes périodes.

Période (AA: Années avant aujourd'hui)	Caractéristique
Le Paléoindien De 12 000 à 8000 AA	• Arrivée des premiers groupes de chasseurs. • Apparition des premiers outils en pierre taillée.
L'Archaïque De 8000 à 3000 AA	• Occupation importante et permanente du territoire québécois. • Pratique de la chasse, de la pêche et de la cueillette. • Début du commerce et des échanges. • Diversification des outils et des méthodes de fabrication: canots d'écorce, lances, propulseurs, javelots.
Le Sylvicole initial (inférieur et moyen) De 3000 à 1000 AA	• Accroissement de la population. • Introduction de la poterie. • Fabrication et utilisation d'arcs et de flèches. • Culture du maïs, de la courge et des haricots. • Début de la sédentarisation. • Célébration de rites funéraires.
Le Sylvicole supérieur De 1000 à 500 AA	• Perfectionnement de la poterie. • Culture du tabac et du tournesol. • Construction de maisons longues et formation de villages. • Fabrication de nouveaux objets pour la chasse, la pêche, la guerre et les loisirs: armures, pipes, massues, casse-têtes, etc.

▲ **1.17 Les périodes du peuplement amérindien et leurs caractéristiques.**

▲ **1.18 Des pointes de projectiles fabriquées par les premiers groupes de chasseurs.**

Ces pointes proviennent d'îles sur le fleuve Saint-Laurent, en amont de Montréal. Elles datent d'au moins 8000 ans, peut-être davantage.

▲ **1.19 Une lance.**

La lance est un outil de la vie quotidienne chez les Amérindiens. Elle sert aussi bien pour la chasse que pour la guerre.

▲ **1.20 Un épi de maïs.**

Chez les Iroquoiens, le maïs était surtout cultivé pour être transformé en farine.

▲ **1.21 Une poterie datant de 1000 à 500 ans.**

Ce vase en céramique a été fabriqué par des Iroquoiens du Saint-Laurent. L'objet a été trouvé par un fermier, en 1903, au bord d'un ruisseau situé au nord de la rivière des Outaouais, au Québec.

Les périodes du peuplement inuit au Québec

De 4000 à 300 années avant aujourd'hui, trois périodes de peuplement ont lieu dans l'Arctique. Par vagues successives, trois grands peuples viennent s'établir dans cette région.

Période (AA: Années avant aujourd'hui)	**Caractéristique**
Le Prédorsétien 4000 AA	• Établissement des premiers groupes dans l'Arctique. • Fabrication d'outils en silex (une sorte de pierre). • Chasse aux mammifères marins.
Le Dorsétien 3000 à 1000 AA	• Expansion et croissance de la population dans l'Arctique. • Occupation du littoral du Nouveau-Québec, du Labrador et de Terre-Neuve. • Fabrication de harpons, de grattoirs, de couteaux divers, de lampes à l'huile en stéatite (sorte de pierre), de patins de traîneaux et d'igloos. • Fabrication de masques rituels et de sculptures.
Le Thuléen De 1000 à 300 AA	• Ancêtres des Inuits actuels. • Utilisation du kayak et de l'oumiak. • Usage d'une variété de lances, de javelots, d'arcs, de propulseurs, d'outils en ardoise (une sorte de pierre) polis, de couteaux, de pointes et de lunettes de protection contre la lumière du soleil.

▲ 1.22 **Les périodes du peuplement inuit et leurs caractéristiques.**

▲ 1.23 **Une pointe de silex.**

Cette pointe taillée est destinée à armer une flèche. Ses bords coupants en font une arme redoutable.

▲ 1.24 **Un masque miniature en ivoire.**

Ce masque, qui représente un visage humain, a été fabriqué par les premiers habitants de l'Arctique.

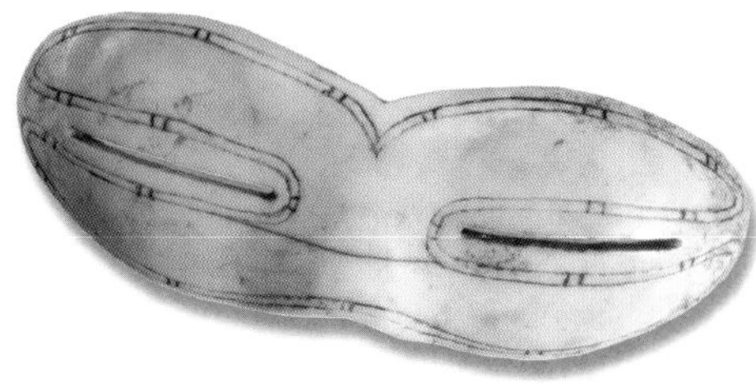

▲ 1.25 **Des lunettes de neige inuites.**

Ces lunettes sont utilisées pour prévenir l'aveuglement causé par le reflet du soleil sur la neige.

1.4 Les Amérindiens et les Inuits vers 1500

Vers 1500, trois grandes familles linguistiques occupent le territoire québécois : la famille algonquienne, la famille inuite et la famille iroquoienne. Les familles algonquienne et iroquoienne se divisent en de nombreuses nations, parlent différentes langues et habitent une grande partie du nord-est de l'Amérique du Nord.

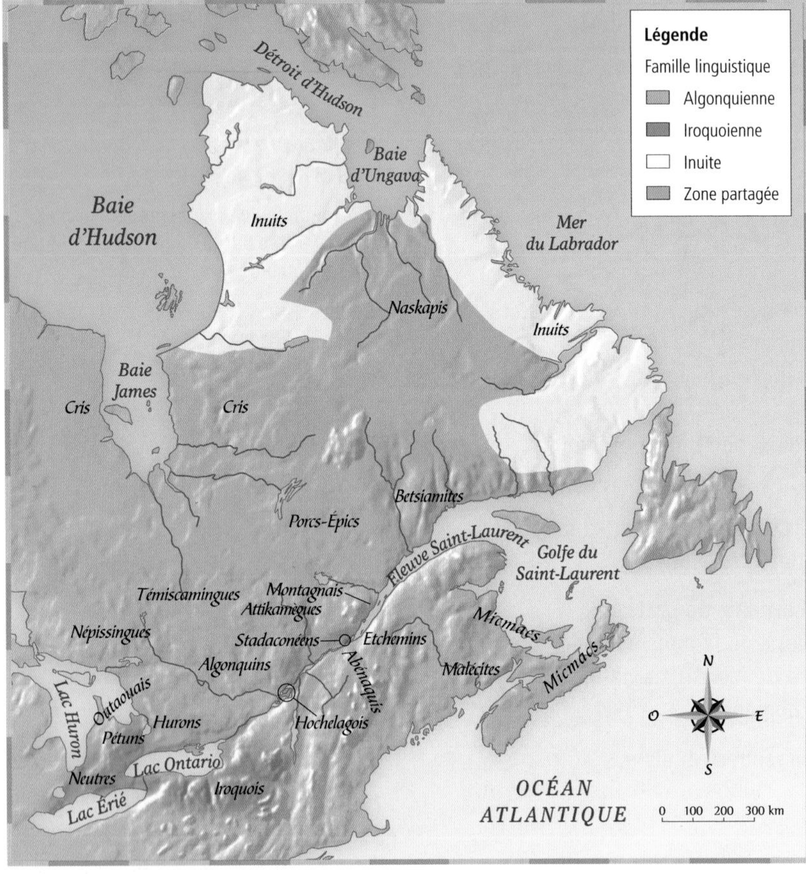

▲ **1.26 Les nations algonquienne, inuite et iroquoienne dans le nord-est de l'Amérique du Nord vers 1500.**

Cette carte présente les principales nations autochtones vers 1500. Il existe cependant plusieurs autres nations moins importantes, mais elles ne comptent parfois que quelques centaines de personnes.

1. **Comparez les principales nations autochtones présentes vers 1500, indiquées sur la carte ci-dessus, avec celles qui existent encore aujourd'hui, comme le montre la carte 1.6 de la page 8.**
2. **Comment pourriez-vous qualifier vos connaissances actuelles sur ces nations ?**
3. **Produisez un plan de recherche sur ce sujet. Planifiez les étapes de votre recherche afin de parvenir à une meilleure compréhension de la vie des premiers occupants.**

Culture

La culture est l'ensemble des comportements et des idées qui caractérisent une société humaine.

Bien que les autochtones partagent une conception du monde semblable, il existe des distinctions culturelles d'un peuple à un autre. Ces distinctions culturelles sont liées notamment à des modes de vie et à des environnements naturels différents.

▲ **1.27 Le mode de vie des Algonquiens.**

▲ **1.28 Le mode de vie des Inuits.**

▲ **1.29 Le mode de vie des Iroquoiens.**

La famille algonquienne

La famille algonquienne regroupe des nations nomades : les Cris, les Montagnais (Innus), les Micmacs, les Naskapis, les Attikameks, les Malécites et les Algonquins. Ces nations occupent, vers 1500, la plus grande part du territoire québécois actuel, de la Gaspésie et de la Côte-Nord jusqu'à la vallée de l'Outaouais et la baie James. Ces nations vivent de la chasse, de la pêche et de la cueillette.

▲ **1.30 Une raquette en forme de queue de castor.**

La chasse au gros gibier se pratique surtout l'hiver, car ces lourds animaux sont ralentis dans leur course par l'épaisse couche de neige. Les chasseurs, chaussés de raquettes, peuvent ainsi les suivre et les rattraper plus facilement.

▲ **1.31 Un canot.**

Cette embarcation joue un rôle important dans la vie des Amérindiens. Elle est utilisée pour se déplacer, pour rapporter le gibier ou encore pour se protéger de la pluie.

La famille inuite

Arrivés dans l'Arctique, les Inuits se sont dispersés vers l'est, jusqu'au littoral du Labrador et du détroit de Belle-Isle. Comme tous les peuples nomades, les Inuits se déplacent sur le territoire selon la disponibilité des ressources et le cycle des saisons. La majorité d'entre eux vivent cependant le long des côtes.

► **1.32 Un oumiak.**

Cette embarcation inuite sert à la chasse aux gros mammifères marins. Elle est aussi utilisée pour le transport des familles et des charges lourdes.

La famille iroquoienne

La famille iroquoienne, dont font partie les Iroquoiens du Saint-Laurent, les Iroquois, les Hurons-Wendats, les Neutres et les Pétuns, s'est installée dans la région des Grands Lacs et des basses-terres du Saint-Laurent. Les Iroquoiens sont sédentaires et pratiquent l'agriculture. Ils cultivent le maïs, la courge, le haricot et le tabac. Comme activités complémentaires, ils pratiquent aussi la chasse, la pêche et font la cueillette.

Indiquez deux caractéristiques sociales ou culturelles (organisation sociale, mode de vie, occupation du territoire, etc.) propres à chacune des trois familles.

2 Une conception commune du monde

Conception du monde

Une conception du monde est une manière de voir la vie et l'Univers.

Chez les premiers occupants, cette vision est commune à tous les peuples amérindiens et inuits.

Les premiers peuples à habiter l'Amérique, que l'on nomme aujourd'hui les «Amérindiens» et les «Inuits», ont une vision commune de la vie et de l'Univers, malgré leur grande diversité culturelle. Selon eux, chaque être vivant, chaque chose matérielle, comme la terre et l'eau, chaque manifestation de la nature, comme le tonnerre et les éclairs, et chaque geste accompli par les êtres humains forment un tout et sont **interdépendants**, c'est-à-dire qu'ils sont liés les uns aux autres.

D'après cette conception du monde, tous les êtres sont égaux et sacrés, car ils sont une expression de la source suprême de toute vie, de tout l'Univers, des forces surhumaines qui ont créé le monde.

Interdépendant: Se dit des choses ou des personnes dépendantes les unes des autres.

1. **Selon vous, qu'est-ce qu'un esprit ?**
2. **Que signifie pour vous l'expression « esprit de la forêt » ?**
3. **Connaissez-vous des récits, des légendes ou des histoires qui présentent le thème de l'esprit de la forêt ? Si oui, lesquels ?**

▲ **1.33 L'esprit de la forêt.**

Les autochtones croient que les esprits habitent toutes les choses de la nature : les forêts, les hommes, les eaux, les plantes, les animaux, le vent et le ciel.

2.1 Le monde des esprits

Les autochtones considèrent que tous les éléments de la réalité, comme la forêt, les plantes, les lacs, le vent, les animaux et certains rochers, possède un esprit. Comme une médaille a deux faces, chaque être et chaque chose sont reliés aux autres par leur envers spirituel, c'est-à-dire par des esprits qui ont le pouvoir de circuler à travers toute chose. Selon eux, il existe un univers parallèle aussi réel que le monde où vivent les humains, mais il est plus libre, plus léger et en mouvement.

Ainsi, les peuples autochtones évoluent continuellement dans un double monde : le monde concret et le monde de la spiritualité. Leur univers, formé d'un monde à la fois visible et invisible, est un lieu mystérieux dominé par des forces surnaturelles. Pour garder l'équilibre dans ce double monde, ils doivent respecter les esprits. Les activités qu'ils pratiquent chaque jour pour subvenir à leurs besoins en dépendent. Chaque geste, chaque comportement doit tenir compte de ce souci d'équilibre entre tous les êtres et leurs esprits, sinon la santé ou même la survie du groupe peut être menacée. Par exemple, les chasseurs brûlent les os des animaux qu'ils viennent de tuer ou les arêtes des poissons qu'ils ont pêchés au lieu de les donner aux chiens. Autrement, les esprits de ces animaux et de ces poissons considéreraient qu'ils n'ont pas été bien traités. Ils inciteraient les autres membres de leur espèce à ne plus se laisser capturer.

Concept

Spiritualité

Qualité de ce qui est esprit, de ce qui se dégage de la matière et du corps en lui attribuant une valeur supérieure.

Les premiers occupants croient que chaque être vivant et chaque chose existent non seulement dans le monde matériel, mais aussi dans un autre monde habité par les esprits. Les Amérindiens et les Inuits considèrent la spiritualité, c'est-à-dire le contact avec le monde des esprits, comme essentielle.

La communication avec les esprits

Les autochtones croient que les esprits apportent l'abondance, la chance, la santé, mais aussi la famine et les maladies. Ils cherchent donc par tous les moyens à entrer en contact avec eux pour s'attirer leurs bonnes grâces. Par exemple, avant de partir à la chasse, les Montagnais examinent, comme si elles formaient une carte géographique, les fines craquelures qui apparaissent à la surface d'une omoplate de caribou pour savoir où trouver le gros gibier.

1. Selon vous, pourquoi les Amérindiens attribuent-ils des vertus magiques au tabac ?

2. Connaissez-vous des plantes médicinales qu'on utilise aujourd'hui pour guérir des maladies ? Si oui, quelles sont-elles et à quel usage servent-elles ?

▼ **1.34 Du tabac dans le feu.**

Pour apaiser les esprits, les Hurons lancent du tabac dans le feu en leur adressant des prières. Ils croient que cette herbe est magique.

Ernest Dominique, *Papouekou*, 1999.

Compétence 2

Les rêves

Les rêves sont très importants pour les nations autochtones. On les considère comme de véritables messages de l'au-delà. Il faut donc les interpréter avec soin. Les rêves sont un moyen privilégié d'établir un lien personnel avec le monde des esprits. Ils prédisent l'avenir. À son réveil, l'autochtone veut accomplir ce qu'il a vu en rêve, car celui-ci est un signe par lequel l'esprit révèle au rêveur ce qu'il doit faire ou ce qui lui arrivera. Par exemple, le fait de rêver à un castor signifie pour l'autochtone qu'il en prendra un. Les rêves peuvent aussi annoncer des événements heureux, comme une victoire au combat ou la capture d'un ennemi. Ils reflètent également tous les désirs cachés des personnes.

Au début du 16e siècle, les religieux sont parmi les premiers Européens à entrer en contact avec les autochtones d'Amérique du Nord et à partager leur vie. Selon eux, les autochtones accordent une grande importance aux rêves. Les **Jésuites** rapportent de multiples observations sur le mode de vie des autochtones dans leurs récits de voyages publiés en Europe. Les renseignements que contiennent ces récits permettent d'entrevoir la vie des Amérindiens au 15e siècle, avant l'arrivée des Européens.

Jésuite : Membre de la Compagnie de Jésus, un ordre religieux fondé par Ignace de Loyola en 1540. Cet ordre a créé de nombreuses missions d'évangélisation, notamment en Amérique.

« Ils ont, de plus, une grande croyance en leurs songes et s'imaginent que ce qu'ils ont vu en dormant doit arriver. Ils croient qu'ils doivent exécuter les actions de leurs rêves. C'est malheureux, car si un sauvage pense qu'il mourra s'il ne me tue pas, il le fera dès notre première rencontre à l'écart des autres. Nos sauvages me demandaient presque tous les matins : « N'as-tu pas vu de castors ou d'orignaux en dormant ? » Comme ils voyaient que je me moquais des songes, ils s'étonnaient et me demandaient : « À quoi crois-tu donc, si tu ne crois pas à tes songes ? » »

Source : Paul LE JEUNE, *Un Français au « royaume des bestes sauvages » (1634)*, Montréal, Comeau & Nadeau, 1999, p. 45 (édition originale française publiée sous le titre *Relation de ce qui s'est passé en la Nouvelle-France, en l'année 1634*, Paris, 1635).

Note

Pour faciliter la lecture de cet extrait, nous avons remplacé l'orthographe ancienne de certains mots par leur orthographe actuelle.

Saviez-vous que... Certains peuples amérindiens utilisent le capteur de rêves comme un filtre pendant le sommeil. Le capteur est suspendu, par exemple, au-dessus de la fenêtre d'une chambre pour repousser les cauchemars. Ainsi, il reçoit les bons et les mauvais rêves qui flottent dans l'air. Les mauvais rêves sont retenus par la toile et disparaissent à la première lueur. De leur côté, les bons rêves passent par le trou situé au centre de la toile, se mêlent aux plumes et peuvent faire partie des rêves de la nuit suivante. ■

▲ **1.35 Un capteur de rêves.**

Le capteur de rêves est un objet sacré, car les rêves assurent une liaison avec le monde spirituel. Le capteur est formé d'un cercle, symbole de vie.

Selon vous, pourquoi le capteur de rêves est-il, encore aujourd'hui, un objet très populaire?

2.2 Le cercle de vie

Le cercle est une forme sacrée et un symbole très important pour les autochtones. Il représente l'interdépendance de tous les êtres dans l'univers terrestre et cosmique. Selon les autochtones, de nombreux éléments dans la nature ont la forme du cercle, par exemple les nids d'oiseaux ou la Lune et le Soleil. Ils croient aussi au mouvement circulaire du monde : la succession des saisons, l'alternance du jour et de la nuit, le cycle de la vie.

Il est difficile de connaître la signification exacte du cercle sacré vers 1500. Cependant, le sens général reste à peu près le même pour toutes les nations. Parmi les significations le plus souvent associées au cercle sacré, on soutient que le cercle est divisé en quatre, un chiffre sacré en Amérique. Le cercle comprend quatre directions, symbolisant les quatre âges de la vie, les quatre saisons et les quatre points cardinaux. Au centre du cercle se trouve l'arbre fleuri, ou arbre de vie, nourri par les quartiers. L'est symbolise la lumière du jour et la paix ; le sud, la chaleur et la croissance ; l'ouest, la pluie et l'**introspection**. Enfin, le nord est associé aux vents froids, à l'endurance, à la force et à la sagesse.

Concept

Cercle de vie

Le cercle de vie représente le lien qui existe entre tous les êtres dans l'Univers terrestre et l'Univers cosmique.

Le cycle des saisons et le cycle de la vie représentent des exemples du mouvement circulaire de l'Univers.

Introspection : Analyse des sentiments intérieurs.

Compétence 2

▲ **1.36 Un tambour montagnais.**

L'importance culturelle du cercle se reflète aussi dans la forme de nombreux objets, dont les tambours.

L'immortalité

Les autochtones croient à l'immortalité de l'esprit ou de l'âme. Ainsi, les Amérindiens pensent que les défunts, devenus des esprits, continuent à manger et à boire. Aussi, lorsqu'une personne meurt, ils lui mettent de côté une petite quantité de leur meilleure pièce de viande, car ils sont persuadés qu'elle viendra la manger pendant la nuit.

Après la mort, les âmes chassent, elles aussi. Les âmes des animaux et des personnes se retrouvent dans un pays où la vie est plus facile. Les âmes des personnes qui ont eu une mauvaise vie n'arrivent pas à franchir les obstacles qui les séparent de ce pays. Les âmes qui y parviennent habitent alors dans « un grand village où le Soleil se couche ».

Carrefour MATHÉMATIQUES

Le cercle et le nombre *pi*

Depuis des millénaires, le cercle fascine l'esprit humain. Pour des besoins pratiques, les premières grandes civilisations se sont penchées sur les propriétés du cercle. Elles ont découvert que le rapport entre la circonférence et le diamètre est indépendant de la dimension du cercle. Ainsi, environ 4000 ans avant aujourd'hui, les Babyloniens attribuaient la valeur de 3+1/8 à ce rapport. Dans le papyrus de Rhind, qui date d'environ 3650 ans, les Égyptiens obtenaient comme valeur $(16/9)^2$, qui correspond à environ 3,16. Même la Bible (1R7,23) y fait référence et donne un rapport égal à 3. Archimède, un savant grec, a élaboré une méthode de calcul ingénieuse et a soutenu que *pi* est compris entre 223/71 et 22/7.

Vers 150, comme tous les scientifiques de l'Antiquité, Ptolémée est frappé par la perfection du cercle. Dans la théorie du géocentrisme qu'il construit, il avance que les orbites des corps célestes sont circulaires. Selon lui, *pi* vaut approximativement 3+17/120=3,1417. De nos jours, on étudie *pi* au moyen de techniques de calculs assistées par des ordinateurs.

2.3 La tradition orale

Vers 1500, les Amérindiens et les Inuits possèdent de nombreux récits et légendes sur la création du monde et d'autres croyances. Ces récits sont transmis oralement, de génération en génération. La tradition orale nous permet aussi de mieux comprendre les coutumes et les croyances de la culture autochtone.

Concept

Tradition orale

Témoignages, récits, enseignement recueillis oralement auprès de personnes qui connaissent les événements et les traditions d'autrefois.

Chez les autochtones, les croyances et les savoir-faire sont transmis oralement, de bouche à oreille, de génération en génération. La tradition orale met aussi en valeur des récits, des légendes et des mythes.

◄ **1.37 Une éclipse.**

Les Hurons croyaient que les éclipses se produisaient quand la Grande Tortue, qui soutenait la Terre, changeait de position et cachait ainsi le Soleil avec sa carapace.

Selon vous, quelle représentation de la femme cette légende traditionnelle transmet-elle ? Justifiez votre réponse.

La légende de Sedna

La légende de Sedna est célèbre parmi les Inuits. Chaque village ou communauté possède sa propre version.

« Sedna vivait au fond de la mer et contrôlait les mammifères marins. Certains disent qu'un gros chien gardait sa maison. Dans la tradition orale, Sedna était, à l'origine, une jeune fille qui avait refusé de se marier. En colère, son père l'avait obligée à épouser un chien. Quand il a constaté son erreur, il a noyé le chien. C'est ainsi que le chien a fini au fond de la mer et que les enfants de Sedna se sont retrouvés sans père. Un jour, un oiseau déguisé en homme a demandé à épouser Sedna. Après s'être mariée avec lui, Sedna a découvert que son nouveau mari n'était pas un homme. Le père de Sedna a essayé d'aider sa fille à s'échapper sur un bateau, mais son mari a battu des ailes et a fait chavirer le bateau. Sedna s'est agrippée au bord du bateau, ce qui lui a coupé les doigts ; ceux-ci se sont transformés en différents mammifères marins comme le phoque, la baleine et le morse. Aujourd'hui, les Inuits disent que Sedna vit avec son premier mari, le chien, au fond de la mer. Son père est parti à la dérive dans le bateau et, quand les êtres humains font des erreurs, il revient les punir. »

Source : Bibliothèque et archives nationales du Canada.

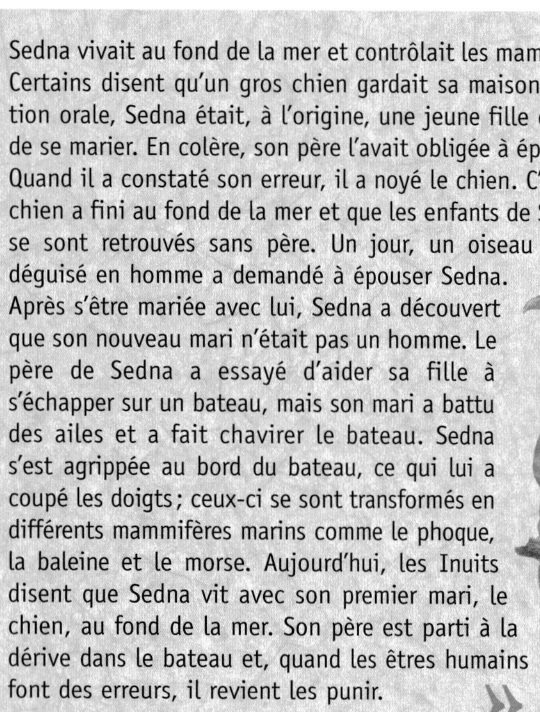

▲ **1.38 Sedna, l'esprit de la mer.**

Lorsque les chasseurs inuits rentrent bredouilles et que la nourriture vient à manquer, les chamans se rendent dans le monde sous-marin grâce à leurs pouvoirs spirituels et implorent Sedna de libérer les animaux pour que les gens puissent se nourrir.

La terre-mère

La vie des autochtones est étroitement liée à leur milieu naturel. Ils éprouvent un immense respect pour la terre, qu'ils appellent « mère ». Pour les Hurons, la terre-mère a été créée par une femme du nom de Aataentsic. Le récit suivant, d'origine huronne, raconte la création du monde.

« À l'origine, le monde était une vaste étendue d'eau et un peuple habitait au ciel. Un jour, un morceau de firmament s'effondra, entraînant dans sa chute une jeune fille. Heureusement, deux oies lui portèrent secours et l'accueillirent dans leurs plumes. Puis, elles le déposèrent sur la carapace d'une Grande Tortue autour de laquelle étaient réunies les animaux.

À tour de rôle, la loutre, le rat musqué et le castor essayèrent en vain de rapporter du fond de l'eau un peu de terre afin de former une grande île. C'est finalement le crapaud femelle qui réussit. Avec la terre, il recouvrit le dos de la tortue et créa le monde tel qu'on le connaît aujourd'hui. Aidée de l'arc-en-ciel, une Petite Tortue monta ensuite au ciel et rassembla des éclairs pour former le Soleil et la Lune qui éclairèrent le monde. »

Source : Roland ARPIN, *Rencontre de deux mondes*, Musée de la civilisation de Québec, Sainte-Foy, les Communications Science-Impact, 1992, p. 60.

Connaissez-vous d'autres histoires, récits ou légendes qui expliquent l'origine du monde ? Si oui, lesquels ?

1.37 Une représentation d'un mythe huron.

Lorsque les Hurons parlent de la femme qui est tombée du ciel et qui a créé la terre-mère, ils l'appellent *Aataentsic*, qui signifie « l'Ancienne ».

Ernest Smith, *Sky Woman* [La femme tombée du ciel], 1936.

1. **Observez l'illustration ci-contre. Quels indices vous permettent d'affirmer que cette illustration représente un mythe huron ?**
2. **Quel épisode de la légende l'illustration veut-elle montrer ? Justifiez votre réponse.**
3. **Quel lien pouvez-vous faire entre la légende de Sedna et celle d'Aataentsic ?**

Les Maoris

Les Maoris sont un peuple polynésien originaire de l'Asie du Sud-Est. Comme chez les autochtones d'Amérique du Nord vers 1500, la tradition orale est chez eux très importante. Les Maoris possèdent plusieurs mythes et légendes sur l'histoire des temps anciens, qu'ils se transmettent notamment par des chants, des danses, ou dans leurs sculptures.

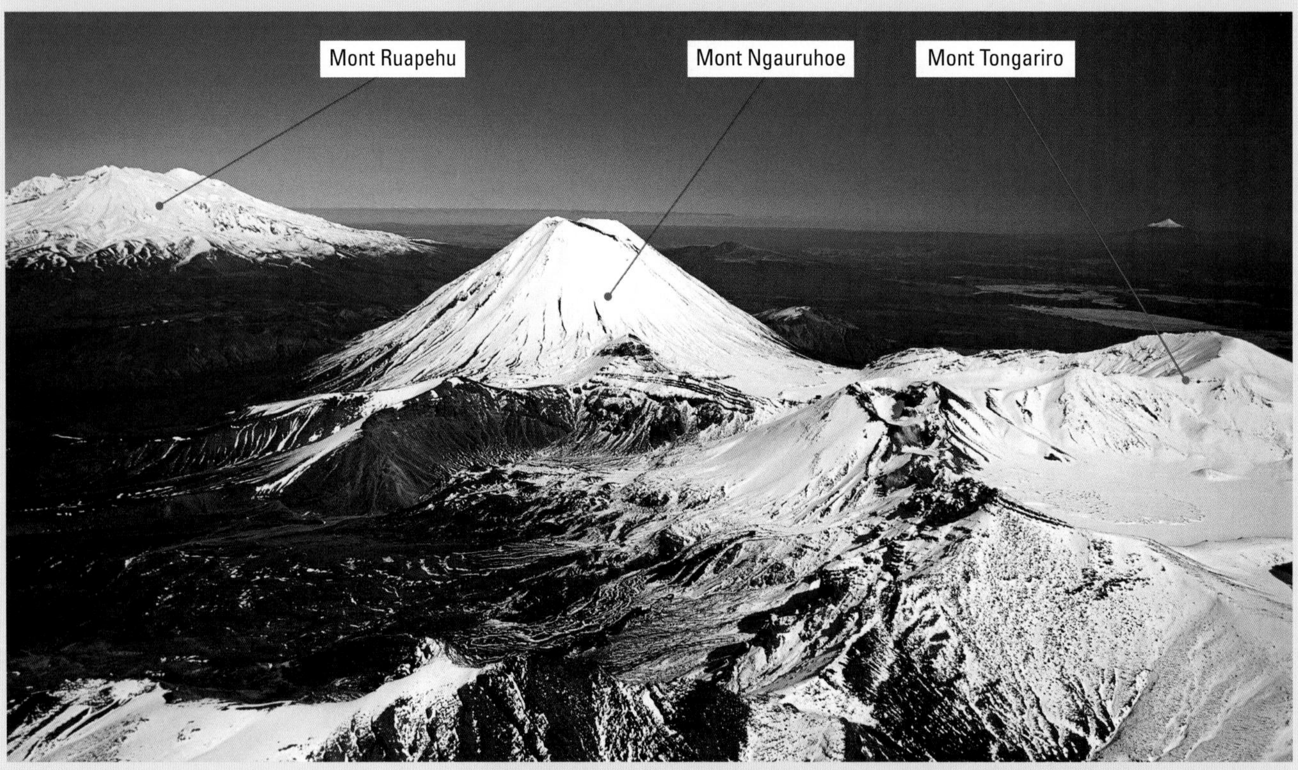

▲ **1.40 Le Parc national de Tongariro.**

Selon une croyance maorie, les montagnes de Aotearoa sont une création de Rangi et de Papa. Elles sont taboues, c'est-à-dire sacrées et interdites aux humains.

Il y a plus de mille ans, les Maoris s'établissent en Nouvelle-Zélande, située en Océanie, dans l'océan Pacifique. Ils nomment cette terre Aotearoa, « le pays du long nuage blanc ».

Leur mythologie transmise oralement comprend, entre autres, un récit assez connu de la création du monde : la légende de Rangi (le ciel-père) et de Papa (la terre-mère). Les deux êtres seraient sortis du vide et de l'obscurité collés l'un à l'autre. Ils auraient eu six enfants : le dieu de la mer, le dieu de la forêt, le dieu de la nature sauvage, le dieu des vents et des tempêtes, le dieu de la guerre et le dieu des plantes. Pour laisser entrer la lumière, leurs enfants les auraient séparés. Rangi en aurait éprouvé un chagrin si intense que ses larmes auraient formé les océans et les lacs à la surface de la Terre.

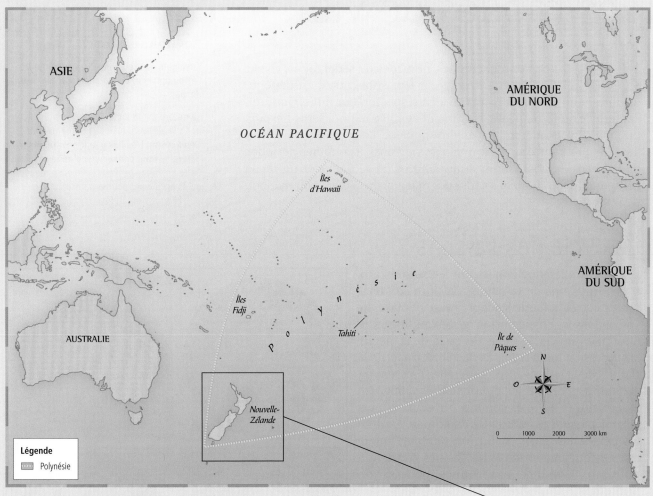

▲ **1.41 La Polynésie aujourd'hui.**

La Polynésie est un groupe d'îles du Pacifique. Elle forme un triangle dont les sommets sont l'île d'Hawaii, l'île de Pâques et la Nouvelle-Zélande.

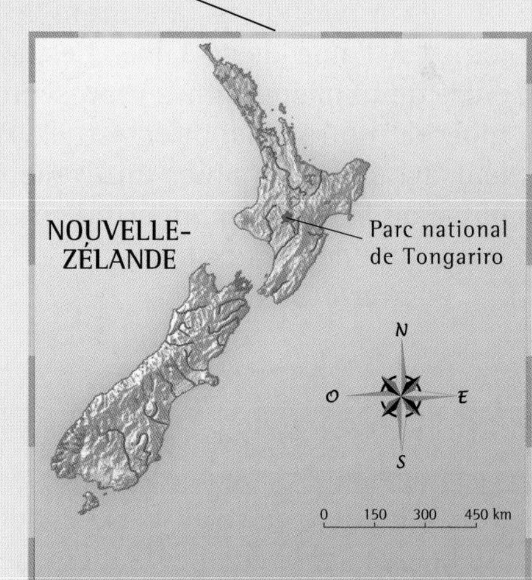

La généalogie des chefs maoris se transmet aussi par la tradition orale. Lorsque surviennent des changements politiques, certains clans ajoutent des ancêtres ou quelques générations à leur généalogie, afin que celle-ci remonte jusqu'aux premiers arrivants. De cette façon, ils espèrent accroître le prestige des descendants. Le récit devient alors tapu (ou tabou), qui signifie en polynésien « sacré » ou « interdit ». Des noms de rois, des temples, des lieux, des idoles, des prêtres, des animaux sont souvent tabous. Ils deviennent alors intouchables. On leur voue un grand respect ou on les évite pour ne pas déclencher la colère des dieux. Ce système de tabous est utilisé par les chefs et les prêtres pour faire respecter les lois et les interdits religieux. Leur transgression vaut au coupable une punition des autorités ou une malédiction divine.

1. Selon vous, pourquoi certains récits religieux ou mythologiques donnent-ils autant d'importance aux montagnes ? Justifiez votre réponse à l'aide d'exemples.

2. Démontrez l'importance de la tradition orale chez les Maoris.

3 Les modes de vie

Concept

Environnement

Ensemble des relations qui existent entre l'être humain et ce qui compose son milieu de vie.

La nature est la base de la vie matérielle et de la vie spirituelle des autochtones. Ceux-ci sont très liés à leur environnement naturel et sont convaincus d'en faire partie. Cette croyance explique l'immense respect qu'ils éprouvent pour la nature.

Vers 1500, les peuples autochtones, nomades ou sédentaires, vivent en étroite relation avec la nature, car leur subsistance en dépend. Ils doivent apprendre à connaître et à respecter leur milieu naturel, car tout ce qu'ils mangent, fabriquent et utilisent pour leurs besoins quotidiens provient de leur environnement. Le cycle des saisons a aussi une influence sur leur mode de vie. Ainsi, à certaines périodes de l'année, les populations sont obligées de se déplacer ou de se comporter différemment à cause des rigueurs du climat et du manque de ressources.

3.1 Le cycle des saisons

Les Amérindiens reconnaissent les saisons aux transformations de la nature : la flore se métamorphose et la faune s'adapte ou se déplace. Ils voient dans les changements de saisons une autre illustration du cercle sacré, du cycle de la vie, de la succession ininterrompue de la naissance, de la mort et de la renaissance. Les feuilles naissent au printemps, comme les enfants ; elles atteignent leur maturité en été, comme les adultes, puis elles flétrissent et meurent à l'automne, comme les personnes âgées. Enfin, en tombant sur le sol, les feuilles mortes et les graines donnent à nouveau naissance aux jeunes pousses du printemps.

Les Amérindiens mesurent le passage du temps à l'aide de la Lune. L'espace de temps entre deux pleines lunes représente environ un mois de notre calendrier actuel. Pour calculer leur âge ou pour situer un événement dans le passé ou l'avenir, les Amérindiens additionnent le nombre de pleines lunes.

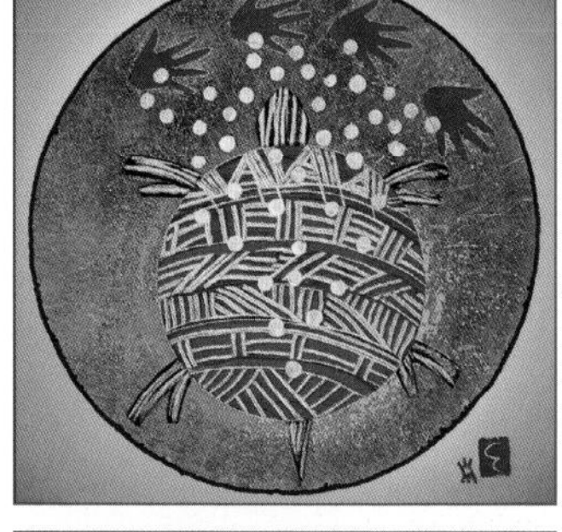
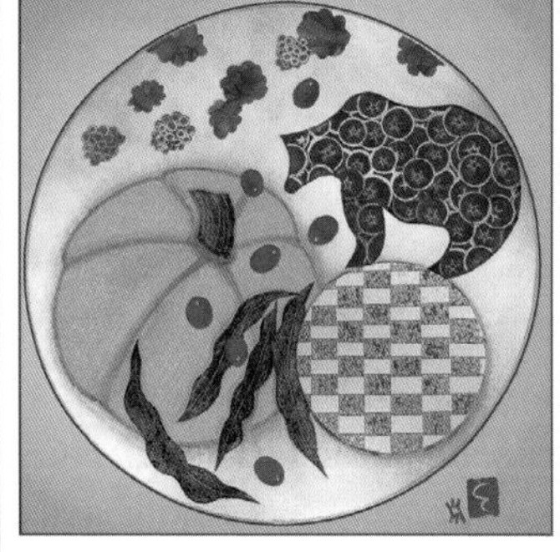

▲ **1.42 Le cycle des saisons.**

Les Amérindiens vivent en parfaite harmonie avec la nature. Leur mode de vie et leurs déplacements sur le territoire sont étroitement associés au cycle des saisons.

La représentation des saisons

Les Inuits de l'Arctique passent de deux à trois mois sans presque voir la lumière du soleil, car une nuit hivernale dure plus de 20 heures dans cette partie du globe. Malgré tout, ils n'associent pas spontanément l'hiver à l'obscurité ni l'été à la clarté. Les Inuits associent plutôt chaque période de l'année à l'intensité du froid, à la position du Soleil ou aux activités humaines. Ainsi, en langue inuktitut, les mois qui correspondent à janvier et février sont désignés par *naliqqaituq*, qui signifie « le Soleil a fini de se cacher dans une moufle », le mois de juin par *manniliut*, ou « le temps de la collecte des œufs », et le mois d'octobre par *kingurusirvik*, ou « le fond des baies en bord de mer s'englace ».

Dans l'illustration ci-dessus, le printemps, l'été, l'automne et l'hiver sont représentés chacun par une Lune.

Pour chaque Lune, indiquez des éléments qui évoquent la saison représentée.

3.2 Le mode de vie des peuples nomades

Dès leur plus jeune âge, les membres des peuples nomades apprennent à vivre et à tirer parti de leur environnement dans le respect des pratiques ancestrales et de la sagesse des anciens. Les jeunes apprennent par eux-mêmes en observant et en imitant les adultes. Ils adaptent leurs connaissances et leur savoir-faire en fonction de l'évolution de l'environnement, des ressources du milieu ainsi que des outils et des techniques dont ils disposent.

Du printemps jusqu'à l'automne, les Algonquiens se rassemblent en petits villages de 100 à 500 personnes près des cours d'eau et des lieux de migration des oiseaux afin de pouvoir pêcher et chasser. À l'automne, le manque de ressources les oblige à se disperser en petites bandes, qui partent chasser le gros gibier (orignal, caribou, chevreuil, etc.) et le petit gibier (lièvre, castor, porc-épic, etc.).

Concept

Aînés

Chez les Amérindiens, personnes qui possèdent le plus d'expérience dans un groupe et dont les enseignements sont remplis de sagesse.

Les aînés transmettent les traditions, les connaissances spirituelles et le savoir.

1. **Aujourd'hui, quels animaux chasse-t-on sur le territoire québécois ?**
2. **De quelle manière les chasse-t-on ?**
3. **Y a-t-il des obligations ou des règles qui encadrent cette activité ?**

La chasse, la pêche et la cueillette

Les peuples autochtones sont très habiles en matière de chasse, de pêche et de cueillette. Pour chasser, ils disposent d'armes variées : arcs et flèches, lances, propulseurs, trappes et collets. Pour pêcher, ils utilisent entre autres des filets faits de lanières de cuir et de racines, des hameçons d'os, des barrages et des harpons.

Les lacs et les rivières situés sur leur territoire abondent en poissons de toutes sortes : esturgeons, carpes, saumons, etc. En plus des oiseaux migrateurs comme l'oie, l'outarde et la tourte (aujourd'hui disparue), certains peuples Montagnais de la Côte-Nord chassent le phoque sur les rives du fleuve Saint-Laurent et du golfe du Saint-Laurent. La graisse de phoque crue est l'ingrédient par excellence contre le froid.

Tous les autochtones savent reconnaître les fruits sauvages comestibles, qu'ils font sécher en prévision de l'hiver, ainsi que les plantes médicinales qui aident à cicatriser les blessures et à guérir les maladies.

Comme il leur est impossible de conserver beaucoup d'aliments à cause de leurs nombreux déplacements, les peuples nomades subissent de fréquentes disettes qui peuvent durer plusieurs jours. Résignés à leur sort, ils ne se plaignent pas. Depuis leur tout jeune âge, ils sont habitués aux périodes de disette.

▼ **1.43 Un piège à castor.**

Vers 1500, les peuples autochtones capturent le castor, dont la peau est utilisée pour fabriquer des vêtements chauds pour l'hiver.

La chasse chez les Inuits

En 1500, les Inuits chassent la baleine et les petits mammifères marins comme le phoque et le morse. L'hiver, ils chassent en petits groupes de 6 à 10 familles. Ils vivent dans des abris de neige, ou igloos, et se déplacent sur les mers de glace dans des traîneaux tirés par des attelages de chiens.

Au printemps, quand la glace commence à fondre, les Inuits du Grand-Nord quittent leur village d'hiver et se dispersent pour aller pêcher et chasser sur les côtes ou à l'intérieur des terres. Le saumon, la truite et l'omble de l'Arctique constituent, avec les œufs et la chair des oiseaux, une bonne part de leur nourriture. Le caribou est le principal animal terrestre chassé par les Inuits. L'ours polaire, qui réapparaît au printemps, est également très recherché, car il occupe une place importante dans l'imaginaire inuit.

▲ **1.45 Un ours polaire.**

L'ours est admiré pour sa puissance et son intelligence. Il est chassé pour sa viande et sa fourrure.

Quelles caractéristiques de l'ours en font un animal admiré par les autochtones ?

▲ **1.44 Un troupeau de caribous.**

La viande et la graisse de caribou constituent une nourriture savoureuse. La peau du caribou est utilisée pour confectionner des vêtements chauds. Les os, les tendons et les bois de l'animal servent à la fabrication d'objets divers comme du fil, des lanières et des outils.

1. **Dans quelles zones de végétation du Québec se trouve la plus grande population de caribous ?**
2. **Selon vous, la population de caribous a-t-elle diminué ou augmenté depuis 1500 ? Faites une courte recherche pour le découvrir.**

Le respect des animaux

Être un bon chasseur ne signifie pas simplement pouvoir maîtriser les armes et les techniques de chasse, ni posséder une connaissance approfondie de l'environnement. Les bons chasseurs autochtones doivent aussi savoir interpréter les rêves et les signes qui les informent sur le monde des esprits. Dans leur conception du monde, l'animal est capable de réfléchir et de prendre des décisions. Comme c'est lui qui décide de se laisser ou non capturer par les chasseurs, il doit être traité avec respect.

Les Amérindiens ne transgressent jamais d'interdits dont la violation pourrait provoquer l'hostilité des esprits animaux et ainsi nuire à la chasse. Ils croient que l'animal peut voir les conditions de sa capture et savoir comment ont été traités les animaux tués avant lui. Grâce à cette connaissance, l'animal peut décider s'il s'offrira ou non aux chasseurs.

S'il est normal de chasser pour ses besoins, il est défendu de tuer plus que l'on ne peut consommer, transporter et conserver. Ces règles et ces croyances sont rarement remises en question, car les individus sont conscients que, dans un univers où les éléments sont interdépendants, il faut maintenir un équilibre entre tous les êtres.

1. Pourquoi les Amérindiens fument-ils la viande et le poisson ?

2. Ce procédé est-il encore utilisé aujourd'hui ? Précisez votre réponse.

La nourriture

Chez les peuples nomades, la chasse est principalement l'affaire des hommes. Toutefois, les femmes complètent souvent le repas avec du petit gibier qu'elles attrapent au collet. Quand les hommes chassent, les femmes préparent la viande en vue de sa conservation et apprêtent les peaux. Rien n'est perdu. La viande fraîche est rôtie, bouillie ou mijotée dans des récipients fabriqués en écorce de bouleau. Les Amérindiens mangent aussi la graisse de l'animal, qu'ils grattent et font fondre. Sur le territoire des Inuits, comme il n'y a pas de bois à brûler ni d'arbres à écorce, la viande et le poisson sont mangés crus ou séchés au soleil.

L'hiver, les Amérindiens peuvent congeler les surplus de viande, mais, par tradition, ils sèchent et fument la viande pour la conserver. La viande est alors désossée puis suspendue sur des tréteaux en bois. Quand la viande est séchée et suffisamment boucanée, on la piétine ou on la bat avec des pierres afin d'en extraire les sucs. Elle est ensuite pliée puis insérée dans des sacs de peau ou d'écorce pour être transportée plus facilement. La graisse est mise en réserve dans des récipients. Les surplus de poisson sont aussi séchés et fumés, puis entreposés en paquets d'une centaine d'unités. Ces provisions servent de nourriture de transition entre les activités de subsistance d'été et celles d'hiver.

▲ **1.46 Un fumoir pour les aliments.**

La plupart des viandes et des poissons sont fumés et entreposés pour l'hiver.

John White, *Cooking Fish* [La cuisson du poisson], vers le 16e siècle.

Les activités économiques

Chez les peuples nomades, les vêtements, les outils et les habitations ne sont que des objets de survie. Parfois, lorsqu'on ne peut les transporter, on les abandonne. Toutefois, certains objets sont collectionnés en vue d'être échangés. Les peuples visent l'autosuffisance, mais ils ne refusent pas d'améliorer leur sort en faisant du troc. Vers 1500, il existe un réseau commercial autochtone assez dense en Amérique du Nord. Ce réseau met en relation les peuples nomades et les peuples sédentaires. Les Algonquiens échangent de la viande et des fourrures contre du maïs et du tabac avec les Hurons. Ils échangent aussi des perles faites de coquillages avec d'autres nations vivant plus au sud, aussi loin que les Carolines (aujourd'hui aux États-Unis). Ces nations remontent le fleuve Mississippi pour venir commercer avec celles qui habitent la région des Grands Lacs. Les perles servent par exemple à la décoration des vêtements, des mocassins et des porte-bébés. On échange également des objets ou des matériaux qu'on ne trouve pas sur son territoire ou des objets qu'on fabrique moins bien que d'autres nations. C'est le cas, notamment, des canots, fabriqués de main de maître par les Algonquiens.

▲ 1.47 **Des mocassins.**

Depuis longtemps, les perles de couleur utilisées pour décorer les mocassins en font des objets uniques.

▲ 1.48 **Le portage.**

Lorsqu'ils atteignent des cours d'eau très agités, les Amérindiens font du portage, c'est-à-dire qu'ils portent leurs canots et leurs bagages sur leurs dos, d'un cours d'eau à un autre, ou le long d'une partie trop accidentée d'un cours d'eau, en utilisant les sentiers les plus courts.

Cornelius KRIEGHOFF, *Amérindien faisant du portage*, vers 1849.

Avez-vous déjà fait du portage ? Si oui, pour quelle raison avez-vous dû porter votre embarcation ?

L'utilisation des peaux d'animaux

Les parties de l'animal qui ne sont pas consommées servent à divers usages. Les peaux sont utilisées, entre autres, pour la confection des vêtements. Après avoir été étirées, séchées, grattées et assouplies, elles sont cousues avec du fil de tendon d'animal. On utilise aussi des cordes et des fils de tendon pour fabriquer des raquettes, des collets, des cordes d'arc, etc.

Dans le Grand-Nord, où le climat est très rude, les femmes inuites déploient beaucoup d'ingéniosité dans le choix de leurs procédés et de leurs matériaux pour la confection des vêtements. Elles garnissent les parkas d'une double couche de fourrure de caribou. Elle placent la fourrure à l'intérieur pour obtenir un vêtement très chaud. Si le vêtement doit être très étanche, elles placent la fourrure à l'extérieur. La beauté des vêtements est extrêmement importante pour les Inuits. Ils croient que les animaux sont sensibles à la beauté et qu'en voyant les belles choses qu'on fait avec leur peau, ils accepteront plus facilement de se laisser capturer.

▲ **1.49 Un parka en peau de caribou.**

Ce vêtement traditionnel inuit datant du début du 20e siècle protège les hommes contre le froid intense qui règne dans le Grand-Nord. Son procédé de fabrication repose sur des techniques ancestrales.

Les objets, une manifestation des esprits

La création des objets tire son origine en premier lieu du rêve. Les objets apparaissent d'abord dans le sommeil ou lors de rêveries éveillées lorsque l'objet est imaginé. Les autochtones affirment que les esprits des anciens les conseillent. Le moment de la fabrication ajoute aussi de la valeur à l'objet, puisque les autochtones considèrent que le jour et la nuit sont habités par des esprits. Un rituel accompagne parfois la fabrication de certains objets. Le choix des matériaux de fabrication peut également apporter un pouvoir magique à l'objet. Par exemple, la peau transformée d'un animal transfère certains des pouvoirs de la bête à l'objet. Finalement, l'objet, une fois utilisé, prend une nouvelle valeur, comme la flèche qui abat avec succès un animal.

▲ **1.50 Des bottes inuites datant du début du 20e siècle.**

Les femmes confectionnent des bottes et des vestes en peau de phoque. Cette peau est très utilisée à cause de son imperméabilité.

◀ **1.51 L'apprêtage des peaux.**

Aujourd'hui encore, certains autochtones apprêtent les peaux selon des techniques ancestrales.

Compétence 2

3.3 Le mode de vie des peuples sédentaires

Les pratiques agricoles adoptées par les Iroquoiens proviennent de l'Amérique centrale. Ces pratiques ont ensuite gagné le sud de l'Amérique du Nord, puis le centre, pour atteindre le nord-est du continent, dans la région des Grands Lacs et de la vallée du Saint-Laurent jusqu'à Québec. Avec le temps, ces pratiques ont fait de plus en plus d'adeptes, car elles permettaient aux populations d'accroître leur indépendance alimentaire.

L'agriculture

Les Iroquoiens pratiquent la culture sur **brûlis**. Ils choisissent un terrain à cultiver, y abattent les arbres à la hache de pierre, puis y mettent le feu. Une fois le terrain préparé, les femmes s'occupent de le cultiver.

Brûlis: Partie de terrain qu'on brûle afin de préparer le sol à la culture.

Le maïs, les haricots grimpants et les courges sont cultivés de façon conjointe. Les Iroquoiens forment de petits monticules au centre desquels ils plantent le maïs. Quand le maïs atteint une certaine hauteur, on sème autour les haricots et les courges. Les haricots grimpent sur les tiges de maïs qui leur servent de support tandis que les larges feuilles des courges empêchent les mauvaises herbes de pousser tout en conservant l'humidité au sol grâce à l'ombre qu'elles créent. Cette culture, appelée «trois sœurs», sera pratiquée pendant des siècles.

Dans vos propres mots, expliquez en quoi consiste la culture des « trois sœurs ».

Le maïs est consommé sous des formes diverses. On peut le manger frais, en épi, comme nous le faisons aujourd'hui, ou mélangé à d'autres aliments et bouilli. Le plus souvent, on le consomme réduit en farine dans un mets appelé «sagamité», une soupe à base de maïs mélangée avec des morceaux de viande, de poisson, de courge et de haricots. Ce plat, qui constitue la base de l'alimentation des Iroquoiens, présente plusieurs variantes. Lorsque les hommes partent en guerre, ils emportent sur leur dos un sac de farine de maïs grillée dans la cendre pour se préparer de la sagamité. Ils pourront ainsi se nourrir s'ils ne trouvent pas de gibier sur place ou s'ils veulent éviter de faire un feu pour ne pas être repérés.

1.52 Les trois sœurs.

Le maïs, le haricot et la courge constituent l'alimentation de base des Iroquoiens. Dans la langue iroquoienne, on appelle ces plantes *De-o-ha'-ko*, ce qui signifie « notre vie », « notre soutien ».

La connaissance du milieu

Plusieurs activités obligent les hommes à s'éloigner de leur village, notamment la chasse hivernale, la pêche et la guerre. Les peuples sédentaires sont aussi habiles à se déplacer en canot que les peuples nomades. Les femmes voyagent aussi, mais moins souvent que les hommes. Elles ne vont jamais à la guerre, mais certaines d'entre elles accompagnent les hommes à la pêche, à la chasse et dans les excursions destinées aux échanges et au commerce. Ces expéditions sont en même temps des rencontres politiques où l'on engage des négociations et où l'on crée des alliances. D'ailleurs, ces rencontres sont souvent l'occasion de célébrer des mariages.

La connaissance de leur milieu naturel a permis aux populations sédentaires de fabriquer de nombreux objets d'une grande efficacité : arcs et flèches, casse-têtes, tomahawks, armures et parures variées. Ces peuples taillent leurs flèches dans les meilleurs bois à l'aide d'un couteau ou d'une pierre tranchante. Ils savent précisément quelle plume utiliser pour garnir le talon d'une flèche afin qu'elle vole correctement. Pour fixer la pointe acérée, faite de pierre ou d'os, à la flèche, ils ont créé une colle de poisson très tenace.

Pour préparer les repas et entreposer les aliments, les Iroquoiennes fabriquent des objets d'une grande utilité. Par exemple, elles se servent d'un bout de bois sculpté comme pilon et d'un tronc d'arbre vide comme mortier pour écraser les grains de maïs nécessaires à la préparation de la sagamité. Avec le jonc et l'osier, elles tressent des paniers très étanches qui seront utilisés pour la cueillette.

Le tabac : son histoire

Les Iroquoiens cultivent le tabac et en font usage. Certains peuples le cultivent de façon plus intensive que d'autres. C'est le cas des Pétuns, dont le nom, en langue iroquoienne, signifie « tabac ». Tous les Iroquoiens fument le tabac dans des pipes en pierre.

▲ **1.53 Une pipe.**

Les Amérindiens fument la pipe en signe de partage et de paix pendant les conseils de délibération.

Selon vous, à quel type de combat servait le casse-tête ?

▲ **1.54 Un casse-tête.**

Un casse-tête est une massue en bois destinée à fendre le crâne des ennemis au cours des combats.

► **1.55 Un tomahawk**

Un tomahawk est une hache de guerre en pierre ou en bois munie d'un manche de bois.

▲ **1.56 Un panier d'écorce.**

Ce récipient est utilisé par les femmes pour cueillir, entre autres, des petits fruits sauvages.

Les villages iroquoiens

Les Iroquoiens vivent dans des villages qui peuvent comprendre de 10 à 20 maisons longues. Ces villages, aux formes plus ou moins arrondies, ont de 300 à 500 mètres de diamètre et sont entourés d'une palissade. L'enceinte peut regrouper de 1000 à 2000 habitants. Pour empêcher l'épuisement du sol et assurer leur approvisionnement en bois de chauffage, les Iroquoiens déplacent leur village tous les 10 à 30 ans, juste assez loin pour pouvoir cultiver de nouveaux champs et avoir accès à de nouvelles terres boisées.

Les maisons longues sont divisées sur le long, en deux parties séparées par une aire centrale. Elles abritent plusieurs familles, installées de chaque côté. Les familles qui se font face partagent un même feu, dans l'aire centrale qui les sépare. Selon le nombre de familles qui habitent la maison, de trois à six feux, ou plus, se suivent en ligne. Mis à part la place réservée aux feux, l'aire centrale est dégagée pour permettre le passage et l'exécution des travaux : préparation des repas, confection des vêtements, fabrication des armes et des outils.

L'unité sociale

La maison longue est l'unité d'habitation, mais aussi l'unité de base de la société iroquoienne. Celle-ci est **matrilinéaire**, c'est-à-dire que les familles sont toutes apparentées par les mères.

Toutes les femmes descendant d'une même aïeule résident dans la même maison longue avec leur mari et leurs enfants. Ainsi, l'homme qui s'unit à une femme va toujours vivre chez son épouse, qui elle-même habite chez sa mère.

Matrilinéaire : Se dit d'un type d'organisation sociale où le lien de parenté est transmis exclusivement par la mère.

▼ **1.57 Un village huron.**

Les Iroquoiens vivent dans des villages de forme arrondie entourés d'une palissade de pieux plantés en terre. À l'intérieur de cette enceinte protectrice, chaque maison longue abrite de 50 à 100 personnes.

Galerie pour le guet.

Séchoir à viande ou à poisson.

Portes aux extrémités.

◀ **1.58 L'intérieur d'une maison longue.**

Chaque famille habite une section, d'un côté de la maison.

Espace de rangement.

Lits de branchages superposés.

Aire centrale pour les familles.

Foyers au centre.

Selon vous, ce type d'habitation peut-il convenir à une société nomade ? Justifiez votre réponse.

Maisons longues d'environ 30 mètres de long, 8 mètres de large et 3 mètres de haut, abritant de 50 à 100 personnes.

Palissade.

Ouvertures pour la fumée des foyers.

Murs faits de perches plantées dans le sol, recourbées et liées les unes aux autres.

Perches horizontales servant à renforcer la structure d'une maison recouverte d'écorce de cèdre ou d'orme.

Vestibule aux extrémités pour entreposer le bois de chauffage et les réserves de maïs.

Compétence 2

4 | L'organisation de la société

Les peuples autochtones ont une organisation sociale moins hiérarchisée et moins rigide que la nôtre. Dans le grand cercle sacré, chaque être humain doit partager avec l'autre, et tous les individus ont un rôle d'égale importance. Quelle que soit sa fonction (chasseur, mère, chef de famille, chef du village ou **chaman**), chaque individu est essentiel à la survie du groupe. Il n'y a donc ni riches ni pauvres, et la notion de **propriété privée** n'existe pas.

Les personnes qui ont plus de talents et de capacités que les autres dans certains domaines ont plus de pouvoir et de responsabilités. Elles doivent contribuer au bien-être de la communauté en proportion de leurs possibilités. Le talent et le pouvoir doivent être partagés, tout comme la nourriture et les objets. La solidarité, l'entraide et le partage constituent les règles de base de la communauté. Cependant, comme les modes de vie varient d'un peuple à l'autre, il en va de même pour leur organisation sociale.

Concept

Société

Ensemble d'individus qui partagent un même milieu de vie et dans lequel existent des rapports durables.

Parmi les nombreuses sociétés autochtones existantes se trouvent différentes nations comme les Montagnais, les Algonquins, les Iroquois, les Hurons, les Cris, les Micmacs, etc. Les membres d'une société partagent une même culture et entretiennent des relations presque quotidiennes. Leurs relations se fondent sur des mœurs, des coutumes, des croyances et des objectifs communs.

Chaman : Prêtre-sorcier, à la fois devin et guérisseur, qui sert d'intermédiaire entre le monde des humains et celui des esprits.

Propriété privée : Objet, bien matériel qui appartient en propre, de façon exclusive, à un individu.

▲ **1.59 La vie en société chez les Algonquiens.**

Ce campement au bord de l'eau est typique de la vie nomade des Algonquiens.

Paul Kane, *Indian Encampment on Lake Huron* [Campement amérindien près du lac Huron], vers 1845.

Selon vous, comment prend-on, au sein des bandes algonquiennes, les décisions qui concernent l'ensemble d'un groupe ?

4.1 L'organisation sociale des Algonquiens

Le mode de vie des populations nomades est basé sur la chasse et la pêche. Leur organisation sociale de base est la **famille nucléaire**.

Chez les Algonquiens, la famille permet la division des tâches. Les hommes s'occupent de nourrir les leurs par la chasse et la pêche. Pour leur part, les femmes donnent la vie, élèvent les enfants, préparent la nourriture, apprêtent les peaux et fabriquent les vêtements. Les mariages reposent sur le choix des individus.

Le regroupement de quelques familles forme une **bande**, qui peut compter une centaine de personnes. Les bandes se partagent un territoire de chasse commun. À leur tête, elles placent les personnes les plus expérimentées du groupe ; il s'agit souvent de l'un des chefs de familles élargies. Le chef de bande n'a aucun pouvoir, mais on lui doit le respect à cause de ses succès à la chasse, de sa sagesse et de son courage. La communauté respecte son autorité parce qu'elle a confiance en lui et en son jugement.

Le regroupement de plusieurs bandes forme une nation, comme les Montagnais ou les Neskapis, qui se compose de 500 à 1000 personnes. Toutefois, certaines nations peu nombreuses peuvent ne comprendre que quelques bandes. Il existe une confédération algonquienne de plusieurs nations, qui tient des conseils où les chefs et les anciens sont appelés à délibérer et à prendre des décisions. Cette confédération est cependant peu structurée ; les décisions qu'on y prend ne sont pas nécessairement respectées.

Famille nucléaire : Famille composée du père, de la mère et de leurs enfants.

Bande : Regroupement de plusieurs familles nucléaires.

Quel sens donneriez-vous aux mots « bande autochtone » aujourd'hui ?

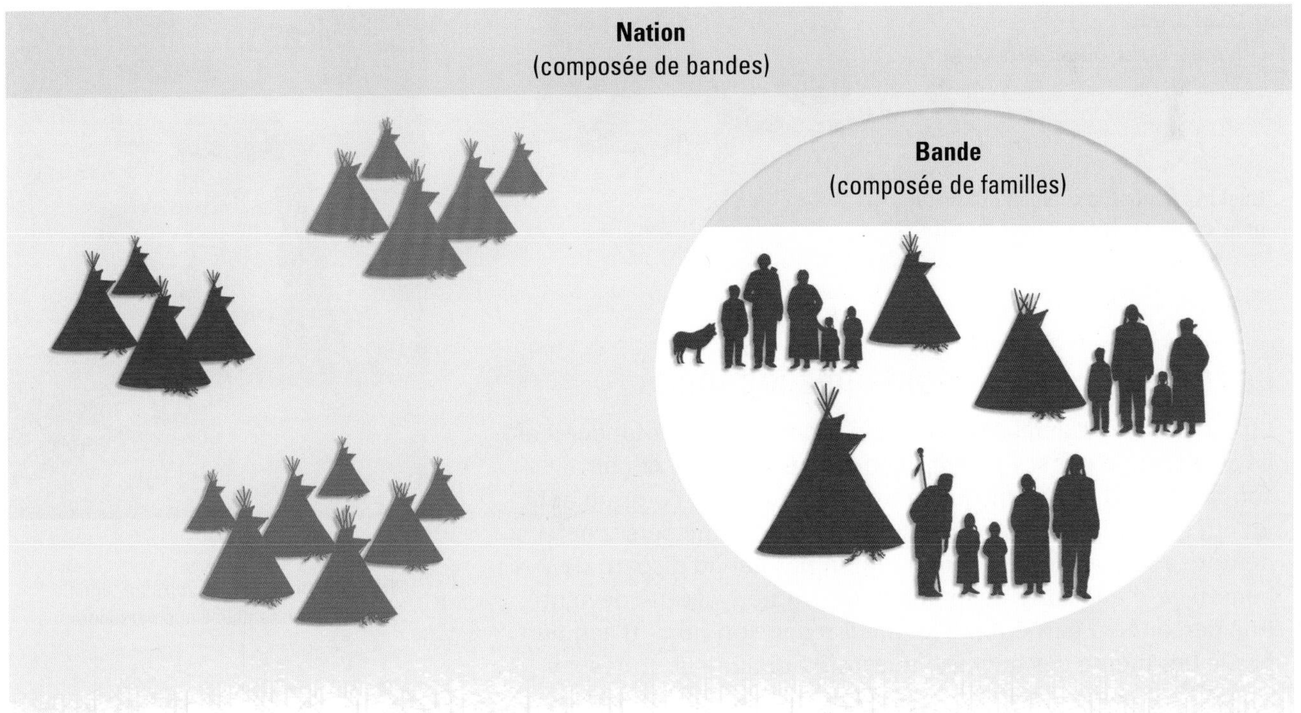

▲ **1.60 L'organisation sociale des nations algonquiennes.**

La vie sociale des Algonquiens s'organise autour de la famille et de la bande. Le regroupement de plusieurs bandes forme une nation.

Compétence 2

4.2 L'organisation sociale des Inuits

Dans la famille inuite, le père est le chef, et c'est lui qui exerce l'autorité. Dans la bande, qui ne regroupe que quelques familles, c'est le chaman qui a le plus de pouvoir, car lui seul connaît les nombreuses règles à observer pour ne pas indisposer les esprits. De plus, le chaman sait comment faire pour trouver le gibier, soigner les malades et plaire aux esprits. Chaque bande est relativement autonome sur son territoire. Il n'existe pas de grands regroupements d'Inuits. Leur faible taux de population est la raison pour laquelle la société est très peu hiérarchisée.

Saviez-vous que... Les *inukshuks* sont des amas de pierres empilées les unes sur les autres. Les Inuits leur donnent souvent une forme humaine. De taille variée, les *inukshuks* sont érigés comme point de repères pour guider les voyageurs, annoncer un danger ou marquer un lieu sacré. Le peuple nomade s'en sert aussi pour la chasse. Les Inuits érigent ainsi plusieurs amas de pierres qu'ils disposent en forme d'entonnoir afin de diriger les caribous vers une embuscade où sont cachés les chasseurs. Selon la tradition inuite, il est défendu de détruire un *inukshuk*, à cause de son utilité. Certains *inukshuks* datent de plus de 1000 ans. ■

▶ **1.61 Un chaman inuit.**

En plus de tous ses pouvoirs, le chaman, appelé *angakkuq* chez les Inuits, est censé être capable de prédire le temps qu'il fera.

Joanassie Tulugak, *Chaman*, œuvre non datée.

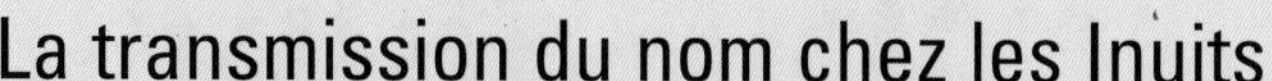

Quel instrument le chaman utilise-t-il pour entrer en contact avec les esprits ?

▲ **1.62 Un *inukshuk*.**

En langue inuit, le mot *inukshuk* signifie « celui qui ressemble à une personne ».

Formulez une hypothèse sur la fonction de l'*inukshuk* représenté dans la figure ci-dessus.

La transmission du nom chez les Inuits

L'Inuit vit en étroite relation avec son groupe. Il est profondément lié à ce groupe par ses parents, son père et sa mère, et par son nom, qui l'unit à une personne décédée de sa communauté. En effet, c'est la coutume d'attribuer le nom d'une personne défunte au nouveau-né. Cette tradition permet au disparu de bénéficier d'une sorte de renaissance. Un nouveau-né devient une personne à part entière lorsqu'il reçoit son nom. Il acquiert par le fait même des qualités, une âme humaine et un réseau social, c'est-à-dire un lien de parenté. Les Inuits prétendent que les noms, comme les os, s'articulent parfaitement pour former un tout. La société se compose ainsi de vivants et de morts associés par leurs noms.

4.3 L'organisation sociale des Iroquoiens

Village : Regroupement de quelques clans.

Clan : Regroupement formé des descendants d'un même ancêtre féminin.

Chez les Iroquoiens, le passage de la vie nomade à la vie sédentaire a entraîné une augmentation de la population et une concentration de celle-ci dans des **villages**. Avec le temps, des règles de fonctionnement ainsi qu'une organisation sociale de plus en plus structurée se sont imposées.

Vers 1500, les familles apparentées sont regroupées dans des maisons longues. À l'intérieur des villages plus populeux, certaines de ces maisons forment un **clan**. Chaque village doit comprendre au moins deux clans, car il est interdit de se marier au sein d'un même clan. Chez les Hurons, on peut trouver, par exemple, les clans de l'ours, du chevreuil, du loup et de la tortue.

Chez les nations iroquoiennes, le clan est toujours associé à un animal emblématique duquel il prend les principales qualités. Chaque clan possède son chef civil et son chef guerrier.

L'organisation politique

Les nations se composent de quelques villages. Par exemple, la nation des Agniers (plus connue sous le nom anglais Mohawks) compte cinq ou six villages vers 1500, et la nation des Onontagués, de huit à dix. Ces nations réunies forment le peuple Iroquois. Le peuple Huron est aussi constitué de cinq ou six nations. Une confédération, par exemple la Confédération des Cinq-Nations iroquoises, est la réunion de plusieurs nations.

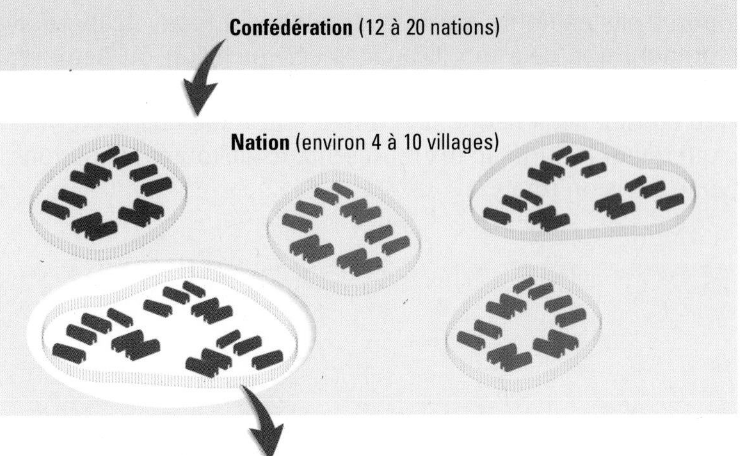

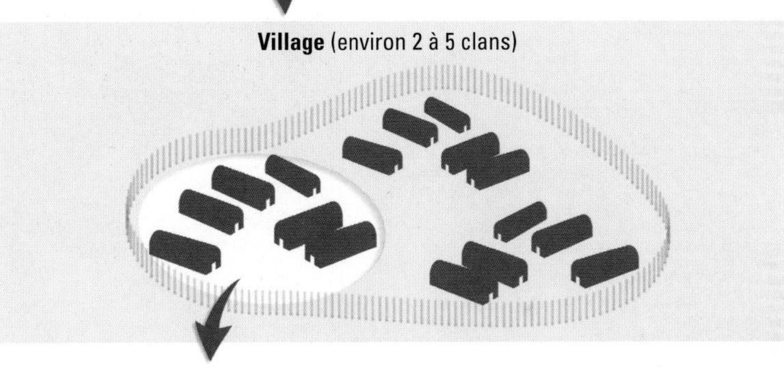

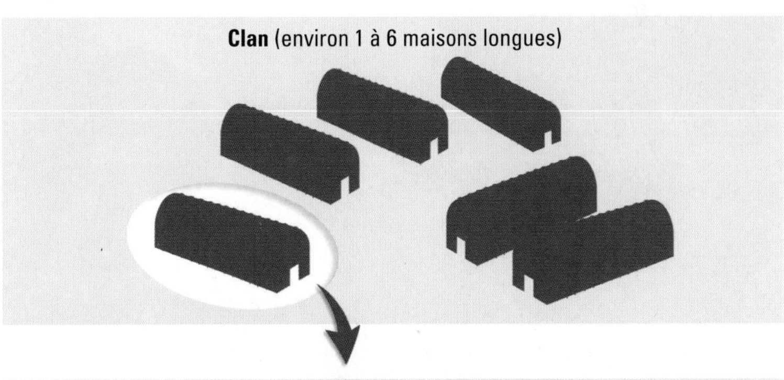

1. Selon vous, où l'emblème de chaque clan est-t-il apposé dans un village ?
2. Nommez trois autres nations iroquoiennes. Au besoin référez-vous à la carte de la page 18.

▶ 1.63 **L'organisation sociale des nations iroquoiennes.**

La vie sociale des Iroquoiens s'organise autour de la famille et du clan. Le regroupement de quelques clans constitue un village. Le regroupement de plusieurs villages forme une nation.

Les conseils

Chaque nation et chaque village iroquoiens possèdent un conseil. Il s'agit d'une forme d'assemblée où les chefs et les anciens discutent en vue de prendre des décisions concernant les affaires communes à tous les clans. Chaque village possède une maison longue plus grande que les autres pour permettre aux gens de se regrouper pour les cérémonies ou les assemblées.

Lorsqu'une prise de décision concerne tout un peuple, qu'elle porte par exemple sur la guerre, chaque clan délibère avant de prendre une décision. Les clans délèguent un ou deux représentants au conseil du village, qui délègue à son tour ses représentants au conseil de la nation. Le conseil «suprême» de la confédération, qui réunit les principaux représentants de toutes les nations, prend une décision finale.

Examinez l'illustration ci-dessous. Quelle question semble être en délibération: une entente ou une déclaration de guerre? Justifiez votre réponse.

▲ **1.64 Une réunion du Conseil des Iroquois vers 1535, à Montréal.**

Chez les Iroquoiens, les décisions qui touchent tout un peuple sont prises en dernier lieu par le conseil suprême de la Confédération. Ce conseil réunit les principaux représentants de chaque nation. Toutefois, ce conseil n'a pas le pouvoir d'imposer ses décisions.

C. W. Simpson, Hereditary *Council of the Iroquois, 1535* [Le Conseil des Iroquois, 1535], œuvre non datée.

Les chefs

Chaque clan choisit un chef de guerre et un chef civil. Il existe aussi des lignées de chefs héréditaires, qui se succèdent de père en fils. Un même village peut avoir plusieurs chefs sans que l'un d'entre eux soit plus puissant ou plus influent que les autres. Les chefs participent aux conseils de clan et se consultent entre eux pour arriver à une entente. Les femmes participent au choix des chefs militaires et civils. Elles ont le pouvoir de congédier les chefs lorsqu'elles jugent qu'ils ont une influence négative sur la communauté.

Nomination	Les chefs sont nommés par le conseil de clan et par les femmes.
Qualité	Ils sont choisis en raison de leurs exploits au combat, de leurs qualités de meneurs d'hommes et de leur force de caractère.
Fonction	Ils dirigent les expéditions guerrières.

▲ **1.65 Les chefs militaires ou chefs de guerre.**

Nomination	Les chefs sont nommés par le conseil de clan et par les femmes. Parfois, ce sont des chefs héréditaires.
Qualité	Ils sont choisis pour leur éloquence, leur capacité à argumenter et leur sagesse.
Fonction	Ils sont responsables des jeux, des festins, des funérailles et des affaires externes, comme les négociations avec des nations étrangères.

▲ **1.66 Les chefs civils.**

Le fait d'être chef permet de se distinguer au sein de la communauté, mais ne donne aucun privilège. Le chef joue un rôle important, qu'il doit à ses qualités et à ses talents, mais ce prestige doit rejaillir sur la collectivité. Dans un système de réciprocité entre tous les êtres, donner, recevoir et rendre est la règle fondamentale de tous les rapports sociaux. Ainsi, à la guerre, le chef doit veiller à ce que chaque guerrier participe à la victoire. Le chef civil redistribue dans la communauté les cadeaux qu'il reçoit dans les échanges entre nations, de la même façon que le chasseur redistribue le gibier dans la maison longue.

Les mères de clan

Les mères de clans, c'est-à-dire les aînées d'une maison longue ou d'un clan, ont de nombreuses responsabilités. Elles contrôlent, entre autres, l'approvisionnement en nourriture et demandent qu'on déclare la guerre ou qu'on fasse la paix. Ainsi, elles peuvent juger qu'il est temps pour les hommes de partir à la chasse, à la guerre ou en ambassade pour la paix. En général, leurs points de vue sont respectés.

Selon vous, de nos jours, quelles qualités principales les chefs politiques doivent-ils posséder pour être élus par la population ?

▼ **1.67 Le commerce chez les Hurons.**

Comme les Hurons sont un peuple de commerçants, le chef civil est appelé à négocier des ententes commerciales avec d'autres nations.

4.4 Le contrôle social chez les autochtones

Dans les sociétés autochtones, les individus sont libres d'accepter les décisions de leurs chefs. Les chefs de familles ou les chefs de clan sont respectés et les membres leur font confiance. Les décisions plus importantes se prennent par voie de négociations et de pourparlers. L'absence de mesures de contrôle donne une certaine liberté aux individus. Les enfants jouissent aussi d'une grande autonomie au sein des familles. Les châtiments corporels et les punitions sévères infligés aux enfants n'existent pas chez les peuples autochtones.

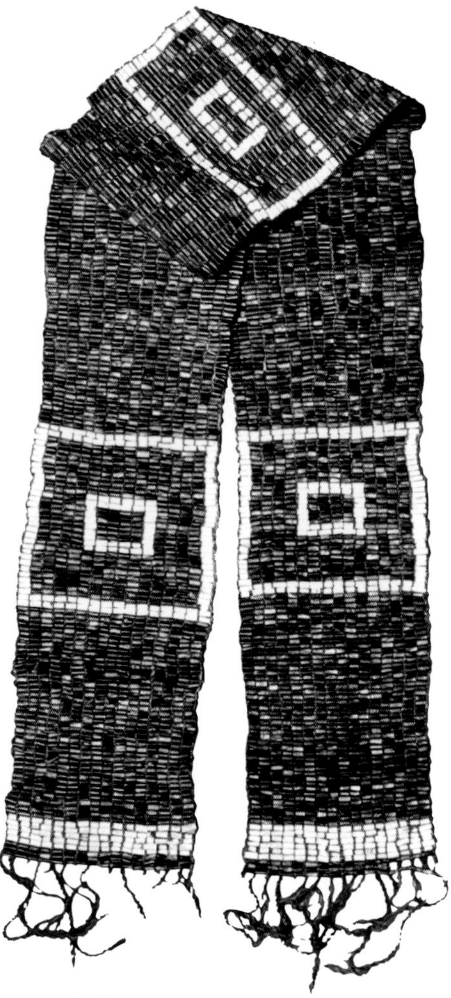

▲ **1.68 Un wampum.**

Un wampum est une ceinture ou un collier de perles fabriqué avec des coquillages. Il sert d'objet d'échange lors d'un événement important.

Le contrôle des émotions

Lorsqu'une personne se conduit mal, on utilise parfois la moquerie pour lui signifier son attitude indésirable. Les membres d'une même bande ou d'un même village évitent de nourrir de la rancœur les uns contre les autres. La coutume impose même qu'on s'abstienne de toute émotion extrême de colère, de peine ou de joie pour ne pas déranger ou exciter ses pairs. Comme les peuples nomades vivent très près les uns des autres pendant les longs mois d'hiver, ils ont tout intérêt à cultiver l'harmonie et la solidarité dans le groupe.

Les punitions

Certaines nations, comme les Hurons, punissent les meurtriers, les voleurs et les traîtres. Si une personne voit quelqu'un en possession d'un objet qui ne lui appartient pas, elle peut le lui prendre, ainsi que tout autre objet appartenant au voleur. Lorsqu'un meurtre est commis, des pénalités sont imposées à la famille du meurtrier, parfois même à tout le village. Ces punitions sont infligées pour que la faute commise soit réparée. Elles se traduisent par une amende, c'est-à-dire des présents qu'on offre à la famille de la victime (peaux d'animaux, coquillages, haches, colliers et wampums). Le chef civil présente lui-même les cadeaux à la famille. Si celle-ci n'est pas satisfaite des présents reçus, il doit veiller à les remplacer. Si la famille de la victime se venge, c'est elle qui doit offrir des présents afin de rétablir la paix dans la communauté.

► **1.69 L'éducation des enfants.**

Les enfants autochtones apprennent, entre autres, par l'observation et par l'imitation. Ils acquièrent ainsi les valeurs et les connaissances jugées nécessaires à la vie adulte.

Claude Louis Desrais, *Tableaux cosmographiques de l'Amérique* (détail), 1787.

4.5 Le rôle des chamans dans les sociétés autochtones

Grâce à ses pouvoirs spirituels, le chaman exerce un rôle important dans toutes les cultures autochtones. On lui reconnaît le pouvoir de s'adresser directement aux esprits et de les influencer. Il sait aussi prédire l'avenir et interpréter les rêves mieux que quiconque. De plus, il peut soigner les maladies en rétablissant l'équilibre et la paix dans le monde des esprits. Le plus souvent, la qualité de chaman est acquise à la suite d'une vision survenue durant un **rite** ou un jeûne. Les femmes peuvent devenir chamans, mais la plupart du temps, ce sont des hommes qui remplissent cette fonction. Les chamans peuvent se marier et avoir des enfants.

L'« homme-médecine »

Le chaman agit comme « homme-médecine », ou guérisseur. Pour les autochtones, la maladie peut avoir des causes naturelles ou surnaturelles. Lorsque la maladie est physique, les gens la soignent à l'aide de remèdes à base de plantes. Les autochtones sont experts dans l'art d'utiliser les plantes médicinales trouvées dans leur environnement. Ils réussissent notamment à cicatriser les blessures, à empêcher les infections, à soulager les maux d'estomac et à faire baisser la fièvre.

Quand les remèdes se révèlent inefficaces, les malades ont recours à l'intervention des esprits. Ils font appel au chaman qui, grâce à ses pouvoirs, découvre la cause de la maladie et le moyen de la guérir. Dans certains cas, la maladie peut aussi être occasionnée par un mauvais sort jeté par une personne dotée de pouvoirs surnaturels. Le chaman est alors le seul à pouvoir délivrer le malade.

▲ **1.70 Un chaman.**

Le chaman peut intervenir dans tous les aspects de la vie quotidienne des autochtones. Aucun chef ni aucun groupe de chasseurs ne s'aventure dans une expédition importante sans l'avoir consulté au préalable.

George Catlin, *Homme-médecine, 1535,* 19e siècle.

Rite : Acte, cérémonie ou fête à caractère sacré en usage dans une communauté.

Selon vous, le rôle d'un chaman est-il le même dans d'autres cultures ? Faites une petite recherche pour le découvrir.

◄ **1.71 Une tente de sudation.**

La tente de sudation est utilisée pour guérir les malades. Il s'agit d'une tente dans laquelle on place des pierres rougies au feu, qu'on arrose d'eau pour obtenir un bain de vapeur. La chaleur et l'humidité nettoient le corps de ses toxines.

Ernest Dominique, *Meteshan,* 1999.

La tente tremblante

Chez les Montagnais et les Cris, notamment, les chamans utilisent une technique de guérison assez spectaculaire. Il s'agit de la cérémonie de la tente tremblante.

On construit une sorte de hutte haute et étroite en écorce de bouleau. À la nuit tombante, le chaman entre dans la tente. Il se met alors à chanter en variant les tons, à émettre de longues plaintes, à crier et à parler plusieurs langues en invitant les esprits à entrer dans la tente. Celle-ci commence alors à trembler, et la vibration devient de plus en plus forte, signe que le chaman est entré en contact avec les esprits.

◀ **1.72 Un hochet-tortue.**

Cet objet musical est utilisé dans certains rituels. La carapace de la tortue a une valeur symbolique, car selon une légende iroquoienne, la tortue porte la Terre sur son dos.

Les techniques du chaman

Le chaman possède plusieurs techniques pour communiquer avec les esprits, établir des diagnostics et soigner les malades. On attribue souvent la maladie à des désirs inassouvis qui se manifestent dans les rêves. Le malade peut retrouver l'équilibre et la santé à condition de satisfaire ses désirs. Le chaman aide alors le malade à interpréter ses rêves. Une fois qu'il a posé son diagnostic, il met toute la communauté à contribution pour guérir le malade. Les membres du groupe doivent partir à la recherche des objets demandés par le malade : fourrures, outils, vêtements, etc., ou ils doivent organiser un festin de guérison. Des danses, des jeux ou des rituels particuliers prennent place au cours de ce festin.

Certaines techniques de guérison sont réservées à l'usage exclusif du chaman. Dans l'une de ces techniques, le chaman souffle à pleins poumons sur le malade afin de chasser le mal logé dans son corps. Une autre technique consiste à placer un tube sur le malade et à extraire par succion le mal qui l'habite. Parfois, pour chasser le mal, le chaman chauffe le corps du malade avec des charbons ardents qu'il tient dans ses mains ou qu'il met dans sa bouche. Il lui arrive aussi de danser en tenant un bâton ou en portant un masque afin de faire peur aux mauvais esprits. En règle générale, le chaman se met en état de transe lorsqu'il veut comprendre les besoins exacts du malade et choisir la bonne technique de guérison. Pour y arriver, il utilise des moyens variés : chants, danses, tambour, hochet-tortue, etc.

Les angakkuit

Dans les communautés inuites, les chamans, ou *angakkuit* (pluriel de *angakkuq*) en inuktitut, détiennent un pouvoir considérable. Ils peuvent faire apparaître le gibier, guérir les malades, voyager dans l'espace, calmer les tempêtes, jeter des sorts et transformer un humain en animal, ou vice-versa. Non seulement ils servent d'intermédiaires entre le peuple et les esprits, mais ils veillent aussi au respect des nombreux tabous et règles liés aux pratiques spirituelles, comme l'interdiction de chasser des animaux terrestres en même temps que des animaux marins, ou encore celle de chasser à la mort d'un proche parent.

◀ **1.73 Des autochtones dans des costumes traditionnels.**

Encore aujourd'hui, les autochtones revêtent leurs costumes traditionnels lors de certaines fêtes. Les danses qu'ils exécutent rappellent les rituels et les fêtes des premiers habitants.

4.6 La place des rituels

Chez les autochtones, le cercle de vie exprime le cycle des changements incessants : croissance, décroissance, fin et renouveau. Plusieurs cérémonies et rituels visent à souligner les changements saisonniers, comme les fêtes des « premiers fruits » et de la moisson, ainsi que les rites liés à l'avènement de la nouvelle année et au renouveau de la création. Certaines cérémonies accompagnent la naissance ou l'attribution d'un nom, la puberté, le mariage et la mort.

Un rituel de passage

À l'adolescence, les garçons doivent se trouver un esprit **tutélaire**, car tous les hommes adultes bénéficient de la protection d'un esprit particulier. Tout homme est lié à un esprit qu'il doit découvrir lorsqu'il devient adulte : l'esprit de l'ours, du loup, du rat musqué ou de l'oiseau, par exemple.

Ce rite est l'occasion pour l'adolescent de découvrir le rôle qu'il jouera plus tard dans la collectivité. En effet, les esprits tutélaires possèdent des qualités et des talents particuliers qui correspondent à la personnalité de leurs protégés. Ces derniers peuvent donc reconnaître, grâce à leur esprit tutélaire, le talent qu'il ont à développer.

Pour favoriser la rencontre avec son esprit tutélaire, l'adolescent s'isole, jeûne jusqu'aux limites de l'hallucination et attend que l'esprit se manifeste. Une fois qu'il a eu la vision attendue, il retourne auprès des siens, mais sans leur divulguer l'identité de son protecteur.

Ce rite permet au garçon de devenir réellement un homme. L'adolescent découvre les capacités qu'il doit développer : être un bon chasseur, un guerrier valeureux, un excellent diplomate, ou même un chaman.

Tutélaire : Qui tient sous sa protection.

Les autochtones utilisent le chant, la danse et la musique pour de nombreux rituels. Certaines formes d'expression traditionnelles sont demeurées vivantes au sein des communautés autochtones d'aujourd'hui.

1. **Connaissez-vous les danses et les musiques traditionnelles des cultures présentes dans votre ville ou votre communauté ?**
2. **Comment pourriez-vous les découvrir ?**

1.74 Une reconstitution d'un sac-médecine.

L'adolescent se fabrique un sac-médecine, c'est-à-dire une petite bourse de cuir, qu'il porte en permanence sur lui de façon à se rappeler son esprit tutélaire.

Pendant ce TEMPS...

Compétence 2

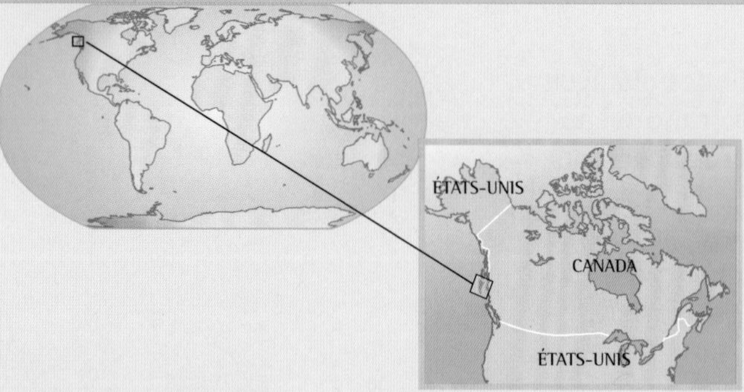

Les Haïdas

Depuis au moins 6000 à 8000 ans, les Haïdas vivent au large de la Colombie-Britannique, dans un archipel isolé appelé aujourd'hui les îles de la Reine-Charlotte. Comme celle des Iroquoiens, leur société est divisée en clans et est de type matrilinéaire.

OCÉAN PACIFIQUE
COLOMBIE-BRITANNIQUE
Masset
Détroit d'Hécate
Queen Charlotte
Skidegate
Sandspit
Îles de la Reine-Charlotte
N
O
E
S
0 40 80 120 km
Légende
• Principales communautés haïdas

▲ **1.75 Les îles de la Reine-Charlotte aujourd'hui.**

Situé au large de la Colombie-Britannique, cet archipel comprend près de 150 îles.

La société haïda est divisée en deux grands clans : les Aigles et les Corbeaux. Ces deux clans se divisent à leur tour en plusieurs sous-groupes qui possèdent chacun son propre **emblème**. Le statut d'un membre du clan est toujours transmis par la lignée de la mère. Un Haïda doit toujours épouser une femme de l'autre clan.

La hiérarchie est établie selon des règles très complexes. Le rang de chef est transmis par la mère, généralement au fils de la sœur aînée d'un chef. Les positions obtenues par héritage déterminent l'ordre dans lequel s'assoient les chefs ou les personnes de haut rang dans les festins et les potlatchs.

Le potlatch est la principale cérémonie chez les Haïdas. Il marque des événements importants comme les mariages, les nominations ou les funérailles, la construction d'une maison ou l'édification d'un mât totémique. Au cours de la cérémonie, l'hôte offre à ses invités tous les cadeaux qu'il a accumulés en vue de l'événement. L'objectif est d'accroître son prestige, d'accéder à un rang plus élevé ou d'obtenir de nouveaux privilèges. Les cadeaux qu'ils ont reçus obligent en quelque sorte les invités à offrir à leur hôte un don équivalent dans un prochain potlatch.

Selon vous, quelles valeurs les mâts totémiques représentent-ils habituellement ?

Emblème : Figure symbolique (animal, objet), destinée à représenter un groupe ou une collectivité.

▲ **1.76 Une pirogue de mer.**

Les Haïdas sont d'excellents pêcheurs, d'habiles marins et de remarquables fabricants de pirogues. Ces longues barques servent à transporter les marchandises destinées aux échanges commerciaux entre les divers groupes de la côte septentrionale.

► **1.77 Des mâts totémiques.**

Le mât totémique est sculpté dans un grand arbre. Il s'agit d'un ouvrage unique sur lequel sont reproduites des figures emblématiques souvent associées à des légendes mythiques. Le mât représente souvent le rang des familles et leur lignage. Au sommet de la sculpture figurent alors les ancêtres du rang le plus élevé.

5 L'arrivée des Européens

De l'autre côté de l'Atlantique, aux 15e et 16e siècles, plusieurs pays d'Europe connaissent un mouvement de renouveau important nommé «Renaissance». Les principaux instigateurs de ce mouvement sont les philosophes, les écrivains, les savants et les artistes. La Renaissance procure aux Européens une liberté de penser, une soif de connaissances et une curiosité intellectuelle qui rendent possibles toutes les innovations à venir.

5.1 Les explorations européennes

Les pays qui bordent l'Atlantique cherchent vers le sud et l'ouest un accès aux épices, à l'or et aux pierres précieuses de l'Asie qu'ils atteignaient jusque-là par voie terrestre. Par ces voyages, les royaumes comme le Portugal, l'Espagne, l'Angleterre et la France cherchent à s'approprier de nouveaux territoires et les richesses qui s'y trouvent.

Le Portugal

Le Portugal est le premier pays européen à se lancer à la découverte de l'Atlantique. Dès le début du 15e siècle, des explorateurs visitent la côte occidentale de l'Afrique. À partir de 1470, le Portugal exploite entre autres l'or et l'ivoire africains. En 1487, la pointe sud du continent est atteinte. En 1498, Vasco de Gama, aventurier et navigateur portugais, est le premier Européen à ouvrir la route de l'Inde en contournant l'Afrique. Les Portugais se rendent maîtres de cette route maritime très avantageuse pour le commerce.

▲ **1.78 Un astrolabe**

L'astrolabe est l'un des plus anciens instruments de navigation. Les navigateurs du 15e siècle l'utilisaient pour mesurer la latitude (position par rapport à l'équateur) avec le Soleil.

Expliquez en vos mots le lien entre la Renaissance et les grandes explorations européennes dans le monde.

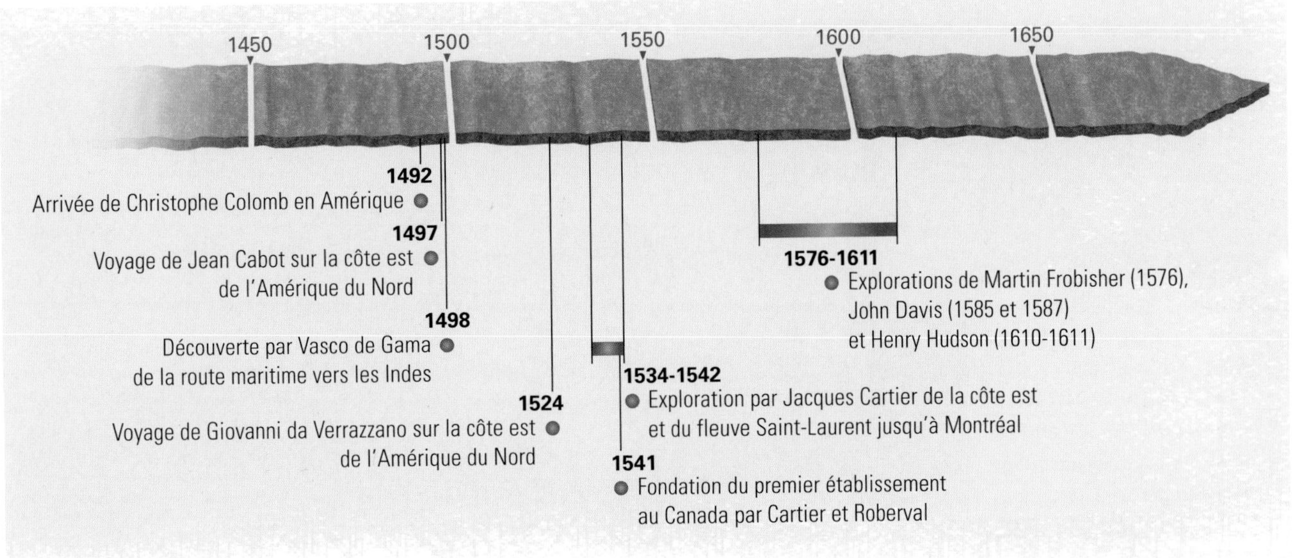

▲ **1.79 Des explorations européennes aux 15e et 16e siècles.**

Les premiers explorateurs européens cherchent une route maritime vers l'Asie.

L'Espagne

Parti avec trois caravelles, pour le compte des souverains espagnols, Christophe Colomb est le premier Européen à atteindre une petite île des Antilles, San Salvador, en 1492. Il est aussi le premier à établir un contact avec les autochtones, qu'il nomme Indiens, se croyant alors en Inde. Jusqu'en 1504, Christophe Colomb effectue trois autres voyages. Il meurt sans avoir réalisé qu'il avait découvert un nouveau monde, l'Amérique. C'est dans ce contexte que, dès 1494, le **traité de Tordesillas**, signé par l'Espagne et le Portugal, divise le monde à explorer entre ces deux pays.

Au tournant du 16ᵉ siècle, les Espagnols se rendent compte qu'ils ont découvert un nouveau continent. En 1519, l'Espagnol Hernán Cortés, un **conquistador**, entreprend la conquête de l'Empire aztèque. En 1532, Francisco Pizarro, un autre conquistador, fait de même au Pérou, où se trouve l'Empire inca. Les territoires actuels du Mexique, de l'Amérique centrale et de l'Amérique du Sud sont soumis à un pillage de leurs ressources naturelles ainsi qu'à une exploitation systématique des populations locales par l'Espagne. Ainsi, les Indiens sont forcés de travailler dans des mines ou dans des exploitations agricoles pour le compte des nouveaux occupants.

Traité de Tordesillas: Traité signé en 1494 à Tordesillas (Valladolid) entre l'Espagne et le Portugal. Il trace une ligne de démarcation qui partage entre ces deux puissances les nouveaux territoires qu'elles découvriront. Tout ce qui est à l'ouest de la ligne (Amérique moins le Brésil) appartient à l'Espagne et tout ce qui est à l'est (Brésil et Afrique) appartient au Portugal.

Conquistador: Aventurier espagnol parti à la conquête de l'Amérique.

Selon vous, quels contacts les Européens et les autochtones d'Amérique du Nord ont-ils établis au début du 16ᵉ siècle ?

OCÉAN ARCTIQUE
ANGLETERRE
AMÉRIQUE DU NORD
FRANCE
ESPAGNE
PORTUGAL
EUROPE
ASIE
OCÉAN PACIFIQUE
AFRIQUE
AMÉRIQUE DU SUD
OCÉAN ATLANTIQUE
OCÉAN INDIEN
OCÉANIE
Traité de Tordesillas (1494)
OCÉAN ANTARCTIQUE
N
O
E
S
0 1000 2000 3000 km

Légende
- Christophe Colomb (1492-1493)
- Jean Cabot (1497)
- Vasco de Gama (1497-1498)
- Amerigo Vespucci (1499-1500)
- Giovanni da Verrazzano (1524)
- Jacques Cartier (1534)

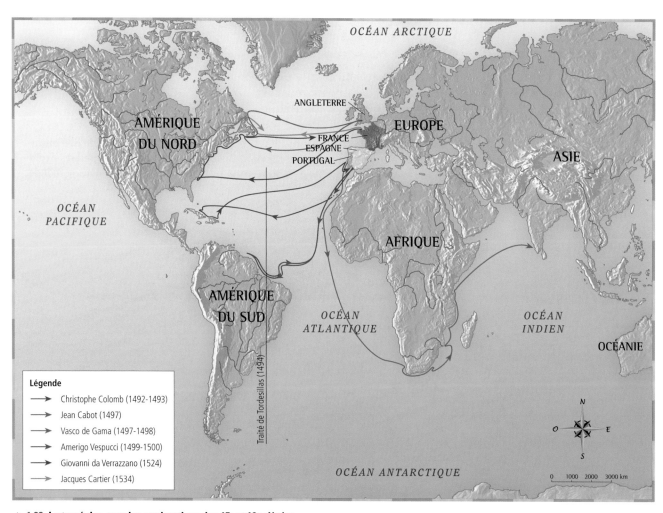

▲ **1.80 Le tracé des grandes explorations des 15ᵉ et 16ᵉ siècles.**

Les expéditions européennes vont mener à la conquête de nouveaux territoires aux dépens des populations autochtones.

Hernán Cortés

◀ 1.81 **Hernán Cortés (1485-1547).**

En 1519, ce conquistador espagnol fonde la Villa Rica de Vera Cruz.

Artiste inconnu, Spanish School, *Portrait of Hernan Cortes* [Portrait d'Hernán Cortés], 16e siècle.

Hernán Cortés est né en 1485, à Medellin, en Espagne. Après des études en droit, il part travailler à l'île Hispaniola (aujourd'hui Haïti), un territoire découvert par Christophe Colomb en 1492. De 1511 à 1514, il participe aux côtés de Diego Velázquez à la conquête de Cuba. Pour le récompenser, Velázquez lui confie la mission d'explorer l'Amérique centrale. En 1519, Cortés quitte Cuba avec une flotte de 11 navires. Après une escale au Yucatán, il fonde la Villa Rica de Vera Cruz (aujourd'hui Veracruz), sur la côte du golfe du Mexique. Après plusieurs ruses et quelques combats, Cortés réussit à s'engager vers l'intérieur du pays. En 1519, il entre dans Tenochtitlán, la capitale aztèque. L'empereur aztèque Moctezuma II voit en Cortés la réincarnation de Quetzalcóatl, dieu de la mythologique aztèque, qui devait, un jour, revenir prendre possession du royaume.

Cortés doit toutefois quitter la ville pour aller affronter les troupes d'un autre explorateur espagnol, Pánfilo de Narváez, envoyé pour le combattre. Pendant son absence, il confie la garde de la ville à l'un de ses lieutenants, Pedro de Alvarado. Se croyant victime d'un complot, Alvarado fait massacrer les prêtres et les nobles. Ces crimes provoquent l'insurrection des Aztèques contre les Espagnols, qui doivent alors quitter la ville. De retour, Cortés doit faire face à la rébellion. Il réorganise ses troupes et réussit à reprendre la ville, malgré la solide résistance que lui opposent les guerriers aztèques menés par le nouvel empereur, Cuauhtémoc. En 1521, la ville et l'Empire aztèque sont anéantis. Tenochtitlán sera rebâtie et baptisée Mexico. L'ancien empire sera transformé en une colonie nommée Nouvelle-Espagne. Cortés en devient le gouverneur et le capitaine général. Après quelques autres expéditions, Cortés part en Espagne, près de Séville, où il meurt en 1547.

D'après les Aztèques, de quel dieu Cortés est-il la réincarnation ?

◀ 1.82 **La prise de Tenochtitlán.**

En 1521, la prise de Tenochtitlán par Cortés marque la fin de l'Empire aztèque.

Artiste inconnu, Spanish School, *The Taking of Tenochtitlan by Cortes, 1521* [La prise de Tenochtitlán par Cortés], 16e siècle..

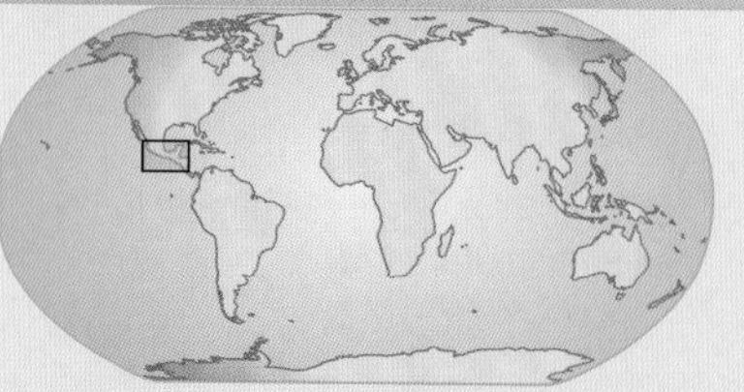

Les Aztèques

Lors de l'arrivée des Espagnols, les Aztèques habitent la région centrale du Mexique, autour de la capitale actuelle, Mexico. Cette civilisation, très hiérarchisée, s'est développée sur quelques centaines d'années.

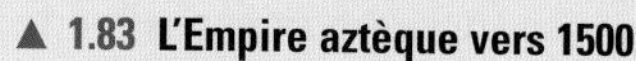

▲ **1.83 L'Empire aztèque vers 1500.**

L'Empire aztèque est anéanti en 1521 par les Espagnols.

À l'origine, les Aztèques ne forment qu'une petite tribu nomade qui a quitté ses territoires au nord du Mexique pour le sud. Vers 1200, les Aztèques arrivent dans la vallée de Mexico, où vivent d'autres peuples. À la suite de nombreux conflits, ils s'établissent sur un îlot boueux, au milieu du lac Texcoco, et fondent, en 1365, Tenochtitlán. Au 15e siècle, couvrant un territoire d'une dizaine de kilomètres carrés de surface, Tenochtitlán devient une des plus grandes capitales du monde. La ville est bien structurée et elle est sillonnée de canaux qui servent de rues. On y trouve aussi plusieurs temples.

La religion aztèque a beaucoup d'influence sur la vie des gens. Les Aztèques honorent de nombreuses divinités, notamment dans l'espoir de contrer les phénomènes naturels. Les prêtres et les rois prenaient parfois le nom d'un dieu. Parmi ces dieux, Quetzalcóatl est un ancien roi-dieu dont le nom signifie « serpent à plumes ». Il symbolise la mort et la résurrection, et il est aussi le dieu tutélaire des prêtres.

Les Aztèques honorent plusieurs autres divinités importantes, par exemple Huitzilopochtli, le dieu du Soleil et de la guerre, Coyolxauhqui, la déesse de la Lune, Tlaloc, le dieu de la pluie et de la végétation, et Chicomecoatl, la déesse du maïs, protectrice des récoltes.

Le calendrier grégorien, utilisé actuellement en Amérique et dans une grande partie du reste du monde, est-il un calendrier solaire ou lunaire ? Justifiez votre réponse.

◄ **1.84 La Piedra del Sol (pierre du Soleil).**

Selon les Aztèques, le monde a été créé et détruit quatre fois, et nous vivons dans le 5e monde, lui aussi condamné. Les détails figurant sur ce calendrier solaire expliqueraient cette idée de création du monde.

L'Angleterre

En 1497, un marchand d'épices vénitien, Jean Cabot (Giovanni Caboto), offre ses services au roi d'Angleterre, Henri VII, pour chercher une route vers l'Asie en naviguant vers l'ouest. Il atteint plutôt Terre-Neuve, dont les eaux regorgent de morues. Le marin est convaincu d'avoir atteint le nord-est de l'Asie. L'année suivante, il repart à la tête de cinq navires chargés de marchandises destinées à être échangées au Japon. Ces navires disparaissent sans laisser de traces. En 1576, en 1585 et en 1610, l'Angleterre soutient les expéditions de Martin Frobisher, de John Davis et de Henry Hudson. Ces trois explorateurs cherchent un passage vers l'Asie dans les mers du Nord. Au terme de ces voyages, l'Angleterre a amélioré la connaissance du nord du continent américain. Ses marins participent à la pêche sur les Grands bancs de Terre-Neuve.

▲ **1.85 Jean Cabot (vers 1450-1499).**

Lors de son premier voyage, Jean Cabot atteint la côte est de l'Amérique du Nord.

Artiste inconnu, *Jean Cabot, navigateur génois*, œuvre non datée.

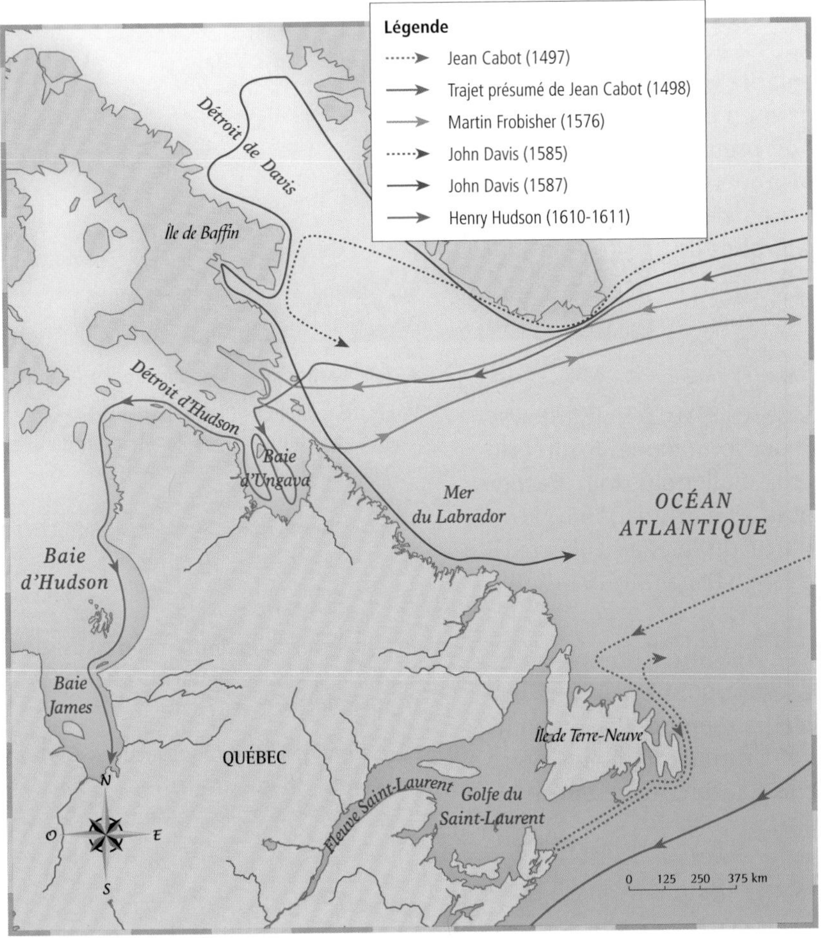

◀ **1.86 Les explorations anglaises du 15e au 17e siècle.**

Les Anglais sont très intéressés par la découverte d'un passage du nord-ouest vers l'Asie.

Retracez les itinéraires des quatre explorateurs, puis faites un court bilan de chacun d'eux.

La France

Des navires français participent à la pêche à la morue sur les Grands bancs de Terre-Neuve depuis le début du 16e siècle. Cependant, le royaume de France n'a pas encore pris part aux grandes découvertes. En 1524, le Florentin Giovanni da Verrazzano met officiellement les voiles vers l'ouest pour le compte du roi François Ier. Il navigue près des côtes de la Caroline, puis oblique vers le nord jusqu'à la Nouvelle-Écosse et Terre-Neuve.

De la morue à la fourrure

Au 16e siècle, la morue est la principale ressource de la région du nord-est de l'Amérique du Nord. L'usage est d'abord de déposer le poisson dans des tonneaux avec du sel pour en assurer la conservation. Vers 1545, une partie des prises est séchée sur la rive. Cette opération permet aux pêcheurs d'entrer en contact avec les Amérindiens. Peu à peu, ces rencontres donnent lieu à des échanges au cours desquels les pêcheurs troquent des produits européens contre les fourrures des chasseurs amérindiens. Par la suite, des marchands français remontent le fleuve Saint-Laurent pour se livrer à ce commerce.

Compétence 2

5.2 Les voyages de Jacques Cartier

Après avoir reçu du pape l'assurance qu'il ne trahissait pas le traité de Tordesillas, le roi François Ier finance le voyage de Jacques Cartier sur les côtes américaines. Cartier doit découvrir un pays « où l'on dit qu'il se doit trouver grande quantité d'or et autres riches choses ». La conversion des Amérindiens figure dans la liste de ses objectifs.

Le premier voyage

En 1534, Cartier emprunte la route des pêcheurs bretons qui se rendent à Terre-Neuve. Il explore les côtes du Labrador et de Terre-Neuve et longe les rives du golfe du Saint-Laurent. Il prend possession du territoire à la baie de Gaspé, où il plante une croix. Cartier y rencontre des Amérindiens et en profite pour en ramener deux qui serviront de preuves de son voyage en Amérique et d'interprètes en prévision de sa prochaine expédition. Ces deux Amérindiens, qui savent parler le français, sont du second voyage.

▲ **1.87 Cartier fait ériger une croix à Gaspé.**

En 1534, Jacques Cartier parcourt le golfe du Saint-Laurent et plante une croix dans la baie de Gaspé.

C. W. Simpson, *Jacques Cartier à Gaspé, 1534*, 1927.

Le deuxième voyage

Lors de son deuxième voyage au Canada, de 1535 à 1536, Cartier se rend jusqu'à Québec. Malgré l'opposition de Donnacona, le chef du village de Stadacona (Québec), qui lui interdit d'aller plus loin, Cartier laisse une partie de ses hommes à Québec et part, sans guide ni interprète, sur son plus petit navire. À partir du lac Saint-Pierre, il poursuit son voyage en chaloupe jusqu'à Hochelaga (Montréal). Il y fait un bref séjour et revient à Québec.

Les relations sont plutôt bonnes avec les Amérindiens, mais l'hiver surprend Cartier. Le fleuve gelé emprisonne ses navires. Pendant l'hiver, le **scorbut** emporte plusieurs membre de son équipage. Au printemps, Cartier enlève le chef Donnacona et ses deux fils, ainsi que sept autres Iroquois du Saint-Laurent, et retourne en France.

1. Observez l'illustration ci-dessus et décrivez les éléments qu'elle présente.

2. Selon vous, pourquoi Jacques Cartier plante-t-il une croix ?

Le troisième voyage

La France connaît des problèmes et François Ier délaisse ses projets de colonisation. Toutefois, le chef amérindien Donnacona lui décrit un royaume si riche en or que le roi décide finalement d'organiser une expédition. L'objectif est la colonisation et l'évangélisation de ce nouveau territoire. Le roi confie le commandement de l'expédition à Jean-François de La Roque de Roberval. Les préparatifs sont si longs que Cartier quitte la France avec deux navires un an avant Roberval. En 1541, il revient à Québec, mais aucun des Iroquois qu'il avait emmenés ne sont de retour. Les relations avec les Amérindiens se dégradent alors rapidement.

Scorbut : Maladie des gencives due à une déficience alimentaire en vitamine C, caractérisée, entre autres, par de graves hémorragies et pouvant occasionner la mort.

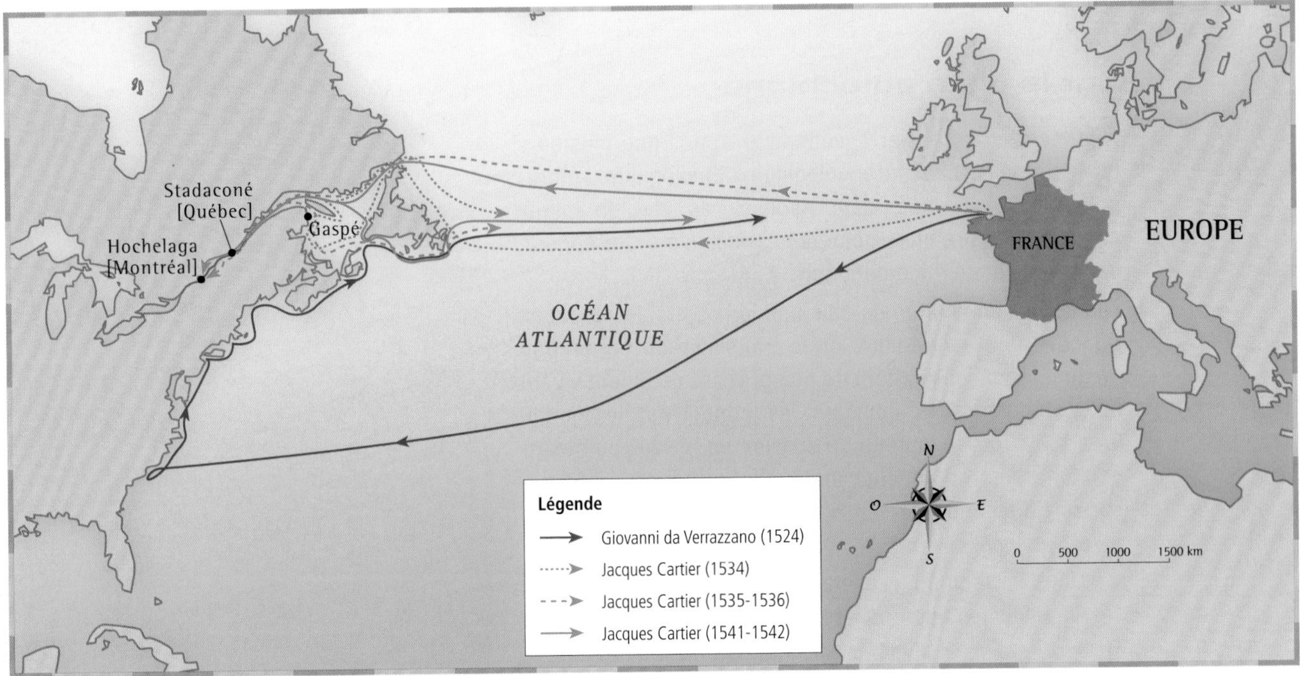

▲ **1.88 Les voyages de Verrazzano et de Cartier au 16e siècle.**

Verrazzano explore les côtes de la Nouvelle-Angleterre, puis longe les côtes de la Nouvelle-Écosse et de Terre-Neuve. Dix ans plus tard, Cartier explore les côtes du golfe du Saint-Laurent, du Labrador et de Terre-Neuve.

Résumez les trois voyages de Cartier, puis faites un court bilan de chacun d'eux.

Roberval et l'aventure canadienne

Pendant que Cartier accumule ce qu'il croit être de l'or et des diamants, Roberval se fait toujours attendre et l'hiver survient. Au printemps, Cartier se hâte de repartir pour la France et croise l'expédition de Roberval à Terre-Neuve. Roberval lui ordonne de rebrousser chemin et de revenir avec lui à Québec, mais Cartier se sauve, car il est pressé de faire analyser les pierres qu'il rapporte du Canada. Mais les pierres sont sans valeur. Par la suite, l'expression «faux comme un diamant du Canada» sera utilisée couramment, et ce, pendant plusieurs décennies. Cartier se retire dans un manoir, près de Saint-Malo, où il meurt en 1557.

Pendant ce temps, Roberval fonde une colonie près de la rivière Cap-Rouge, à Québec, avec les membres de l'équipage et une centaine de colons. L'automne et l'hiver sont rudes et le scorbut fait plusieurs victimes. Au printemps, Roberval part explorer la rivière des Outaouais. Le pilote de Roberval, Jean Alphonse de Saint-Onge, cherche aussi un passage par le nord-ouest vers l'Asie et se rend jusqu'au détroit de Davis, où les glaces le forcent à rebrousser chemin.

La colonie établie près de la rivière Cap-Rouge est si mal en point que Roberval doit retourner en France. Cette première tentative de colonisation française en Amérique du Nord est un échec. Aussi, les ambitions que nourrit la France en Amérique seront abandonnées temporairement.

▶ **1.89 Jean-François de La Roque de Roberval (vers 1500-1560).**

En 1541, Roberval est nommé lieutenant général de la Nouvelle-France. Il reçoit de François Ier la mission de fonder une colonie au Canada.

Artiste inconnu, École française, *Portrait de Jean-Francois de La Roque, sieur de Roberval,* 16e siècle.

ACTIVITÉ SYNTHÈSE

Sur la piste autochtone

À la lecture du dossier 1, vous avez appris que plusieurs types de recherches (archéologique, ethnologique, anthropologique, historique) sont nécessaires afin de mieux connaître les premiers occupants, puisqu'à cette époque il n'existe aucun document écrit.

Les documents matériels, tels que les objets, les vestiges découverts et la tradition orale transmise de génération en génération, permettent de comprendre comment vivent les autochtones et comment ils conçoivent le monde vers 1500. Tout le long de ce dossier, vous avez pu observer différents documents matériels et prendre connaissance de légendes. Il est temps de mettre en ordre ces divers éléments.

1. Dans un tableau, présentez les trois grandes familles linguistiques autochtones.
2. Pour chaque famille linguistique, ajoutez les éléments suivants :
   a) les territoires où elle a vécu ;
   b) les particularités de ses croyances (chaman et objets de rituels, terre-mère, etc.), de ses modes de vie (techniques de chasse ou de pêche, alimentation, habitations, outils, armes, etc.) et de son organisation sociale (rôle des chefs, des femmes, etc.) ;
   c) des exemples d'objets, de vestiges ou de légendes déjà présentés dans votre manuel pour illustrer chaque particularité.
3. Nommez les croyances, les modes de vie et les organisations sociales communes aux trois grandes familles.

Pour aller plus loin

1. Associez les différents documents matériels (objets, vestiges, légendes) que vous avez trouvés lors de l'activité *Sur la piste autochtone* à un ou à plusieurs concepts liés au dossier :
   - aînés,
   - conception du monde,
   - cercle de vie,
   - culture,
   - enjeu,
   - environnement,
   - société,
   - spiritualité,
   - territoire,
   - tradition orale.
2. Vous avez compris l'importance du cercle de vie pour les sociétés autochtones. Produisez un dessin qui illustre l'idée du cercle de vie. Soyez très créatif tout en vous assurant de bien comprendre le concept avant de commencer votre dessin. Organisez dans votre classe une exposition sur la manière de concevoir le monde des autochtones vers 1500.

1 Les revendications des autochtones

Peut-on vraiment s'imaginer le choc de la première rencontre entre autochtones et Européens? Chacun de leur côté, ils découvrent avec stupéfaction l'existence d'un autre monde. La vie ne sera plus tout à fait la même pour les autochtones qui voient leurs traditions bousculées par l'arrivée des Européens.

Enjeu

Les nations autochtones du Québec revendiquent des droits sur les terres qu'ils occupent depuis des millénaires. À la suite de l'expansion coloniale européenne, les autochtones se sont vus dépossédés de leurs territoires. Ils souhaitent maintenant que le gouvernement reconnaisse leurs droits ancestraux.

1.1 Vers une recherche d'autonomie

Dépossédés de leurs terres par la colonisation européenne, les autochtones cherchent aujourd'hui à retrouver leur autonomie ainsi que leurs droits sur le territoire qu'ils occupaient avant l'arrivée des Européens. Pour ce faire, ils présentent des revendications au gouvernement. Bien que ces revendications varient d'une nation à l'autre, les objectifs visés sont les mêmes: obtenir une plus grande autonomie, des territoires plus vastes et la protection de leur identité culturelle.

En vue d'assurer le développement de leurs communautés, les nations autochtones cherchent à établir de nouvelles relations avec le gouvernement. Les ententes récemment conclues entre le Québec et les autochtones indiquent une volonté commune d'écrire une nouvelle page d'histoire en ce qui concerne leurs relations. Désormais, les autochtones du Québec sont considérés comme des partenaires essentiels dans l'exploitation du territoire québécois.

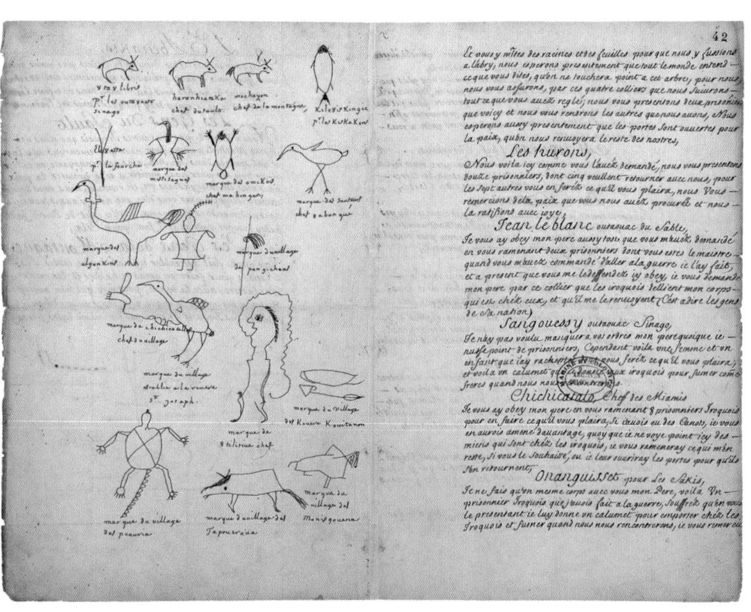

▲ **1.90 La Grande Paix de Montréal.**

Avec ce traité, signé en 1701, les autochtones et les Européens ouvrent la voie à une période de collaboration et de cohabitation harmonieuses.

Les droits ancestraux

Les revendications des autochtones s'appuient sur l'existence de droits ancestraux. Pour comprendre ces revendications, nous devons faire appel à des **traités** vieux de plus de deux siècles. Or, la valeur juridique de ces documents n'est pas toujours facile à établir.

À cela s'ajoute le choc des cultures. Avant l'arrivée des Européens, les autochtones concluaient des alliances entre eux sans jamais signer de documents officiels. Pour les Européens, un traité, c'est-à-dire une entente entre deux parties doit être établi par écrit et signé par les chacune d'elles pour être légal. Toutefois, les autochtones n'ont jamais cédé leur territoire aux Européens par un traité. Leurs revendications actuelles s'appuient précisément sur le fait qu'ils ont toujours des droits sur le territoire qu'ils occupaient avant que les Européens en prennent possession.

Traité: Convention écrite passée entre deux parties, pour établir des règles ou des décisions.

1.2 Les revendications territoriales

Les autochtones sont présents sur le territoire québécois depuis des milliers d'années. Dépossédés de leurs terres, ils demandent la reconnaissance de leurs droits ancestraux et territoriaux pour pouvoir pratiquer leurs activités traditionnelles. Ils réclament le partage des terres pour en exploiter les ressources naturelles. N'ayant jamais cédé leur territoire aux Européens par un traité, ils revendiquent aujourd'hui leur droit d'usage.

Les traités

Avant la création du Canada, en 1867, les administrateurs britanniques concluent des traités avec les autochtones d'Amérique. Après la formation de la Confédération canadienne, ces traités sont maintenus et conservent toute leur valeur juridique. Le gouvernement canadien signe par la suite une série d'ententes avec les autochtones, des traités où il est principalement question de terres, d'éducation et de chasse. Toutefois, l'existence de droits territoriaux pour les autochtones ne sera reconnue qu'à partir de 1923. De plus, il faudra attendre jusqu'en 1973 pour que ces droits soient confirmés par la Cour suprême du Canada.

En cette même année 1973, le gouvernement du Canada adopte une politique pour le règlement des revendications territoriales des autochtones. Cette politique fait reposer les droits territoriaux sur l'occupation et l'utilisation traditionnelles des terres. Elle vise à négocier des ententes avec des groupes, des bandes ou des collectivités autochtones qui exigent une reconnaissance de droits dans une région précise. Cette reconnaissance juridique comprend des droits de propriété, de chasse, de pêche et de piégeage, ainsi que d'autres avantages économiques et sociaux. Comme la gestion des ressources naturelles relève de la responsabilité des provinces, il peut arriver que ces dernières participent aux négociations territoriales avec le gouvernement fédéral.

▲ **1.91 La forêt boréale.**

L'immense forêt boréale du Québec attire de nombreuses compagnies forestières. Pour les nations autochtones, l'exploitation de la forêt représente des emplois et d'importantes retombées économiques.

Selon vous, quels avantages économiques et sociaux les autochtones peuvent-ils tirer de leurs droits territoriaux ?

◀ **1.92 La mine Raglan, au Nunavik.**

La présence de nombreux gisements miniers dans le Bouclier canadien assure du travail à plusieurs communautés autochtones. La gestion des ressources minières fait maintenant partie des revendications des autochtones.

Quel minerai est extrait de la mine Raglan ? Faites une recherche pour le découvrir.

1.3 L'autonomie gouvernementale

▲ **1.93 Le complexe La Grande.**

La Grande Rivière a donné son nom à ce complexe hydroélectrique. La région de la Baie-James compte six des plus importantes rivières du Québec, dont les rivières Rupert et Eastmain ainsi que La Grande Rivière.

Les nations autochtones désirent faire reconnaître leur droit à l'autonomie. Cette question provoque actuellement d'intenses négociations. Le droit à l'autonomie permettrait aux autochtones de former un gouvernement autonome au sein du Canada, qui serait mis en place par et pour les autochtones. Pour bien des nations, cette reconnaissance de droit est fondamentale et préserverait leur mode de vie traditionnel. Elle permettrait à leurs communautés de prendre une plus grande part de responsabilités dans le développement économique ainsi que dans des secteurs importants tels que la santé, les services sociaux et la justice.

1.4 Des ententes historiques

En 1975, le gouvernement du Québec et les Cris signent une entente historique : la Convention de la Baie-James et du Nord québécois. Pour la première fois au Canada, une entente de partenariat entre un gouvernement et une nation autochtone est signée. Cette entente accorde aux Cris et aux Inuits un plus grand contrôle sur leur développement.

En février 2002, le gouvernement du Québec conclut une entente de principe avec le grand chef du Conseil des Cris, Ted Moses. Cette entente, appelée «Paix des Braves», constitue une autre étape importante dans les relations entre le gouvernement du Québec et les Cris. Elle met fin aux désaccords entre les deux parties et permet d'entamer une nouvelle phase de développement hydroélectrique au Québec. Ce développement se traduit par de nombreux emplois et d'importantes retombées économiques pour les Cris.

Selon vous, quelles conséquences environnementales un projet hydroélectrique d'une telle ampleur aura-t-il ?

◀ **1.94 La signature de la Paix des Braves.**

En février 2002, Ted Moses, grand chef du Conseil des Cris, et Bernard Landry, premier ministre du Québec, signent une entente de principe historique.

Entre développement économique et préservation du territoire

En signant la Paix des Braves, le Grand Conseil des Cris et le gouvernement du Québec souhaitent établir de meilleures relations dans le futur. Que ce soit dans le domaine politique, économique ou social, l'entente de principe donne aux Cris les moyens d'obtenir une plus grande autonomie. Leur développement économique et communautaire sera grandement influencé par les projets hydroélectriques Eastmain et Rupert. Pourtant, l'entente de principe ne fait pas l'unanimité. Au sein même de la nation crie, comme dans la population en général, des voix s'élèvent pour dénoncer les conséquences nuisibles pour l'environnement qu'auront ces projets hydroélectriques. Le défi est de taille pour les autochtones, eux qui cherchent à tirer profit des ressources de leur territoire tout en respectant leurs conceptions environnementales.

Vers la reconnaissance des droits

Selon la Loi de 1952 sur les Indiens, c'est au gouvernement du Canada que revient la responsabilité « des Indiens et des terres qui leur sont réservées ». Le développement hydroélectrique du Québec a favorisé le rapprochement entre le gouvernement du Québec et les autochtones. L'entente historique de la Convention de la Baie-James et du Nord québécois marque le début d'une nouvelle période dans les relations entre autochtones et non-autochtones. Le chemin qui mène à la Paix des Braves représente donc plus de 30 années de relations plus soutenues entre le gouvernement du Québec et les autochtones.

Observez la carte ci-contre. Quelles nations autochtones du Québec sont touchées par la Convention de la Baie-James et du Nord québécois ?

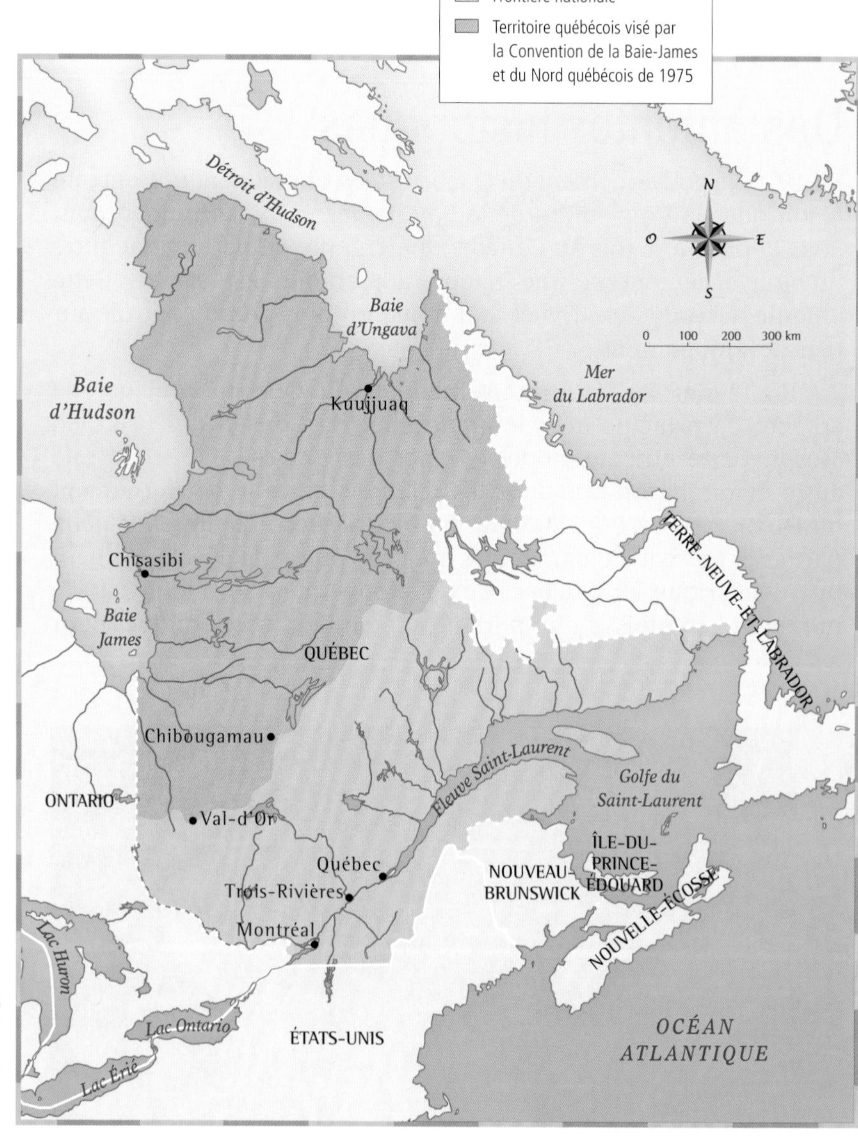

▲ **1.95 Le territoire québécois visé par la Convention de la Baie-James et du Nord québécois de 1975.**

Cette convention jette les bases d'une nouvelle organisation économique, sociale et administrative pour une grande partie de la population autochtone du Québec.

La reconnaissance des droits des autochtones est un long processus. Bien qu'il reste beaucoup à faire, chaque pas a le mérite de préciser davantage le cadre des relations présentes et futures entre le gouvernement et les autochtones.

Année	Événement	Résultat
1963	La Direction générale du Nouveau-Québec	Le gouvernement du Québec offre des services aux Inuits et à quelques communautés cries. Les premiers efforts sont consacrés à l'éducation.
1969	Le droit de vote au Québec	Les Amérindiens obtiennent le droit de vote aux élections provinciales. Le gouvernement fédéral leur a donné ce droit en 1960.
1973	La politique des revendications territoriales	Le gouvernement fédéral adopte une première politique en matière de revendications territoriales.
1973	Le jugement Calder	La Cour suprême du Canada confirme l'existence des droits territoriaux des autochtones du Canada.
1973	Le jugement Malouf	La Cour supérieure du Québec reconnaît des droits aux Cris et aux Inuits vivant sur des territoires cédés au Québec par le Canada.
1975	La Convention de la Baie-James et du Nord québécois	Une première entente contemporaine d'importance est négociée au Québec et au Canada.
1978	La Convention du Nord-Est québécois	Une entente est conclue avec la nation naskapie du Québec. Cette entente est fortement inspirée par la Convention de la Baie-James et du Nord québécois.
1982	La Loi constitutionnelle de 1982	La reconnaissance et la confirmation des droits existants, ancestraux ou issus de traités, des peuples autochtones sont inscrites dans la Constitution du Canada.
1983	L'adoption des 15 principes	Le gouvernement du Québec adopte 15 principes qui reconnaissent les nations autochtones et la nécessité d'établir des relations harmonieuses avec elles.
1985	La résolution de l'Assemblée nationale	L'Assemblée nationale du Québec adopte une motion de reconnaissance des nations autochtones et de leurs droits. Elle énonce également les grands principes que le gouvernement devra respecter dans ses relations avec les autochtones.
1990	La Crise d'Oka	Un conflit éclate entre la communauté mohawk de Kanesatake et la municipalité d'Oka au sujet de l'utilisation d'un territoire revendiqué par les Mohawks.
1996	Le Rapport de la Commission royale sur les peuples autochtones	Un volumineux rapport sur la situation des autochtones du Canada est déposé. La Commission conclut qu'il est nécessaire de changer fondamentalement les relations entre les autochtones et les non-autochtones.
2002	La Paix des Braves	Une entente est signée entre le Grand Conseil des Cris et le gouvernement du Québec. Cette entente établit entre eux de meilleures relations politiques, économiques et sociales.

▲ **1.96 Les événements marquants dans la reconnaissance des droits autochtones.**

Plusieurs événements importants ont permis aux autochtones de retrouver leur autonomie et leurs droits sur le territoire qu'ils occupaient avant l'arrivée des Européens.

ACTIVITÉ DÉBAT

L'autonomie gouvernementale des autochtones

L'autonomie gouvernementale est un sujet qui alimente de nombreux débats. Pour les nations autochtones, il s'agit de reprendre leurs droits sur un territoire qu'ils occupaient depuis des siècles. Leur environnement naturel faisait partie intégrante de leur mode de vie, de leurs croyances et de leur conception du monde. Mais ce monde a beaucoup changé depuis l'arrivée des Européens. L'ordre social qui existait à l'époque a disparu, ce qui fait dire à certains que les traités du passé ne peuvent s'appliquer de la même façon aujourd'hui. L'autonomie gouvernementale que recherchent les nations autochtones menace-t-elle l'unité du Québec ?

▲ 1.97 **De jeunes autochtones de différentes nations en costumes traditionnels.**

Les autochtones cherchent à préserver leur culture traditionnelle. L'influence extérieure apportée par les médias risque de faire oublier aux jeunes autochtones leurs traditions.

pour

- Les autochtones ont été dépossédés de leurs terres à la suite de l'expansion coloniale européenne. Bien qu'il soit impossible de revenir dans le passé, nous pouvons corriger cette injustice en partageant la gestion du territoire avec eux.
- En accordant l'autonomie gouvernementale aux autochtones du Québec, on reconnaît qu'ils forment des peuples distincts possédant une pleine autonomie politique, économique et sociale.
- Une plus grande autonomie permettrait aux autochtones de préserver leur mode de vie traditionnel tout en prenant part au développement du Québec moderne. La préservation de leur culture est un héritage précieux pour tous les citoyens du Québec.
- Les autochtones possèdent une histoire et un mode de vie traditionnel uniques. En leur accordant une plus grande autonomie politique, le gouvernement reconnaît que leur situation mérite un traitement particulier.

contre

- Une société démocratique se compose de plusieurs groupes sociaux. Si l'on accorde une autonomie politique à un groupe en particulier, il faudra également le faire pour d'autres.
- Pour que le Québec se développe harmonieusement, il est important de préserver l'ordre social. C'est pourquoi il serait délicat de vouloir changer les lois pour accommoder un groupe minoritaire.
- Afin de répartir la richesse équitablement entre les citoyens, le gouvernement doit éviter d'en confier la gestion à des groupes minoritaires qui auraient alors droit à une part plus importante des richesses du territoire québécois.
- Le fait d'accorder l'autonomie gouvernementale aux autochtones ouvrirait la porte à d'autres revendications semblables qui, un jour ou l'autre, finiraient par menacer l'unité du Québec.

En tant que citoyen ou citoyenne, quelle est votre position par rapport à l'autonomie gouvernementale des autochtones ? Expliquez votre point de vue.

ACTIVITÉ MÉTHO

Poser une question et formuler une hypothèse

Il y a plusieurs étapes à suivre pour mener à bien un travail de recherche en histoire. Vous devez, tout d'abord, cerner deux ou trois aspects majeurs du sujet avant de commencer vos recherches sur Internet et à la bibliothèque.

Les premières étapes pour mieux préciser votre recherche sont: la formulation d'une problématique (question/problème) et la formulation d'une hypothèse.

Formulation d'une problématique

La formulation de la problématique permet de réduire un sujet général à des aspects plus précis. Votre travail de recherche doit être conçu comme la réponse à une question ou à un problème qui est posé. Si votre enseignant ou enseignante n'a posé aucune question, ou si la question n'est pas clairement suggérée dans le sujet, vous devez formuler vous-mêmes cette question, c'est-à-dire la problématique.

Supposons, par exemple, que votre sujet de travail porte sur les légendes autochtones. Malgré son intérêt, ce sujet est trop vaste pour être l'objet d'un travail de recherche.

Il faut d'abord se poser une question pertinente. Mais attention, ne formulez pas une question à laquelle on puisse répondre simplement par «oui» ou par «non». Ce serait bien peu utile!

Voici l'exemple d'une mauvaise problématique (question/problème): «Est-ce que les autochtones possèdent des légendes?»

Répondre «oui» ou «non» à cette question ne peut en aucun cas vous aider à cerner le sujet.

Il faut donc poser une question qui établit des relations entre les divers aspects du sujet. Pour cela, il est parfois utile de s'informer sur le sujet par des lectures préalables.

Voici quelques problématiques ou questions/problèmes pertinentes:

- Pourquoi les légendes sont-elles importantes pour les sociétés autochtones?
- De quelle manière les légendes autochtones reflètent-elles la conception du monde des autochtones?

Formulation d'une hypothèse

Une fois la problématique établie, la deuxième étape est la formulation de votre hypothèse.

L'hypothèse constitue la réponse possible à la question posée, une réponse qu'il faut vérifier. Cette hypothèse est un but, une direction, un fil conducteur qui vous guide tout le long de votre recherche. Elle énonce clairement une réponse possible et se formule comme une phrase affirmative.

Problématique choisie	Hypothèse ou réponse possible
• Pourquoi les légendes sont-elles importantes pour les sociétés autochtones?	• Certaines légendes autochtones sont importantes parce qu'elles reflètent la conception du monde des Amérindiens.
• De quelle manière les légendes des autochtones reflètent-elles leur conception du monde?	• Les légendes autochtones racontent les croyances de chaque peuple sur la création de la Terre.

Vos recherches et votre plan de travail de recherche doivent avoir pour objectif de démontrer cette hypothèse. Il vous sera parfois nécessaire de préciser ou encore de reformuler votre hypothèse en cours de route, si vos recherches ne vous permettent pas de répondre à la question posée.

À vous de jouer!

À l'aide des exemples proposés, suggérez une problématique (question/problème) et une hypothèse sur les deux sujets suivants:

- les aînés autochtones;
- le cercle de vie.

PROJET ORDI

Une présentation multimédia

La présentation multimédia est un outil de plus en plus populaire. Elle permet d'utiliser plusieurs types de données de façon simultanée : du texte, des sons, des photographies, des illustrations, des dessins, etc. Dans ce dossier, vous avez fait la connaissance des premiers occupants de l'Amérique du Nord. Vous avez étudié leur mode de vie, leur conception du monde et l'organisation de leur société. La période examinée s'étend de leur arrivée jusqu'à leurs premières rencontres avec les Européens.

À l'aide d'un logiciel de présentation, vous allez maintenant créer un fichier qui couvrira l'ensemble du dossier. Votre présentation doit comprendre :

- des photographies ou des illustrations représentant chacune une partie du dossier;
- une brève description de chaque photographie ou illustration sous forme de texte ou de fichier son;
- la référence bibliographique d'un ouvrage qui concerne l'époque étudiée.

Dossier 2 L'émergence d'une société en Nouvelle-France

Les racines françaises sont toujours présentes dans la société québécoise actuelle. Plus de 80 % de la population a le français comme langue maternelle. Comment cette société majoritairement francophone s'est-elle implantée dans la vallée du Saint-Laurent ?

En 1608, quand Samuel de Champlain amarre son bateau près de la pointe de Québec, il a un projet en tête : établir une colonie française en Amérique du Nord. Au fil des années, trois programmes de colonisation sont mis en œuvre par les compagnies, l'Église et l'État sur ce nouveau territoire. Ces trois groupes partagent-ils les mêmes intérêts au sujet de la colonie ?

Aujourd'hui, le Québec possède son identité propre et administre lui-même son territoire. La force de certains secteurs, notamment son potentiel énergétique et son industrie culturelle, le différencie au sein du Canada et à l'étranger. Quand il s'agit du développement du Québec, le gouvernement dépend de plusieurs facteurs et doit tenir compte de tous les intérêts en jeu. Comment l'État québécois agit-il pour le bien commun des citoyens ?

Observez cette illustration.

1. **À votre avis, cette représentation de la Nouvelle-France est-elle réaliste ?**
2. **Quels éléments de l'illustration vous donnent des indices sur la vie en Nouvelle-France ?**

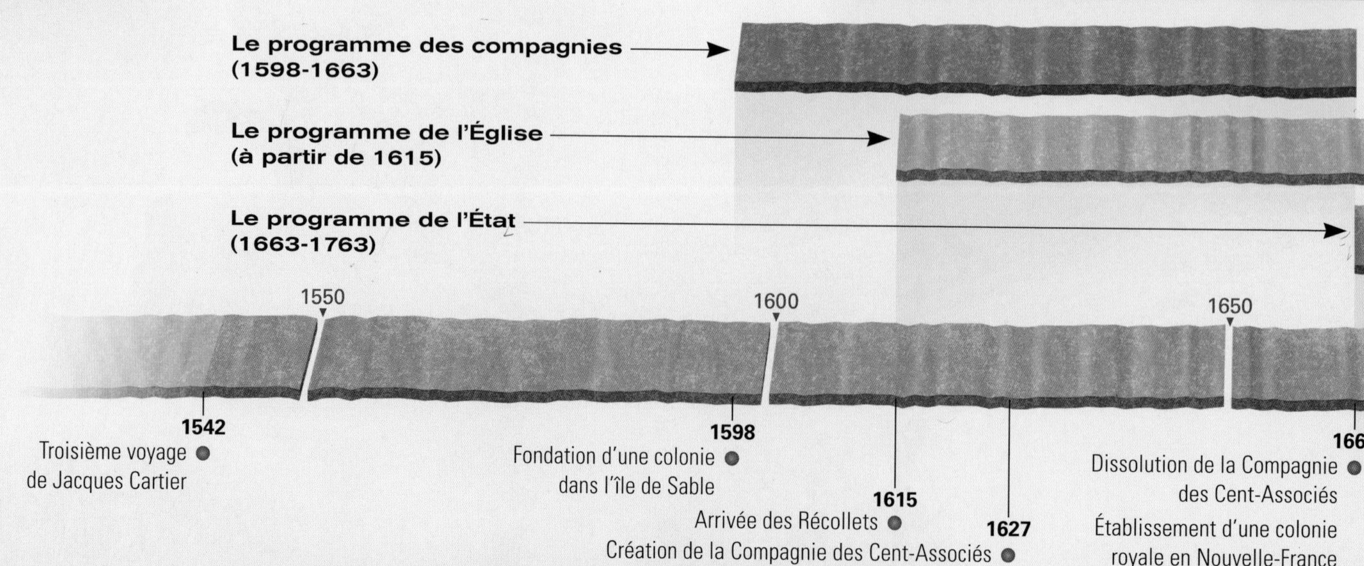

▲ **2.1 Un village en Nouvelle-France.**

Au début du 18e siècle, les habitants de la Nouvelle-France sont bien installés dans la vallée du Saint-Laurent.

Lewis Parker, *New France,* [Nouvelle-France], 1985.

1700

1750

1760
Capitulation de Montréal
Fin de la Nouvelle-France

1763
Fin du programme de colonisation
Changement de métropole

◀ **2.2 Les programmes de colonisation.**

Au fil des années, trois programmes de colonisation sont mis en œuvre par les compagnies, l'Église et l'État sur le nouveau territoire.

Sommaire

L'émergence d'une société en Nouvelle-France

Colonie

Les concepts que vous verrez dans ce dossier

Concept central
- **Colonie**

Concepts particuliers
- Canadiens
- Commerce
- Compagnie
- Église
- État
- Évangélisation
- Peuplement

Concepts communs
- Enjeu
- Société
- Territoire

Un territoire À EXPLORER

La Nouvelle-France vers 1745

Mer du Labrador

Baie d'Hudson

Baie James

Lac Winnipeg

NOUVELLE-FRANCE

Fleuve Saint-Laurent

Golfe du Saint-Laurent

Louisbourg

Québec

Trois-Rivières

Montréal

Lac Supérieur

Lac Huron

Lac Michigan

Lac Ontario

Lac Érié

Fleuve Mississippi

APPALACHES

OCÉAN ATLANTIQUE

Golfe du Mexique

N O E S

0 150 300 450 km

Légende

- Ville
- Nouvelle-France
- Territoire contesté

Observez le territoire occupé par la colonie de la Nouvelle-France vers 1745.

Selon vous, pourquoi ce territoire est-il si étendu ?

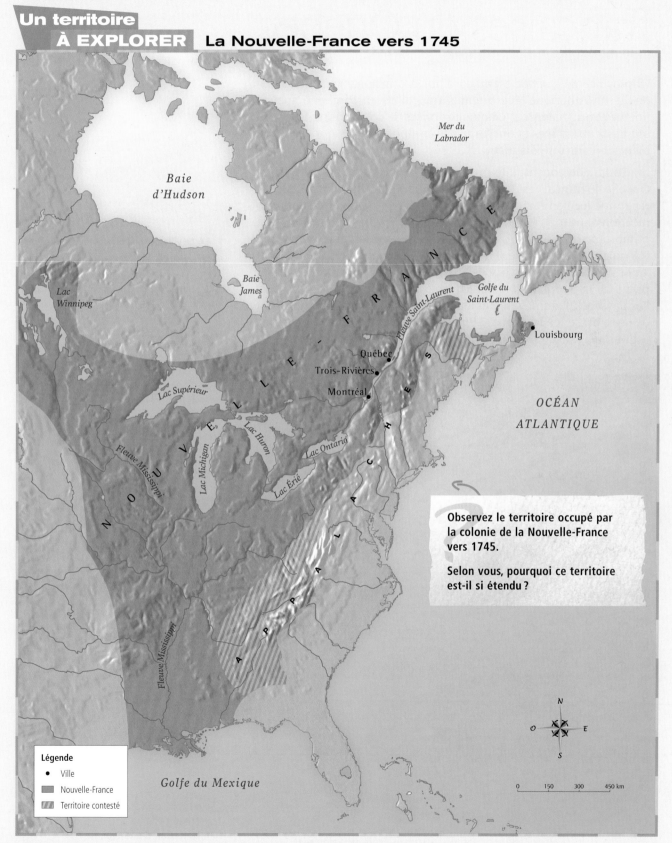

▲ **2.3** Vers 1745, la Nouvelle-France occupe un immense territoire qui s'étend de la mer du Labrador jusqu'au golfe du Mexique.

1 Les origines françaises du Québec

La province de Québec est aujourd'hui la principale société francophone en Amérique. Ses origines françaises en font une société unique et originale. Cent-cinquante années de colonisation française ont laissé des traces et ont forgé des comportements qui montrent bien son caractère distinct.

La langue constitue le premier trait culturel d'une société. Au Québec, le français est la langue officielle, ce qui signifie qu'elle est reconnue légalement comme la langue d'expression et de communication dans tous les domaines d'activité. En plus de la langue, de nombreux aspects de la société québécoise conservent l'empreinte française. Ainsi, malgré leur enracinement dans la culture nord-américaine, des créateurs, des artistes, des écrivains et une grande partie de la population restent très attachés à la culture française. Les paysages, l'architecture et le mode de vie québécois témoignent de cette présence française. Même le système juridique du Québec est unique, puisque son Code civil est d'inspiration française !

▼ **2.4 La ville de Québec à la fin du 17e siècle.**

En 1663, la ville de Québec reçoit le titre de capitale de la Nouvelle-France. Elle devient le centre administratif, judiciaire et commercial de la colonie.

Jean-Baptiste-Louis Franquelin, *Carte de l'Amérique septentrionale* (Détail du manuscrit représentant une vue de Québec), 1688.

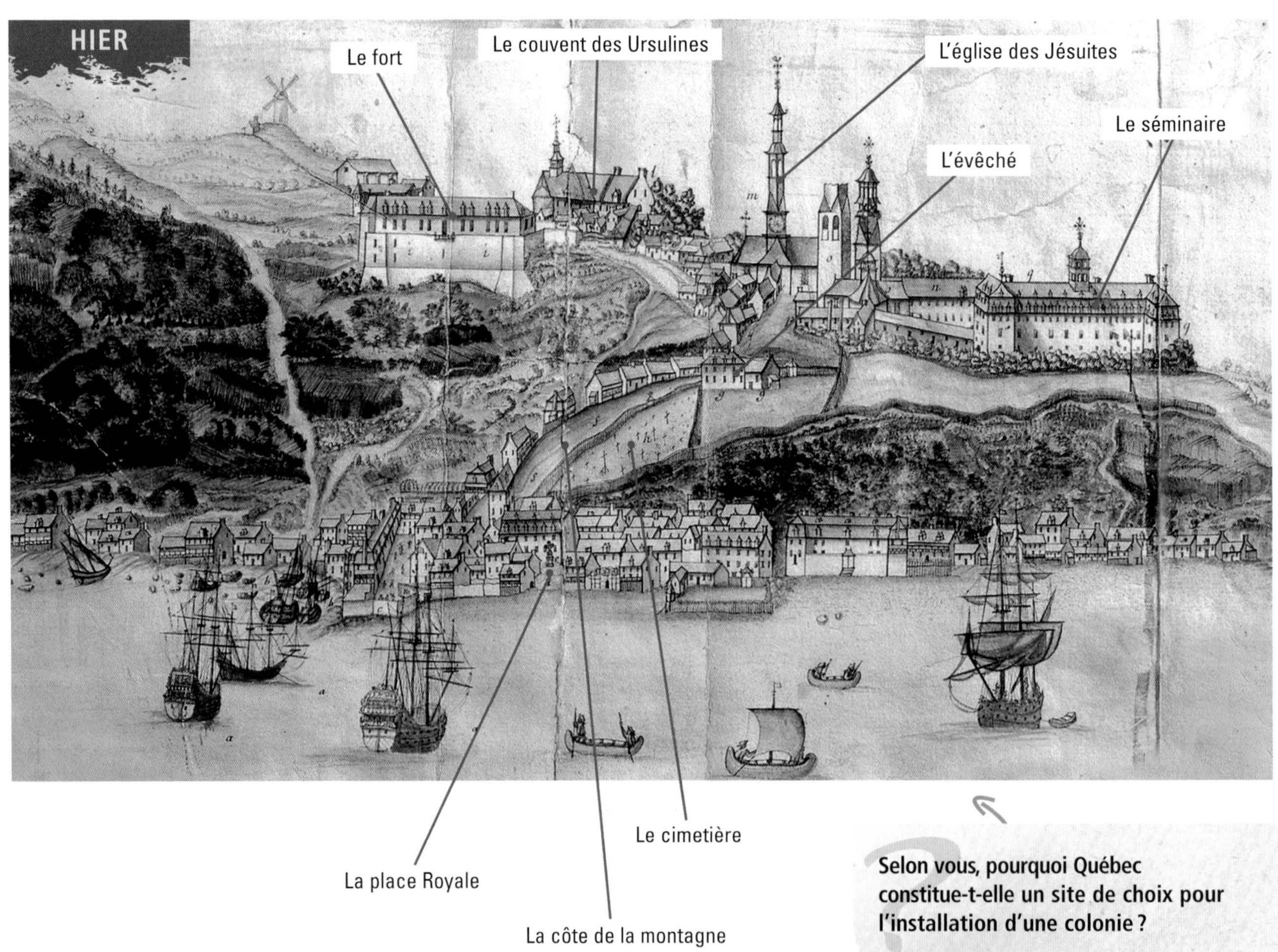

Selon vous, pourquoi Québec constitue-t-elle un site de choix pour l'installation d'une colonie ?

1.1 La société québécoise

De génération en génération, la population québécoise a préservé les traits français qui la caractérisent, en commençant par la langue. Aujourd'hui, le français est la langue maternelle d'environ 80 % de la population du Québec.

La population québécoise d'origine française partage son vaste territoire avec une minorité d'origine britannique, des nations autochtones et des immigrés venus de divers pays. Les relations formées entre ces différents groupes et leur apport culturel ont façonné la société québécoise.

Le Québec forme aussi une société démocratique. Il constitue un État laïque où les pouvoirs politiques et religieux sont séparés. Au nom du bien commun, tous les membres de la société québécoise ont appris à vivre ensemble et à faire de leurs valeurs et de leurs traditions lointaines un héritage collectif à préserver.

Société

Vers 1700, une société distincte de la société française émerge grâce au labeur des découvreurs, des missionnaires, des colons, des marchands et des administrateurs qui constituent la présence française en Amérique.

Aujourd'hui, la société québécoise se compose de gens d'origines diverses : français, britanniques, autochtones et immigrés provenant du monde entier. La société québécoise se définit comme démocratique et laïque.

Formulez une hypothèse en réponse à la question suivante. Comment l'influence française (1608-1759) se fait-elle encore sentir aujourd'hui dans la ville de Québec ?

▲ **2.5 La ville de Québec au 21e siècle.**

Québec, capitale provinciale, est aujourd'hui une ville de plus de 700 000 habitants. Son activité économique est centrée sur le secteur des services, qui comprend, entre autres, le commerce, l'enseignement et la santé. Québec est la seule ville fortifiée au nord du Mexique. À cause de ses remparts, l'arrondissement historique du Vieux-Québec est inscrit depuis 1985 sur la Liste du patrimoine mondial de l'UNESCO.

Le territoire et la société

De nombreux facteurs physiques, économiques et historiques expliquent la répartition de la population canadienne et québécoise actuelle. En 1534, Jacques Cartier plante une croix dans la baie de Gaspé et prend possession de ce nouveau territoire au nom de la France. Toutefois, les quelques tentatives de colonisation qui ont lieu à cette époque demeurent infructueuses. La colonisation ne reprend véritablement qu'au début du 17e siècle. Des explorateurs sillonnent les cours d'eau et étudient les voies fluviales. Les premiers commerçants construisent des établissements permanents à Québec (1608), à Trois-Rivières (1634) et à Montréal (1642).

Des programmes de colonisation sont mis en œuvre. Graduellement, les environs de Québec se peuplent. Le territoire est divisé en seigneuries. Les colons français s'établissent sur les rives du Saint-Laurent, la principale voie de communication en Nouvelle-France. À partir de 1663, le peuplement progresse. Pour favoriser l'accroissement de la population, les administrateurs de la colonie encouragent les mariages et les familles nombreuses.

Formulez une question dont la réponse permet de mettre en évidence le lien qui existe entre le fleuve Saint-Laurent et l'établissement des colons sur ses rives.

▼ **2.6 Le peuplement de la vallée du Saint-Laurent aux 17e et 18e siècles.**

À l'époque de la Nouvelle-France, 80 % de la population vit de l'agriculture.

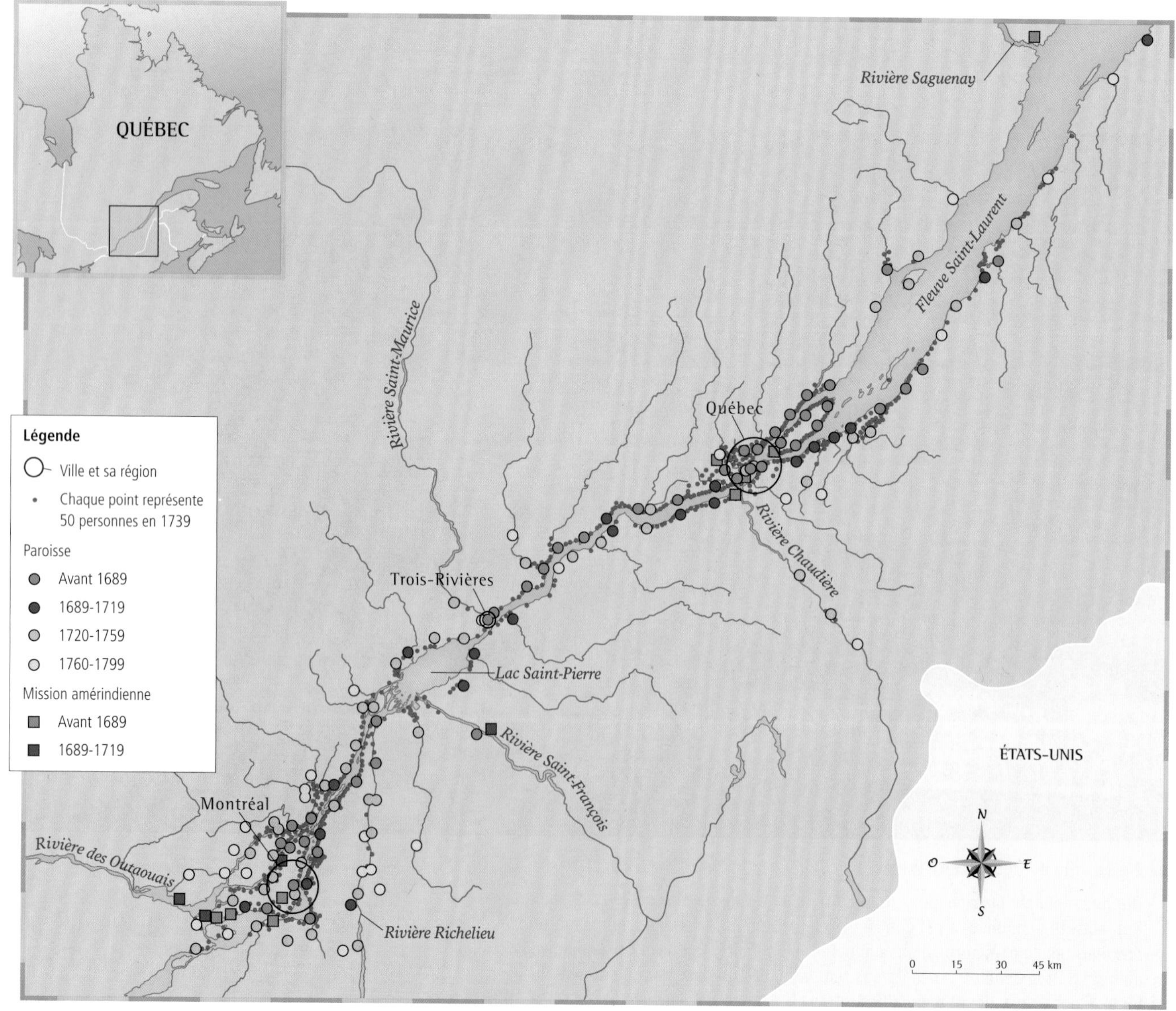

Aujourd'hui, malgré l'immensité du territoire québécois, la **densité de la population** du Québec demeure très faible. Plus des trois quarts de la population québécoise vivent toujours sur les rives du Saint-Laurent. Contrairement à l'époque de la Nouvelle-France, la population est urbaine à plus de 80 %. De nos jours, l'immigration soutient davantage la croissance démographique que le taux de natalité. La population devient par conséquent de plus en plus diversifiée.

Densité de la population : Nombre de personnes habitant un territoire au kilomètre carré.

Le territoire québécois couvre au total environ 1,6 million de kilomètres carrés, ce qui en fait, après le Nunavut, la deuxième entité politique du Canada pour la superficie. Son territoire est trois fois plus grand que celui de la France et six fois plus étendu que le Royaume-Uni. Les frontières du Québec s'étendent sur près de 10 000 kilomètres.

En Nouvelle-France, le développement est surtout dû au commerce des fourrures, à la pêche et à l'exploitation des terres.

1. **Nommez les secteurs d'activité qui ont permis le développement des régions.**
2. **Selon vous, pourquoi la population québécoise est-elle concentrée autour des zones urbanisées ?**

2.7 La concentration de la population québécoise en 2006.

La grande majorité de la population québécoise se concentre dans les régions des basses-terres du Saint-Laurent, mais elle se regroupe de façon inégale dans les zones les plus fortement urbanisées.

1.2 La langue de nos ancêtres

Au début du 17e siècle, les Français s'établissent dans la vallée du Saint-Laurent. Ils arrivent de différentes provinces françaises, parlent souvent un dialecte régional, savent rarement écrire et sont presque tous catholiques.

Aujourd'hui, le Québec compte plus de 7,5 millions d'habitants. La langue maternelle de plus de 80 % d'entre eux est le français. Cependant, l'accent, le vocabulaire et les expressions utilisés au Québec diffèrent du français parlé à Paris, en Guadeloupe ou en Tunisie. Les réalités géographiques ou sociales ne sont pas les mêmes non plus.

Lors de la Conquête, les habitants de la Nouvelle-France entrent en relation avec une nouvelle culture. Les emprunts à la langue anglaise, que l'on appelle des « anglicismes », apparaissent bientôt. L'anglais s'impose dans l'administration et le domaine des affaires. Avec l'industrialisation, un assortiment de termes techniques anglais envahit la langue française. Même les tournures de phrases prennent modèle sur l'anglais. Aujourd'hui, le Québec est entouré d'une mer anglophone de plus de 300 millions de personnes. L'anglais constitue la langue parlée la plus utilisée dans le monde et celle dont on se sert le plus souvent dans Internet.

I went to the market

« I went to the market
Mon petit panier sous mon bras
[...]
The first girl I met
C'est la fille d'un avocat

I love you vous ne m'entendez guère
I love you vous ne m'entendez pas
[...]

She said what have you got
Dans ce beau petit panier-là
I have got some eggs
N'en achèteriez-vous pas
[...] »

Gilles Vigneault

Vous devez, avec l'aide d'un éminent linguiste, tenter de comprendre comment la langue française a évolué au Québec. Posez-lui trois questions qui vous permettront de comprendre les particularités de la langue française parlée au Québec par rapport à celle qui est parlée en France.

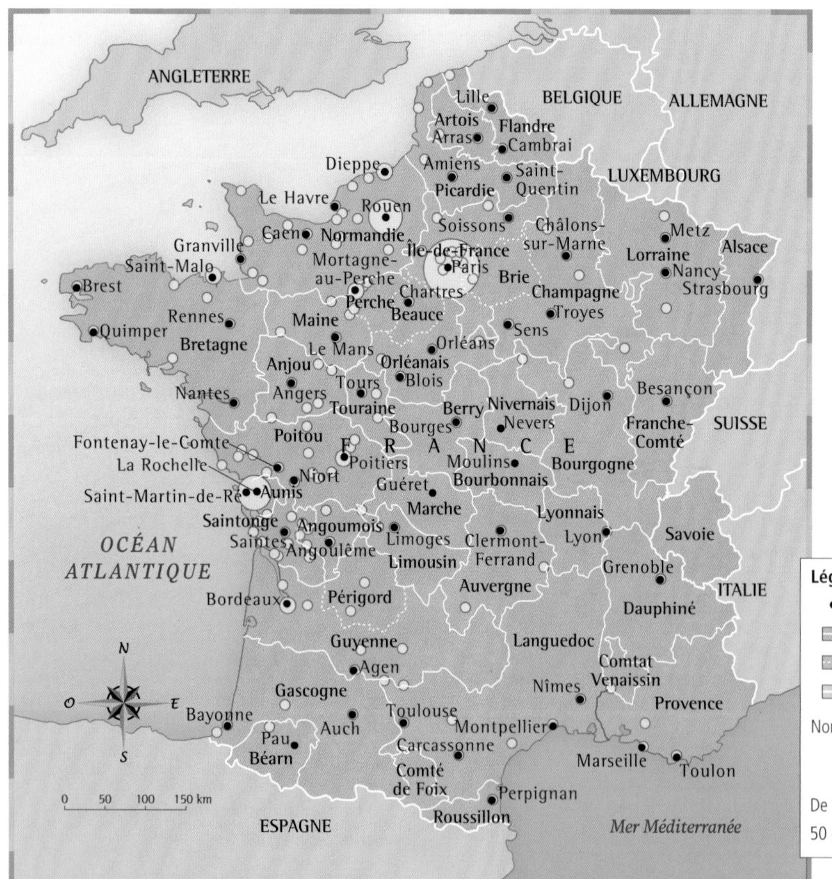

▲ **2.8 Les origines françaises de la population canadienne aux 17e et 18e siècles.**

La majorité des colons venus s'établir en Nouvelle-France proviennent du nord-ouest de la France. Même si plusieurs utilisent des patois différents en France, ils doivent dès leur arrivée parler la même langue que celle de l'administration, c'est-à-dire le français.

1.3 La trace des programmes de colonisation

Au cours des 17e et 18e siècles, plusieurs programmes de colonisation contribuent au développement de la société nouvelle qui apparait dans la vallée du Saint-Laurent. Des intérêts commerciaux, religieux et politiques s'unissent, et parfois s'affrontent, dans le but d'orienter et de réaliser un projet français de colonisation en Amérique du Nord. Chacun laisse son empreinte sur le destin collectif de la société québécoise.

Les paysages québécois, l'architecture et de nombreux symboles reflètent l'importance des institutions qui ont participé au développement de la Nouvelle-France. Même si leur rôle s'est aujourd'hui transformé, ces institutions nous ont laissé des traditions et un patrimoine spécifiques.

Le commerce, les compagnies et le peuplement

De nos jours, l'État exerce un contrôle sur plusieurs domaines d'activité, entre autres sur le développement économique du Québec. Aux premiers temps de la Nouvelle-France, le développement est laissé au soin des compagnies d'actionnaires. En 1627, la Compagnie des Cent-Associés met en place le régime seigneurial dans le but de favoriser le développement de son territoire.

L'Église

La société québécoise actuelle est laïque, c'est-à-dire qu'elle est fondée sur la séparation de l'État et de l'Église (catholique). Toutefois, jusque dans les années 1960, l'Église garde une place importante dans les domaines de l'éducation, de la santé et des services sociaux.

Dès les débuts de la Nouvelle-France, des représentants de l'Église catholique accompagnent les marchands et développent leur propre programme de colonisation. Ce programme consiste à évangéliser les autochtones et à encadrer la vie des habitants. La richesse du patrimoine religieux québécois évoque un passé où la religion occupe une place centrale dans la vie individuelle et collective des Québécois.

L'État

Aujourd'hui, l'État est un acteur important dans la société québécoise. Son action est déterminante sous plusieurs aspects de la vie collective, par exemple en ce qui concerne la santé et l'éducation. L'État est aussi responsable des routes et des ponts. Il maintient l'ordre et administre la justice.

En 1663, le roi Louis XIV et son ministre Colbert décident de diriger davantage les activités économiques du royaume et de développer leurs colonies. De nouvelles institutions politiques sont implantées; des politiques et des mesures de peuplement sont mises en place.

▼ **2.9 L'église de Notre-Dame-des-Victoires, place Royale, à Québec.**

L'église de Notre-Dame-des-Victoires est construite en 1688 sur le site de l'habitation de Champlain. Son nom actuel commémore les victoires des Français sur les Britanniques en 1690 et en 1711.

Formulez une hypothèse qui permet d'expliquer la perte d'influence de l'Église catholique sur la société québécoise.

1 Le programme des compagnies

Commerce

Activité qui consiste en l'achat, en la vente ou en l'échange de marchandises, de denrées ou de services.

Jusqu'en 1700, le commerce des fourrures est le moteur économique de la colonie. Ce commerce est aussi à l'origine de la création des alliances avec les Amérindiens et de l'exploration du continent.

En 1542, après son troisième voyage au Canada, Jacques Cartier retourne en France sans avoir pu fonder d'établissement français en Amérique du Nord. À la suite de ces échecs, la France abandonne ses projets d'exploration maritime et de **colonisation** durant quelques décennies. Le roi François Ier, qui a soutenu Jacques Cartier, meurt en 1547. À ce moment, la France est engagée dans des guerres en Europe. Elle est déchirée par une profonde crise religieuse entre catholiques et protestants.

Colonisation: Peuplement et exploitation d'un territoire dominé et administré par une puissance étrangère.

1.1 Le commerce des fourrures

Le contact avec les nouveaux territoires d'Amérique n'est pas rompu pour autant. Les Bretons, les Normands et les Basques qui, depuis le début du 16e siècle, pêchent la morue sur les Grands bancs de Terre-Neuve, poursuivent leur activité. De plus, des morutiers français font du troc avec les Amérindiens établis sur les côtes du golfe du Saint-Laurent. Ils échangent des produits de fabrication européenne contre des fourrures.

Dans les années 1580, la mode des chapeaux de feutre confectionnés avec des poils de castor est à son apogée parmi la bourgeoisie et la noblesse européennes. Pour répondre à la demande, des marchands financent des expéditions chargées de rapporter des peaux de castor. Peu à peu, le commerce des fourrures gagne en popularité et s'organise sur une grande échelle.

1. a) Nommez des États qui sont aujourd'hui indépendants et qui, dans le passé, ont déjà été des colonies.

b) Quelles étaient les puissances qui les dominaient ?

2. Selon vous, existe-t-il encore aujourd'hui des territoires colonisés dans le monde ? Si oui, justifiez votre réponse.

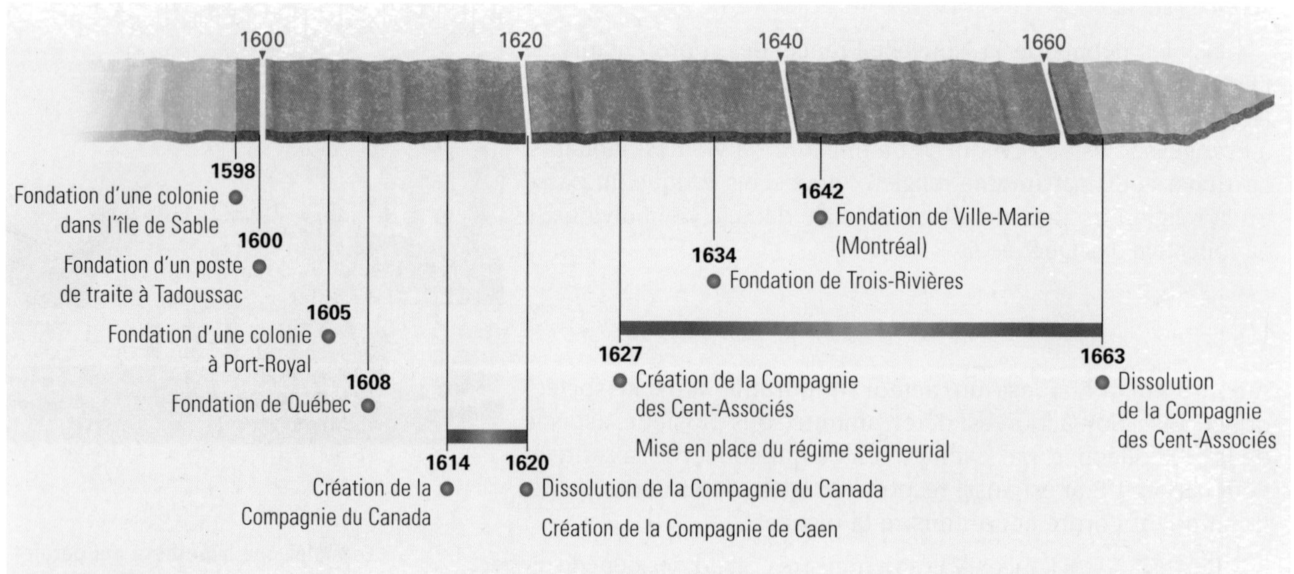

▲ **2.10 Le programme des compagnies.**

De 1598 à 1663, les compagnies jouent un rôle essentiel dans le développement de la Nouvelle-France.

Le monopole

La concurrence nuit à l'essor des compagnies et les empêche de tirer un bénéfice assez élevé pour justifier leurs investissements. À leur demande, le roi accorde aux compagnies le **monopole** du commerce pour une période déterminée. En retour, elles devront développer la colonie. Ainsi, les compagnies s'engagent à transporter à leurs frais quelques colons en Amérique.

◄ **2.11 La mode européenne.**

Les chapeaux de feutre confectionnés avec des poils de castor sont très en vogue en Europe à la fin du 16e siècle.

Artiste inconnu, *Deux officiers français*, vers 1690.

Monopole : Privilège exclusif accordé à une compagnie de vendre et d'exploiter une ressource.

Saviez-vous que... À l'époque de la Nouvelle-France, on prêtait au castor des pouvoirs étranges. Par exemple, certaines personnes croyaient que le port d'un chapeau de castor rendait plus intelligent. On pensait également qu'il pouvait rendre l'ouïe à une personne sourde !

Les intérêts des marchands et des compagnies

L'idée de fonder un nouvel établissement en Amérique du Nord est relancée par le roi Henri IV, qui règne de 1589 à 1610. Attirés par l'appât du gain, les marchands français finissent par intéresser le roi au commerce des fourrures en Amérique. Leurs efforts portent des fruits en 1596. Henri IV annonce alors son intention d'assurer une présence française en Amérique du Nord. Au cours de cette période, d'autres royaumes européens ont besoin de matières premières et sont en quête de colonies.

Toutefois, à cette époque, la France est toujours aux prises avec une profonde crise religieuse entre catholiques et protestants. Le roi doit donc s'employer à rétablir l'unité du royaume. Par ailleurs, comme la colonisation est une entreprise beaucoup trop coûteuse pour l'État, Henri IV suit le modèle de l'Angleterre et de la Hollande, et s'en remet à des compagnies. D'une façon indirecte, le succès des compagnies servira la gloire et la puissance du roi. Si le comptoir commercial est rentable, le roi pourra alors saisir l'occasion de coloniser un nouveau territoire.

Concept

Compagnie

En Nouvelle-France, forme d'entreprise regroupant des marchands, des financiers et des armateurs intéressés par l'exploitation des ressources du nouveau territoire.

Avant 1663, le roi de France confie à des compagnies la charge d'administrer, de peupler et de développer la colonie. En retour, il leur accorde un monopole commercial sur le territoire.

▲ **2.12 Des Amérindiens et des Européens pratiquant le troc à Québec vers 1633.**

La traite des fourrures est un commerce de troc. Des fourrures sont échangées contre des produits européens. Quelques personnes habitent le poste de traite, ou « habitation », pour commercer avec les Amérindiens.

1.2 Les premières fondations de la colonie

Henri IV accorde à des marchands des monopoles commerciaux au Canada. Quelques-uns sont d'anciens compagnons militaires, comme Troilus de La Roche de Mesgouez, qui a déjà fait le commerce des fourrures dans le golfe du Saint-Laurent. En janvier 1598, le roi le nomme lieutenant général de la Nouvelle-France et lui confie la mission d'y fonder une colonie. En mars, Troilus de La Roche débarque avec une quarantaine de colons dans l'île de Sable (aujourd'hui en Nouvelle-Écosse).

Les ressources de l'île sont insuffisantes pour assurer la subsistance du groupe, et des problèmes de ravitaillement font échouer l'installation de la colonie. En 1603, un navire ramène les quelques survivants en France.

Observez l'illustration ci-dessus.

1. Énumérez les objets que les Amérindiens ont pu obtenir en échange de leurs fourrures.

2. Donnez des exemples de ce que pourraient faire les Amérindiens avec les objets qu'ils ont échangés contre leurs fourrures.

Tadoussac, le premier poste de traite

Le roi Henri IV concède le monopole du commerce dans la région de Tadoussac à Pierre de Chauvin de Tonnetuit, un marchand originaire de Honfleur. En 1600, Pierre de Chauvin lève donc les voiles vers l'Amérique, accompagné de François Gravé Du Pont et de Pierre Du Gua de Monts. Il fait ériger une « habitation », c'est-à-dire un poste de traite fortifié, à l'embouchure du Saguenay. Les Amérindiens viennent y échanger des fourrures contre des produits européens : tissus, couvertures, perles de verre et objets en métal (haches, couteaux, aiguilles et marmites).

Seize hommes doivent passer l'hiver à Tadoussac. Cette première expérience du climat canadien se révèle désastreuse : cinq personnes seulement survivent jusqu'au printemps, grâce à l'aide des Amérindiens. Comme l'endroit ne se prête pas à l'agriculture, les colons rentrent en France dès l'automne 1601.

Concept

Colonie

Territoire dominé et administré par une puissance étrangère.

Une colonie est d'abord et avant tout un moyen d'acquérir des richesses pour un État. Ainsi, la Nouvelle-France est fondée pour l'exploitation des fourrures. Une colonie peut aussi être une façon de créer une nouvelle société.

Au début, le développement de la colonie de la Nouvelle-France est confié aux soins de marchands européens. En 1663, elle passe directement sous le contrôle du roi.

Objet	Quantité de peaux
Une barrique de grains de maïs	6
Un fusil	6
Un grand manteau	3
Huit couteaux à manche de bois	1

▲ **2.13 La valeur d'échange des peaux de castor contre des marchandises.**

Dans les postes de traite, la valeur des marchandises à échanger est bien établie.

Source: Roland ARPIN, *Rencontre de deux mondes*, Musée de la civilisation de Québec, Sainte-Foy, Les Communications Science-Impact, 1992, p. 39.

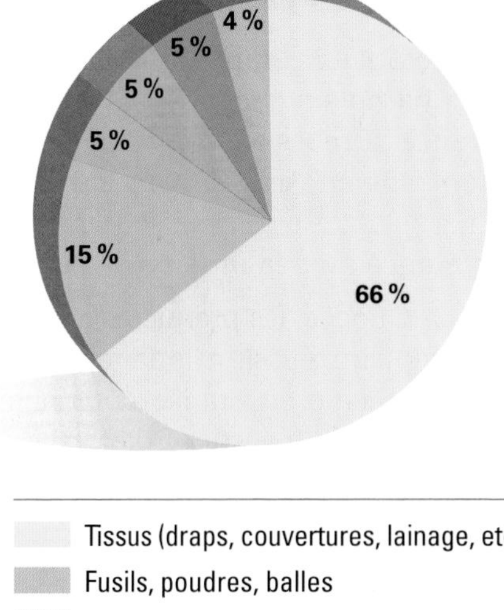

- Tissus (draps, couvertures, lainage, etc.)
- Fusils, poudres, balles
- Chaudrons de cuivre
- Couteaux, haches, ciseaux, fers pour pointes de flèche
- Eau-de-vie
- Autres

▲ **2.14 Le pourcentage des produits européens échangés vers 1680.**

Vers 1680, les tissus et les fusils sont les produits les plus en demande en Nouvelle-France.

Source: Louise DECHÊNE, *Habitants et marchands de Montréal au XVIIe siècle*, Paris et Montréal, Librairie Plon, coll. «Civilisations et mentalités», 1974, p. 153-160.

Port-Royal, le premier établissement en Amérique du Nord

En 1604, Pierre Du Gua de Monts obtient le monopole du commerce au Canada. En échange de ce privilège, il doit amener 60 colons en Amérique tous les ans. Des marchands français s'associent à lui : ils investissent des capitaux et s'engagent à transporter des colons en Amérique. À la demande de Du Gua de Monts, Samuel de Champlain fait partie de l'expédition comme géographe et cartographe.

La même année, Du Gua de Monts établit une colonie dans l'île Sainte-Croix (aujourd'hui au Nouveau-Brunswick). Elle est abandonnée l'hiver suivant. Au printemps 1605, on construit une nouvelle habitation sur un meilleur emplacement. Cependant, le nouveau site, Port-Royal (aujourd'hui Annapolis Royal, en Nouvelle-Écosse), est éloigné des points de rencontre avec les chasseurs amérindiens. De plus, les Anglais veulent s'en emparer. Par ailleurs, des marchands de France se plaignent du monopole accordé à Du Gua de Monts. L'annulation de ce monopole en 1607 met fin à la tentative de peuplement. De 1610 à 1613, le baron Jean de Biencourt de Poutrincourt essaie de relancer la colonie abandonnée. Sans privilège commercial, les difficultés à surmonter sont trop grandes et le colonisateur repart pour la France.

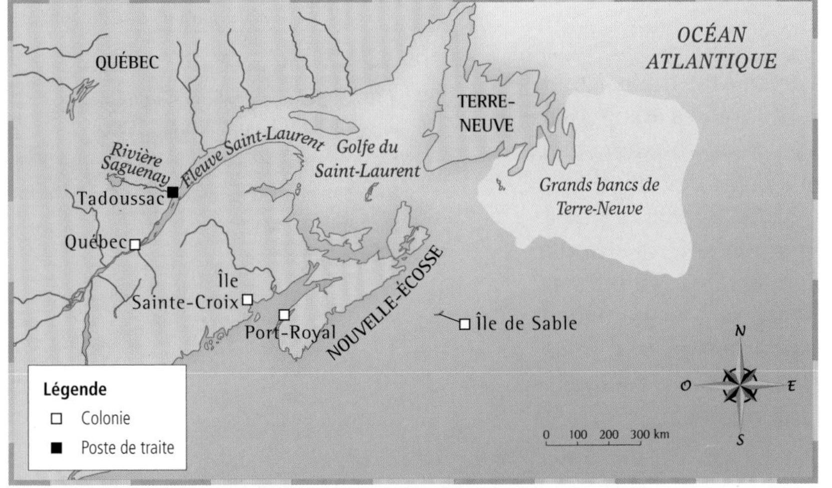

1. Observez la carte ci-contre et dites pourquoi Champlain a décidé d'établir une colonie à Québec après celle de Port-Royal.
2. Expliquez la différence entre un poste de traite et une colonie.

◄ **2.15 Les premiers établissements français en Amérique du Nord de 1598 à 1608.**

De 1598 à 1608, la France établit plusieurs colonies et postes de traite en Amérique.

La fondation de Québec

De retour en France à la suite de l'échec de Port-Royal, Samuel de Champlain a toujours espoir de fonder une colonie en Nouvelle-France. Il réussit à convaincre Pierre Du Gua de Monts de s'établir non plus en Acadie, mais sur les rives du Saint-Laurent. En 1608, Champlain est nommé lieutenant du sieur Du Gua de Monts. Il quitte la France avec la mission de construire une « habitation » à Québec.

À Québec, les premières années de l'établissement sont difficiles. Champlain réussit à le faire survivre grâce aux nombreux voyages qu'il effectue en France pour obtenir des appuis et convaincre les marchands d'investir en Nouvelle-France.

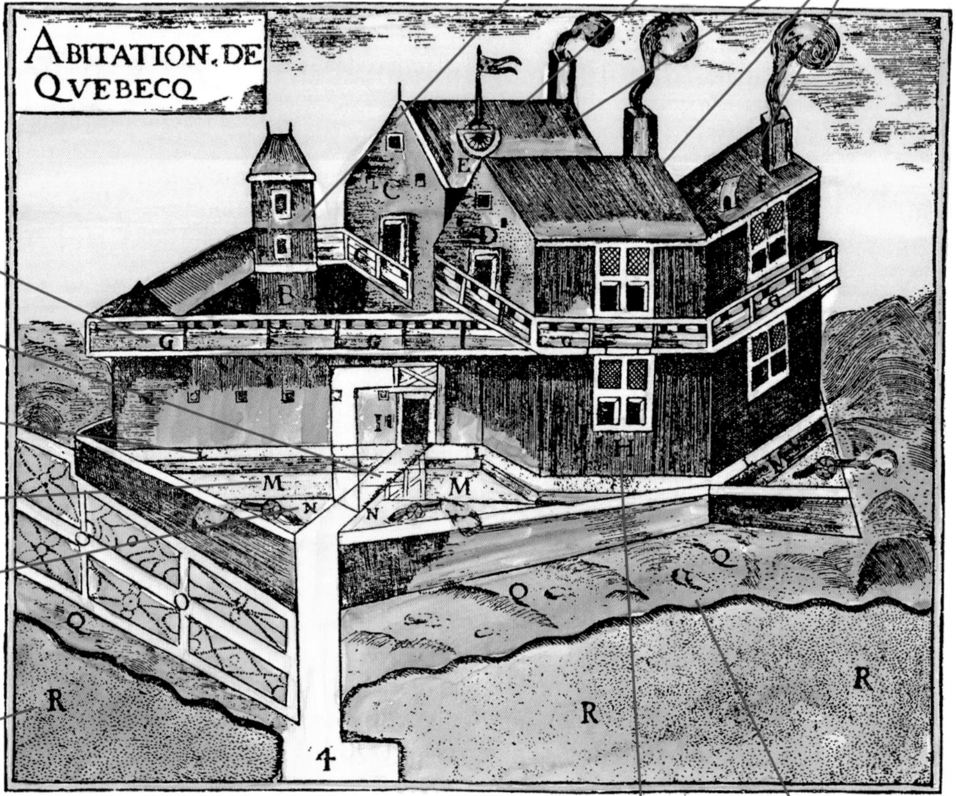

▲ **2.16 Le plan de l'habitation de Québec dessiné par Champlain vers 1608.**

En 1615, Québec comptera un magasin, trois bâtiments d'habitation et un petit fort entouré de fossés.

À votre avis, le projet d'habitation de Champlain tenait-il compte de la réalité de la Nouvelle-France ?

Les premières alliances

Les Français, qui considèrent les Hurons et les Algonquins comme les meilleurs fournisseurs en fourrures, s'en font des alliés contre les Iroquois. Dès son premier voyage, en 1603, Champlain cherche à nouer des liens avec les Amérindiens et à créer des alliances avec les Montagnais de Tadoussac. En 1609, Champlain s'allie à la nation huronne. Ce pacte l'amènera à participer à un affrontement entre les Hurons et les Iroquois au cours duquel il utilisera son mousquet. Les Iroquois, effrayés par l'arme à feu, paniquent et s'enfuient. Ce sera une grande victoire pour les Hurons. La participation de Champlain au combat aura des conséquences décisives sur les relations commerciales futures avec les Hurons, qui deviendront des alliés fidèles.

Les premières compagnies

En 1614, la Compagnie du Canada, composée de marchands de Rouen et de Saint-Malo, en France, obtient le monopole de la traite des fourrures pour une période de 11 ans. Elle ne commence ses opérations qu'en 1615 et se soucie peu de peupler la colonie. Malgré plusieurs tentatives de colonisation, la Nouvelle-France demeure longtemps un simple comptoir commercial.

En 1620, la Compagnie des marchands de Rouen et de Saint-Malo cède ses droits et ses privilèges à une nouvelle entreprise, la Compagnie de Caen. Celle-ci obtient le monopole du commerce pour 15 ans.

Selon vous, comment les entreprises d'aujourd'hui se comparent-elles aux compagnies qui ont participé au développement de la Nouvelle-France ? Expliquez brièvement votre réponse.

Année	Compagnie	Bilan
1598	Compagnie de commerce composée d'anciens compagnons d'armes du roi.	• Fondation d'une colonie dans l'île de Sable (1598-1603).
1600	Compagnie de commerce dirigée par Pierre de Chauvin, accompagné de François Gravé Du Pont et de Pierre Du Gua de Monts.	• Fondation d'un poste de traite à Tadoussac.
1604-1607	Compagnie de commerce dirigée par Pierre Du Gua de Monts. Celui-ci est associé à des marchands de Rouen, de Saint-Malo, de La Rochelle et de Saint-Jean-de-Luz.	• Fondation d'une colonie dans l'île Sainte-Croix (1604-1605). • Fondation d'une colonie à Port-Royal, en Acadie (1605-1607). La colonie sera reprise par Jean de Poutrincourt (1610-1613).
1608	Compagnie de commerce dirigée par Pierre Du Gua de Monts. Celui-ci est associé à des marchands de Rouen.	• Fondation de Québec.
1614-1620	Compagnie du Canada, composée de marchands de Rouen et de Saint-Malo.	• Exploitation du comptoir de traite. Le peuplement est une préoccupation secondaire.
1620	Compagnie de Caen, composée de marchands de Rouen et de Saint-Malo.	• Exploitation du comptoir de traite. Le peuplement est une préoccupation secondaire.
1627-1663	Compagnie des Cent-Associés, composée de marchands, de nobles et de gens d'Église.	• Commerce des fourrures. • Relance de la colonisation. • Mise en place du régime seigneurial. • Fondation de Trois-Rivières.
1642	Société de Notre-Dame de Montréal.	• Évangélisation. • Fondation de Montréal.
1645	Communauté des Habitants, composée d'une majorité d'actionnaires de Québec.	• Commerce des fourrures. • Participation financière à l'administration de la colonie.

▲ **2.17 Quelques compagnies actives en Nouvelle-France.**

De 1598 à 1645, plusieurs compagnies font leurs marques en Nouvelle-France.

Samuel de Champlain

Champlain est né vers 1567 à Brouage, en France. En 1599, il fait une première traversée de l'Atlantique. Pendant cette expédition, il explore la côte du Panamá, en Amérique centrale. En 1603, il participe à l'exploration du Saint-Laurent, qu'il remonte jusqu'à Hochelaga (aujourd'hui Montréal). En 1605, il contribue à l'établissement de Port-Royal, en Acadie. En 1608, il fonde la ville de Québec.

En 1609, Champlain consent à suivre les Hurons, ses nouveaux alliés, sur la rivière Richelieu jusqu'au lac qui porte aujourd'hui son nom. C'est là qu'a lieu le premier affrontement entre Français et Iroquois. Les étés suivants, Champlain explore la région de Montréal et la rivière des Outaouais.

◄ **2.18 Samuel de Champlain (vers 1567-1635).**

Il n'existe aucune représentation contemporaine de Champlain. Pour réaliser ce portrait, l'artiste s'est inspiré d'une illustration ancienne.

Théophile Hamel, *Samuel de Champlain*, (date inconnue).

▲ **2.19 La Nouvelle-France illustrée par Champlain en 1632.**

Champlain est un homme aux multiples talents. Excellent observateur, il a réalisé des recueils de cartes et produit de nombreux dessins représentant la Nouvelle-France.

Observez bien la carte 2.19, produite par Samuel de Champlain, ainsi que la carte 2.20 de la page 83. Que pouvez-vous déduire au sujet des connaissances de l'époque sur cette partie du territoire de la Nouvelle-France en 1632 ?

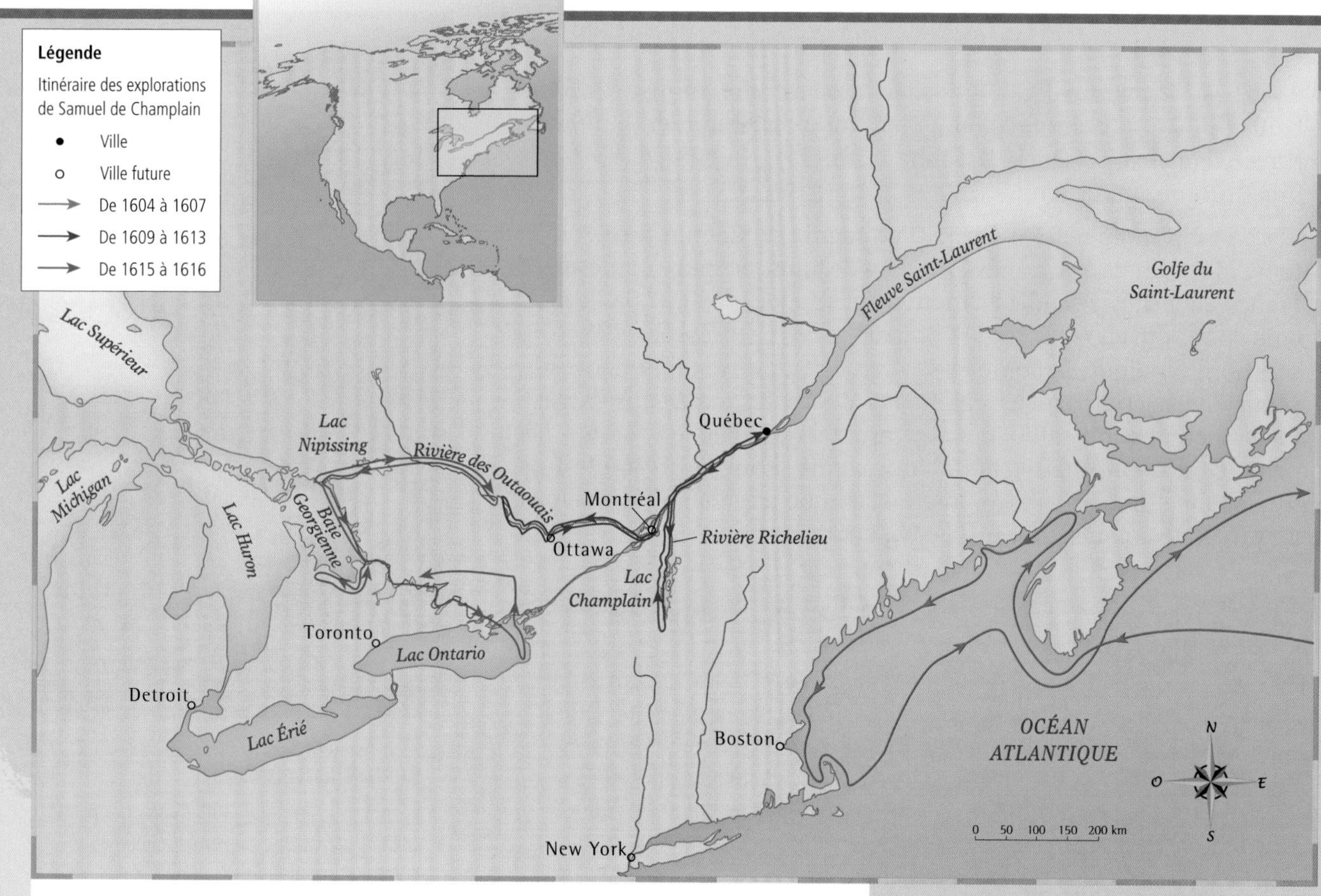

▲ **2.20 L'itinéraire des explorations de Samuel de Champlain de 1604 à 1616.**

De 1604 à 1616, Champlain sillonne un vaste territoire.

En 1615, Champlain est invité par les Hurons à se rendre dans leur pays, situé au nord du lac Huron. De là, il les accompagne jusqu'au sud du lac Ontario, territoire des Iroquois, en vue d'attaquer un village fortifié. Cette fois, les Français et les Hurons subissent la défaite et Champlain est blessé. Il passera l'hiver chez les Hurons. Une fois guéri, Champlain explore la rive nord du lac Huron, appelée la « baie Georgienne ». Après cet épisode, il consacrera l'essentiel de son temps à promouvoir la colonie en France, à assurer le développement de Québec et à faire des affaires avec les nations autochtones alliées aux Français.

En 1618, il présente au roi et aux principaux commerçants de France un ambitieux projet de colonisation sur les rives du Saint-Laurent. Toutefois, des conflits opposent les personnes intéressées par son projet et compromettent sa réalisation. Il persévère dans ses efforts pendant des années. Finalement, la nouvelle Compagnie des Cent-Associés, créée en 1627, met tout en œuvre pour envoyer 300 personnes à Québec. En 1628, des commerçants de fourrures anglais interceptent les navires en provenance de France envoyés par la Compagnie des Cent-Associés et empêchent le ravitaillement de Québec. La ville est cédée aux Anglais en 1629. De retour en France, en 1630, Champlain tente à nouveau d'intéresser le roi Louis XIII au sort de la Nouvelle-France. En 1633, la colonie est rendue à la France. Un an plus tard, Champlain est de retour à Québec, encouragé par l'arrivée de nombreuses familles de colons, de missionnaires et de soldats soutenus par la Compagnie des Cent-Associés. Il ordonne la construction d'un nouveau fort français à Trois-Rivières.

La maladie emporte Champlain pendant l'hiver 1635. La colonie, qui amorce un lent développement, compte alors 150 personnes.

1. Retracez l'itinéraire suivi par Champlain. Nommez les lieux qu'il visite de 1604 à 1616.

2. Selon vous, quelles raisons poussent Champlain à explorer ce vaste territoire ?

1.3 La Compagnie des Cent-Associés

En 1624, le cardinal de Richelieu est nommé ministre du roi Louis XIII. Cet homme d'État puissant veut stimuler l'initiative privée dans les colonies. Il souhaite faire de la Nouvelle-France une colonie importante.

Le monopole détenu par la Compagnie de Caen, un regroupement de marchands protestants, est de plus en plus contesté en France. Richelieu révoque ce monopole et fonde, en 1627, la Compagnie de la Nouvelle-France, ou Compagnie des Cent-Associés. Comme son nom l'indique, la compagnie regroupe une centaine d'investisseurs. Elle se compose de marchands, de nobles et de gens d'Église, tous de confession catholique. Le cardinal de Richelieu est l'un des principaux actionnaires de la compagnie. Pour la première fois, Champlain s'associe à l'entreprise en tant que partenaire commercial. Ce projet de colonisation suscite beaucoup d'espoir.

▲ **2.21 Armand Jean du Plessis, cardinal de Richelieu (1585-1642).**

En 1627, le cardinal de Richelieu fonde la Compagnie des Cent-Associés. Elle a le mandat de peupler la Nouvelle-France.

Copie d'après une peinture de Philippe de Champaigne, *Le cardinal de Richelieu*, 1635.

La Charte des Cent-Associés (1627)

« Art. I – C'est à savoir, que les dits de Roquemont, Houel, Lattaignant [...], faisant le nombre de cent, leurs associés, promettront de faire passer audit pays de la Nouvelle-France deux à trois cents hommes de tous métiers, dès l'année prochaine, 1628, et pendant les années suivantes, en augmenter le nombre jusqu'à quatre mille de l'un et de l'autre sexe dans les quinze ans prochainement venant et qui finiront en décembre que l'on comptera 1643. Les y loger, nourrir et entretenir de toutes choses généralement quelconques nécessaires à la vie, pendant trois ans seulement, lesquels expirés, les dits associés seront déchargés, si bon leur semble, de leur nourriture et entretien, en leur assignant la quantité de terre défrichée suffisante pour leur subvenir, avec le blé nécessaire pour les ensemencer la première fois et pour vivre jusques à la récolte prochaine, ou autrement leur pourvoir en telle sorte qu'ils puissent de leur industrie et travail subsister au pays, et s'y entretenir par eux-mêmes.

Art. II – Sans toutefois qu'il soit loisible aux dits associés et autres faire passer aucun étranger dans les dits lieux [Nouvelle-France], mais de peupler la colonie de naturels Français catholiques [...]. »

Source : Jacques LACOURSIÈRE, Jean PROVENCHER et Denis VAUGEOIS, *Canada-Québec, synthèse historique 1534-2000*, Sillery, Les Éditions du Septentrion, 2000, p. 51-52.

Note

Pour faciliter la lecture de cet extrait, nous avons remplacé l'orthographe ancienne de certains mots par leur orthographe actuelle.

1. De quelle façon les cent associés de la compagnie doivent-ils participer à la colonisation de la Nouvelle-France ?
2. Quelles conditions doivent remplir les personnes intéressées à faire partie du programme de colonisation de la compagnie ?

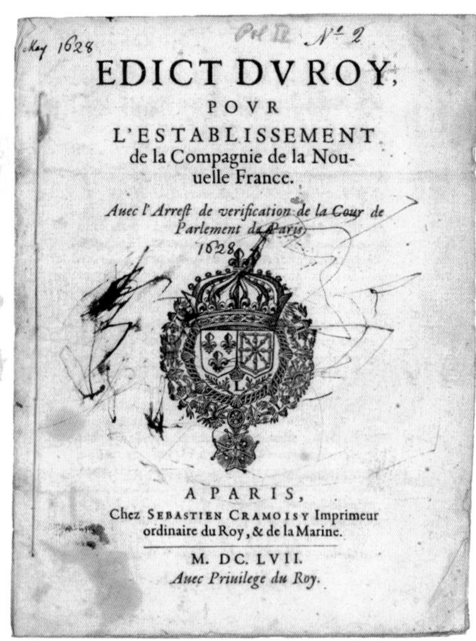

May 1628 — Pol II N° 2

EDICT DV ROY, POVR L'ESTABLISSEMENT de la Compagnie de la Nouuelle France.

Auec l'Arrest de verification de la Cour de Parlement de Paris. 1628.

A PARIS, Chez SEBASTIEN CRAMOISY Imprimeur ordinaire du Roy, & de la Marine.

M. DC. LVII. Auec Priuilege du Roy.

▲ **2.22 L'Édit du roi pour l'établissement de la Compagnie de la Nouvelle-France.**

La Compagnie de la Nouvelle-France, ou Compagnie des Cent-Associés, est créée en 1627, à l'instigation de Richelieu. L'Édit du roi pour l'établissement de cette compagnie est publié en 1628.

Les difficultés de la Compagnie des Cent-Associés

Les espoirs que font naître le cardinal de Richelieu et la Compagnie des Cent-Associés seront déçus. Les Anglais, qui possèdent eux aussi des intérêts en Amérique, veulent anéantir les établissements français. Au printemps 1628, des navires anglais commandés par les frères Kirke interceptent quatre bateaux français transportant vers Québec près de 400 colons. En juillet 1629, Québec tombe aux mains des Anglais. Champlain retourne en France et n'en revient qu'en 1633, quand l'Angleterre rend le Canada et l'Acadie à la France.

Le cardinal de Richelieu et la Compagnie des Cent-Associés confient à Champlain la relance de la colonisation et du peuplement de la Nouvelle-France. De nouveaux arrivants s'installent dans les environs de Québec. Le 15 janvier 1634, la Compagnie des Cent-Associés concède à un particulier, Robert Giffard, une seigneurie à Beauport, près de Québec. En qualité de seigneur, il doit en assurer le peuplement. Giffard recrute une quarantaine de colons en France.

L'agriculture se développe lentement le long du fleuve et autour de Québec. De nouveaux postes de traite sont établis : d'abord à Trois-Rivières, en 1634, puis à Ville-Marie (aujourd'hui Montréal), en 1642.

La Compagnie des Cent-Associés, qui a été victime de la chute de Québec en 1629, a des difficultés financières. En effet, dès le début des années 1640, les attaques des Iroquois le long du fleuve Saint-Laurent portent un dur coup à la traite des fourrures. Tous les ans, au début de l'été, les Hurons quittent leur territoire pour aller livrer des fourrures aux Français, à Québec. Les Iroquois leur tendent alors des embuscades et s'emparent de leurs canots et de leurs fourrures. À cela vient s'ajouter la situation des agriculteurs, qui parviennent à peine à satisfaire les besoins alimentaires de la petite colonie. Toutes ces difficultés font en sorte que, en 1645, la Compagnie est au bord de la faillite et doit céder une partie de ses droits commerciaux à une nouvelle entreprise, la Communauté des Habitants.

Selon vous, la prise de Québec par les frères Kirke constitue-t-elle le premier affrontement survenu entre les Français et les Anglais en Amérique ?

▼ 2.23 La prise de Québec par les frères Kirke en 1629.

En 1629, Québec tombe aux mains des Anglais ; la France en reprend possession en 1633.

Artiste inconnu, *La prise de Québec par les Anglais en 1629*, vers la fin du 17e siècle.

Pendant ce TEMPS...

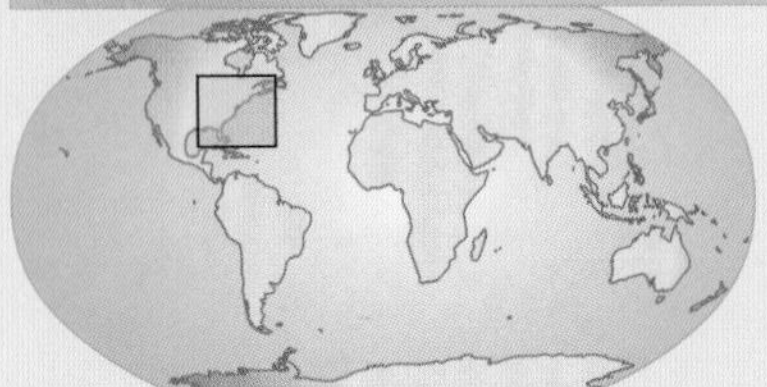

La Virginie

En 1600, les Anglais entreprennent à leur tour des explorations. Ils souhaitent découvrir le passage du Nord-Ouest vers l'Asie, développer leur commerce et profiter des possibilités qui s'offrent en Amérique du Nord et dans les Antilles. Comme en Nouvelle-France, des marchands s'associent pour établir une colonie. Ils fondent la Virginie en 1624.

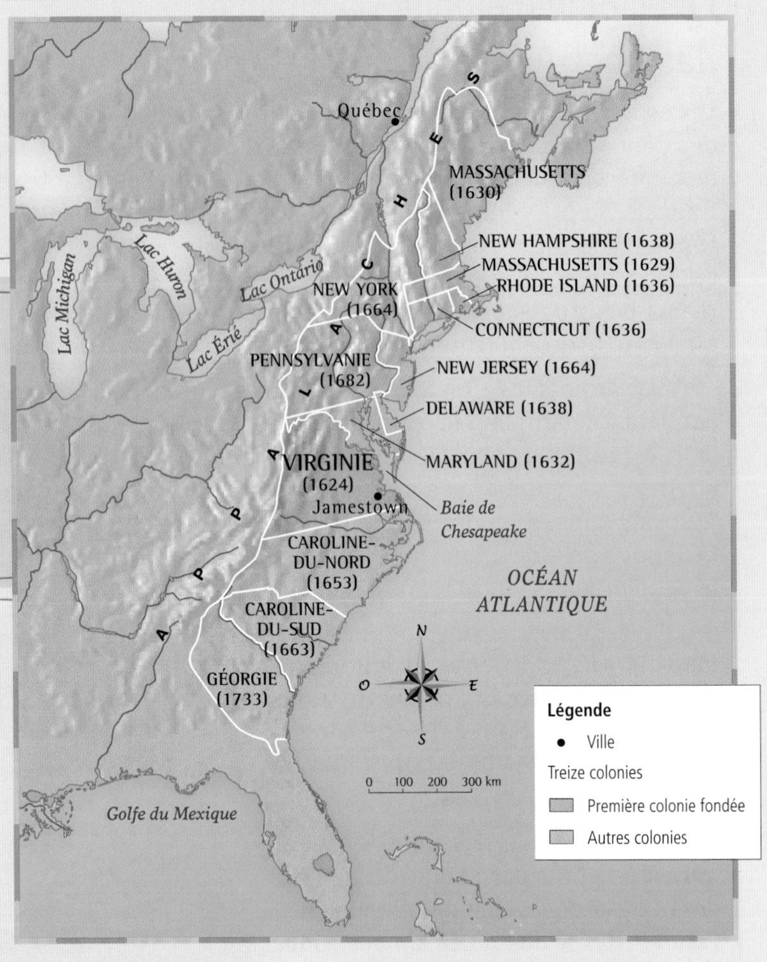

▲ **2.24 Les Treize colonies anglaises en Amérique du Nord de 1624 à 1733.**

Fondée en 1624, la Virginie est la première des Treize colonies anglaises.

Quelle importance le commerce a-t-il eu dans le développement de la Virginie ?

Le navigateur anglais Walter Raleigh découvre la Virginie en 1584. Environ 20 ans plus tard, le roi d'Angleterre, Jacques Ier, ordonne à la Virginia Company of London d'établir une colonie dans la région de Chesapeake, sur le territoire actuel de la Caroline-du-Nord. En mai 1607, trois navires britanniques accostent dans la baie de Chesapeake. La ville de Jamestown est fondée le 14 mai 1607.

En fondant leur première colonie en Amérique, les Anglais souhaitent trouver de l'or et des matières précieuses, ainsi qu'une route maritime vers l'Orient. Les colonisateurs ont aussi à cœur l'évangélisation des Amérindiens. Cependant, la religion joue un rôle mineur dans l'essor de la colonie à côté de la culture du tabac et du commerce.

Les premières années de la colonie sont difficiles. La majorité des colons meurent des suites d'une maladie ou par manque de vivres. Malgré l'arrivée de nouveaux colons, il ne reste plus que 60 habitants en 1610.

En 1622, les Algonquins attaquent la colonie et tuent plus du quart des colons. Cette attaque aggrave la situation financière de la Virginia Company of London, qui est finalement dissoute par le roi.

En 1624, la Virginie devient une colonie royale dirigée par un gouverneur. Toutefois, elle conserve la Chambre des bourgeois, une assemblée composée de colons anglais. Les liens avec la métropole se renforcent avec les *Actes* de 1651, qui accordent à l'Angleterre le monopole sur le commerce du tabac. Malgré une rébellion en 1676, la couronne britannique maintient son emprise sur la colonie jusqu'à l'indépendance américaine.

La Virginie, un territoire rural, fonde sa richesse sur la culture du tabac. L'arrivée de femmes et d'esclaves africains, en 1619, ainsi que de plusieurs milliers de colons dans les décennies suivantes, permet l'essor de la colonie. Vers 1680, sa population compte 58 000 habitants.

1.4 Les alliances avec les Amérindiens

Les alliances créées depuis 1608 avec les nations amérindiennes sont essentielles à la survie de la Nouvelle-France. En 1640, ces alliances sont menacées à cause des guerres qui opposent ces nations à d'autres nations autochtones.

Des rivalités sur le territoire

Certaines nations sont particulièrement intéressées à servir d'intermédiaires dans les échanges de fourrures et de marchandises entre les Européens et les autres nations autochtones. Installés loin dans leurs terres, les Hurons sont limités dans leur capacité de jouer ce rôle. Dans la région des Grands Lacs, ils sont au cœur du réseau d'échanges entre les chasseurs de castors amérindiens. Ce n'est pas le cas dans la vallée du Saint-Laurent.

Les Iroquois souhaitent également devenir les intermédiaires entre les Européens et les nations autochtones. Ils sont plus avantagés que les Hurons du point de vue géographique, car leur territoire se trouve plus près des côtes de l'Atlantique, où sont établis les Européens. Les Français, peu nombreux en Huronie, sont réticents à doter les Hurons d'armes à feu. Ils n'en fournissent qu'aux chefs et aux convertis les plus fervents. La situation est différente du côté des Hollandais de fort Orange. Puisque le commerce est leur préoccupation première, ils cèdent plus facilement à la volonté des Iroquois d'acheter des armes à feu. À partir de 1648, ce commerce d'armes prend de l'ampleur entre les Hollandais et les Iroquois. Une fois armés, ceux-ci organisent une grande offensive contre les Hurons. Du même coup, les Iroquois espèrent écarter les Français de la traite des fourrures et les obliger à quitter l'Amérique.

▲ **2.25 Des Amérindiens apportent des fourrures à des Européens.**

Au 17e siècle, la valeur d'échange d'un fusil était de six peaux de castor.

École américaine, *Colonial Fur Traders* [La traite des fourrures dans les colonies], 17e siècle.

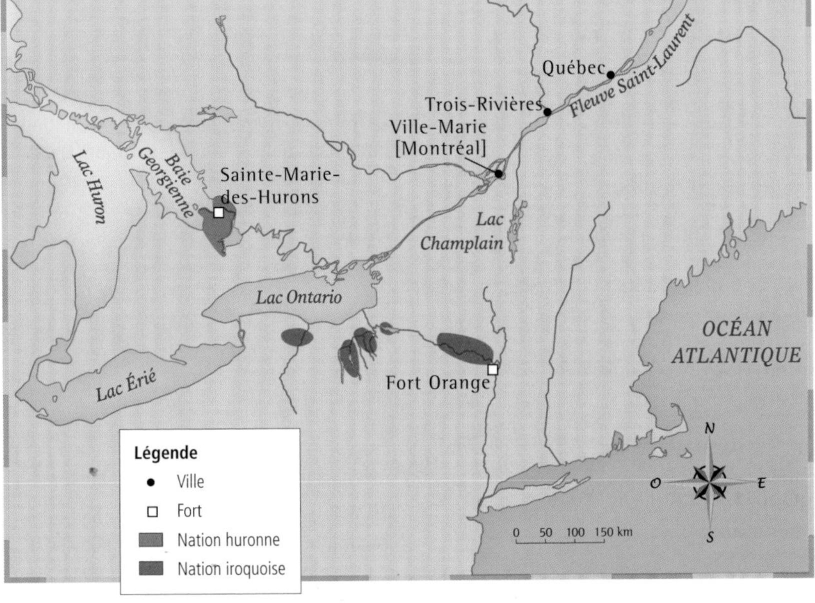

Nommez les pays européens avec lesquels la nation huronne et la nation iroquoise se sont alliées.

◄ **2.26 La nation huronne et la nation iroquoise établies dans le bassin des Grands Lacs vers 1650.**

Pendant de nombreuses années, les Hurons et les Iroquois se disputent le territoire pour le contrôle de la traite des fourrures.

Une lutte farouche s'engage pour le contrôle des approvisionnements en fourrures. La confédération des **Cinq-Nations** iroquoises lance ses guerriers dans une campagne militaire avec l'espoir d'éliminer les Hurons et les autres nations amérindiennes rivales. En 1649, les Iroquois attaquent la Huronie. La menace plane aussi sur la colonie française, où de nombreux habitants sont victimes d'attaques brutales. Les hostilités entre les Iroquois et les Français durent quatre ans. Puis, en 1653, quatre des Cinq-Nations, épuisées par la guerre, offrent de faire la paix. En 1656, pour montrer leur bonne volonté, les Iroquois permettent la fondation d'une mission au cœur de la Huronie. Celle-ci durera environ trois ans.

Vers 1658, la guerre reprend et des attaques sont portées contre les Français, surtout dans la région de Montréal. Un appel à l'aide est lancé au roi de France. En 1665, le souverain envoie 1200 soldats du régiment de Carignan-Salières à la défense de sa colonie. L'armée française attaque des villages iroquois, incendiant maisons et récoltes. Les Iroquois sont défaits et la paix est rétablie dans la région en 1667. Cette trêve durera une quinzaine d'années.

▲ **2.27 Un combat entre Français et Iroquois.**

Dollard des Ormeaux et 16 autres Français se défendent contre les Iroquois lors de la bataille du Long-Sault en 1660.

Artiste inconnu, *Héroïque défense de Dollard et de ses compagnons,* 1904.

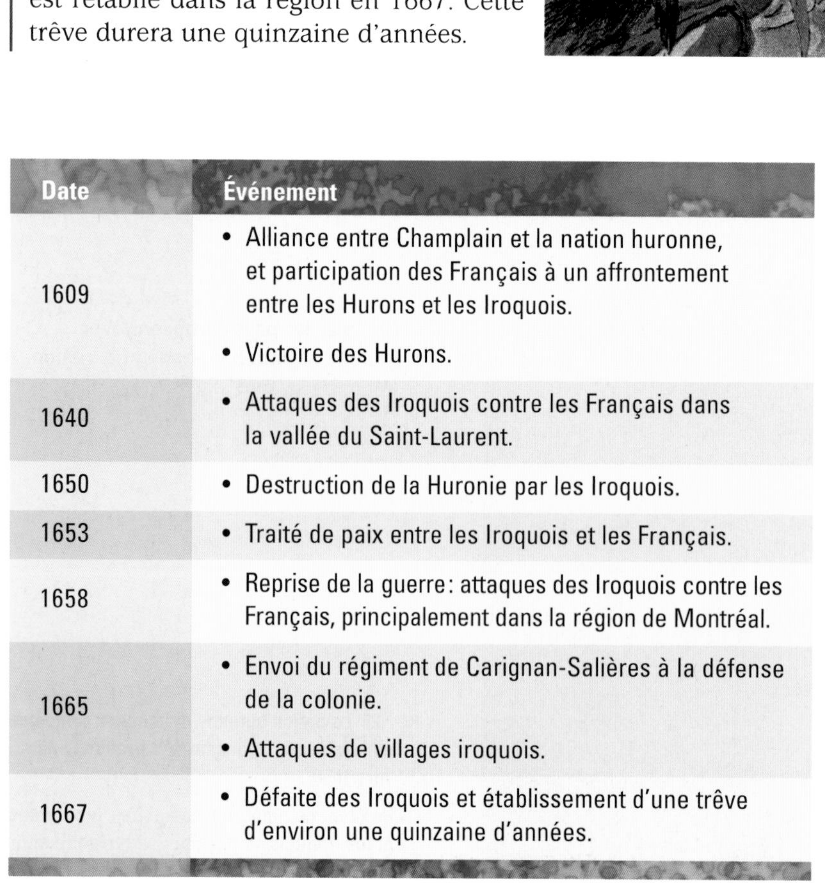

Date	Événement
1609	• Alliance entre Champlain et la nation huronne, et participation des Français à un affrontement entre les Hurons et les Iroquois. • Victoire des Hurons.
1640	• Attaques des Iroquois contre les Français dans la vallée du Saint-Laurent.
1650	• Destruction de la Huronie par les Iroquois.
1653	• Traité de paix entre les Iroquois et les Français.
1658	• Reprise de la guerre : attaques des Iroquois contre les Français, principalement dans la région de Montréal.
1665	• Envoi du régiment de Carignan-Salières à la défense de la colonie. • Attaques de villages iroquois.
1667	• Défaite des Iroquois et établissement d'une trêve d'environ une quinzaine d'années.

◄ **2.28 Les premières guerres iroquoises.**

De 1609 à 1667, les Français combattent les Iroquois aux côtés de leurs alliés, les Hurons.

Cinq-Nations : Regroupement de cinq nations iroquoises dans une confédération. D'est en ouest, ces nations sont les Agniers, les Onneiouts, les Onontagués, les Goyogouins et les Tsonnontouans.

1.5 Le régime seigneurial

Le régime seigneurial est une façon de distribuer et d'occuper les terres, qui existe depuis déjà longtemps en France. En 1627, après l'avoir remanié quelque peu, le cardinal de Richelieu décide d'appliquer ce régime à la colonie naissante de la Nouvelle-France afin de favoriser l'établissement des habitants. Au début des années 1630, les premiers seigneurs arrivent en Nouvelle-France avec des colons et leur famille. Ils fondent les premières seigneuries. Le régime seigneurial marquera le développement du territoire et jouera un rôle important dans l'évolution de la société traditionnelle québécoise. Il ne sera aboli pour de bon qu'en 1854.

Seigneurie : Terre concédée par le roi de France à un seigneur.

Censive : Terre concédée par le seigneur à un habitant qui en fait la demande.

Censitaire : Habitant qui a reçu une terre dans une seigneurie et qui est tenu de l'exploiter.

La distribution des terres

La méthode utilisée pour distribuer les terres est assez simple. La Compagnie des Cent-Associés, qui s'est fait concéder le territoire de la colonie par le roi, doit à son tour concéder des sections de ce territoire à des seigneurs. Ces sections sont appelées les **seigneuries**. Les seigneurs, pour leur part, ont l'obligation de diviser leur seigneurie en lots, appelés les **censives**, et de les céder aux habitants qui en font la demande, les **censitaires**. Les habitants doivent s'établir sur leur terre et la cultiver. Le régime seigneurial accorde des droits aux seigneurs et aux habitants. Il leur impose aussi une série de règles et de devoirs.

Le régime seigneurial a été implanté en Nouvelle-France dès 1627. Quelles traces ce régime a-t-il laissées dans le paysage québécois ?

▼ 2.29 **Une vue aérienne du village de Saint-Jean, à l'île d'Orléans, dans la région de Québec.**

Le paysage actuel de l'île d'Orléans est issu du découpage des terres sous le Régime français.

Compétence 2

L'aménagement d'une seigneurie

Les premières seigneuries concédées en Nouvelle-France au 17e siècle se trouvent le long des principaux cours d'eau. Elles sont généralement divisées en terres longues et étroites. Les cours d'eau servent de voies de transport tant en hiver qu'en été. L'été, on voyage en canot ou en chaloupe, et l'hiver, on se déplace en carriole sur la glace. Celle-ci forme une route dure, lisse et facile à déneiger. Au 18e siècle, lorsque la population devient plus nombreuse, il faut ouvrir une deuxième rangée de terres derrière les premières. Ces terres donnent toutes sur une route où il est possible de circuler et que l'on appelle un «rang». Encore aujourd'hui, dans les campagnes, il y a des gens qui habitent des rangs.

Résumez en vos mots ce qu'est le régime seigneurial.

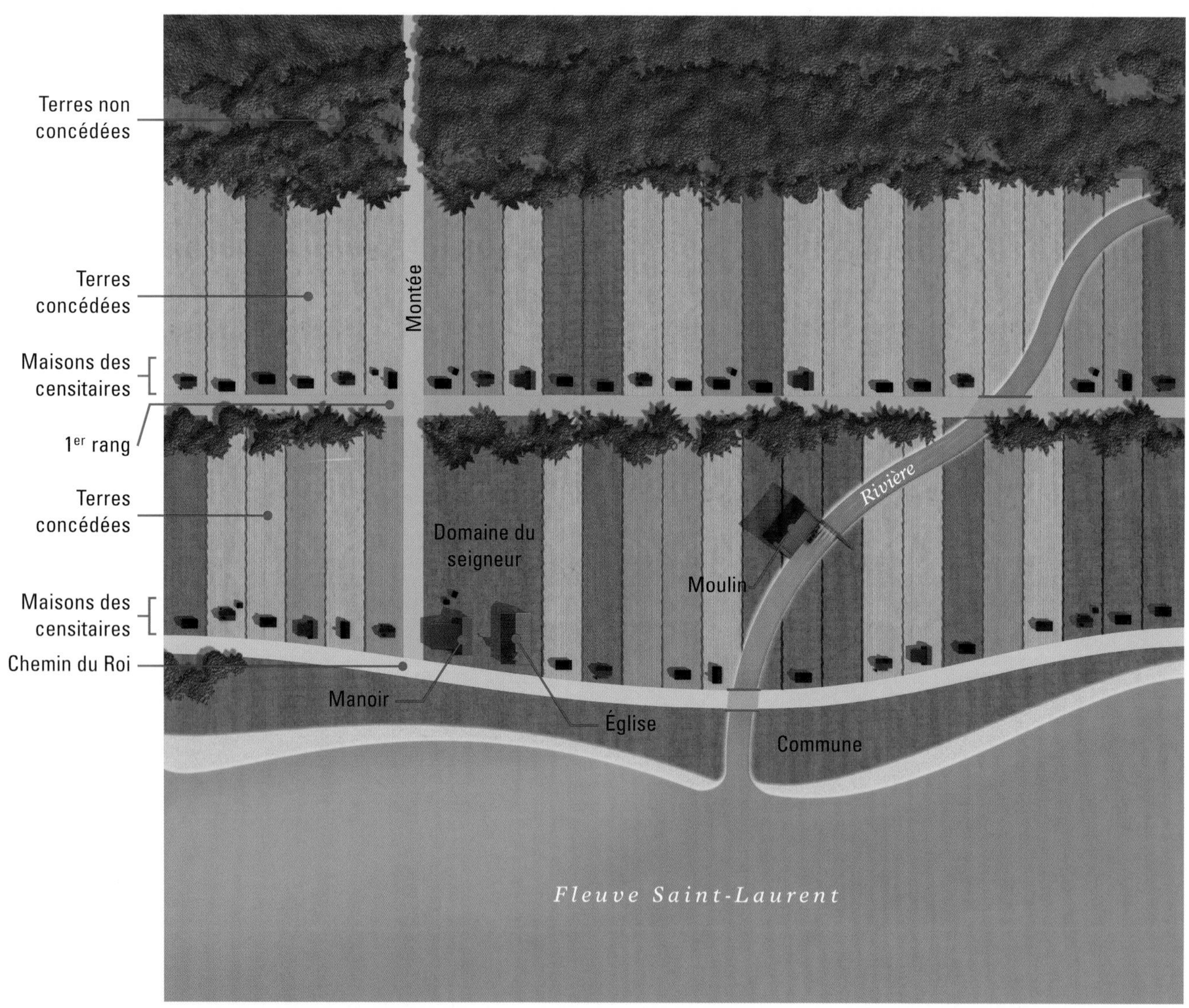

▲ **2.30 Le plan d'une seigneurie.**

La superficie des terres concédées, ou censives, peut varier d'une seigneurie à l'autre. Cependant, dans la majorité des cas, ces terres mesurent 3 arpents de largeur sur 30 arpents de profondeur (180 m × 1800 m).

Le seigneur: ses droits et ses devoirs

En tant que propriétaire, le seigneur a des devoirs envers l'État et les habitants de sa seigneurie. Il doit notamment la peupler et veiller à ce que l'on y pratique l'agriculture. S'il néglige de concéder ses terres et de les faire cultiver, il risque de perdre sa seigneurie. Le roi en reprendrait alors possession et la confierait à un autre seigneur.

Corvée : Travail fourni gratuitement et imposé par les autorités ou par le seigneur.

Lorsqu'il reçoit son domaine, le seigneur s'engage à remplir ses obligations par un «acte de foi et hommage» au roi. Il doit construire un moulin à blé, réserver un terrain pour la construction d'une église et tenir une cour de justice afin de résoudre les affaires courantes, comme les successions. Le seigneur a aussi l'obligation de présenter un inventaire et un recensement de sa seigneurie tous les 15 ou 20 ans. De plus, il doit payer le droit de quint, une taxe de 20 % prélevée par le roi au moment de la vente d'une seigneurie. Comme les habitants, le seigneur est tenu de verser sa cotisation à l'Église et de se soumettre à des **corvées** décrétées par les autorités. Il doit aussi assurer la construction et l'entretien de la portion de chemin public qui traverse son domaine.

Le seigneur a aussi plusieurs droits, ou privilèges, dont celui de percevoir des redevances (ou loyer) des censitaires. En Nouvelle-France, ces redevances sont peu élevées, car les colons partent souvent de rien ; ils doivent défricher leur terre, construire leur maison et assurer seuls leur subsistance.

► **2.31 L'acte de foi et hommage**

Avant de prendre possession de son domaine, le seigneur doit se rendre au château Saint-Louis, à Québec, pour faire «acte de foi et hommage» devant un représentant du roi.

C. W. Jefferys, *The Seigneurial System* [Le régime seigneurial], début 20e siècle.

Droits	Devoirs
• Posséder son banc à l'église et y bénéficier de divers autres honneurs.	• Faire «acte de foi et hommage» au roi.
	• Ériger un manoir.
• Imposer des corvées.	• Présenter à l'État un inventaire et un recensement annuel de sa seigneurie (aveu et dénombrement).
• Percevoir les redevances (ex.: cens et rentes).	• Assurer la construction et l'entretien d'une portion de chemin public.
• Percevoir le droit de mouture.	• Assurer la construction et l'entretien d'un moulin à farine.
• Avoir la préséance sur les habitants dans les cérémonies civiles et religieuses.	• Mettre des terres à la disposition des habitants (commune).
	• Se soumettre à des corvées (notamment à celles de l'Église).
• Reprendre les terres non défrichées.	• Verser au roi une fraction de la somme qu'il reçoit au moment de la vente de sa seigneurie (droit de quint).

▲ **2.32 Les droits et les devoirs du seigneur.**

Les seigneurs de la Nouvelle-France ont plusieurs droits. Ils doivent cependant remplir certains devoirs sous peine de perdre leur seigneurie.

Compétence 2

Les habitants : leurs droits et leurs devoirs

Les habitants, qui obtiennent une terre gratuitement, ont le devoir de la défricher et de la cultiver. S'ils manquent à cette obligation ou s'ils négligent de payer leurs redevances annuelles (**cens** et rentes), le seigneur peut reprendre possession de la terre et la concéder à quelqu'un d'autre.

Chaque année, les censitaires doivent travailler gratuitement pendant quelques jours sur les terres du seigneur. En vertu du droit de mouture, ils sont aussi tenus de remettre au seigneur le quatorzième des minots de grains qu'ils font moudre au moulin. De plus, ils doivent verser au seigneur une somme d'argent lorsqu'ils achètent une terre déjà concédée.

Les habitants doivent reconnaître que le seigneur a préséance sur eux. Ainsi, à l'église, un banc lui est réservé. À son décès, il est inhumé sous ce même banc. Il a aussi droit aux hommages de la population à l'occasion des cérémonies et des fêtes.

Observez l'illustration ci-contre et nommez les activités pratiquées par les habitants.

▲ 2.33 **Des habitants travaillant près d'un moulin à vent.**

En Nouvelle-France, les habitants profitent de l'été pour effectuer diverses tâches.

Droits	Devoirs
• Recevoir une terre sur demande.	• Construire et entretenir une portion de chemin public.
	• Défricher et cultiver sa terre.
• Utiliser les terres de la commune.	• Faire moudre son grain au moulin seigneurial et payer le droit de mouture.
	• Exécuter des corvées.
	• Payer des redevances (cens et rentes) au seigneur.
• Utiliser le moulin à blé.	• Verser une somme d'argent au seigneur au moment de l'achat d'une terre déjà concédée (lods et vente).

▲ 2.34 **Les droits et les devoirs de l'habitant.**

Les habitants de la Nouvelle-France peuvent recevoir une terre gratuitement. En échange, ils doivent remplir plusieurs devoirs.

Cens : Impôt que verse chaque année le censitaire au seigneur. Il s'agit d'une somme fixe déterminée au moment de l'attribution de la terre.

1. **Quelle est la différence entre un droit et un devoir ?**
2. **Dans la société québécoise d'aujourd'hui, quels sont les droits et les devoirs des citoyens ?**

2 Le programme de l'Église

L'Église a aussi son programme de colonisation. Comme le roi souhaite faire de la Nouvelle-France une colonie catholique, la compagnie à qui il a confié le soin de la peupler emmène avec elle des missionnaires.

2.1 La conquête des âmes

Dès leur arrivée, les missionnaires passent à l'action. Leur mission consiste à **convertir** les peuples autochtones au christianisme, à encadrer la vie spirituelle des nouveaux immigrants et à mettre sur pied des hôpitaux et des écoles. Dans les villes et les villages, on construit des églises et, petit à petit, des **paroisses** sont fondées. L'Église occupera une place importante pendant toute l'histoire de la société de la Nouvelle-France.

Dès 1615, Champlain fait venir de France des Récollets, les premiers religieux missionnaires à fouler le sol de la Nouvelle-France. Leur séjour est interrompu lorsque les frères Kirke occupent Québec, de 1629 à 1632. En 1625, la Compagnie de Jésus envoie à son tour des religieux jésuites en Nouvelle-France. Ils reviendront en force en 1634 et formeront le principal groupe de missionnaires qui œuvrera auprès des Amérindiens.

Église

Ensemble du clergé et des fidèles dans la religion chrétienne.

L'Église catholique s'engage dans l'évangélisation des Amérindiens et l'organisation de la vie religieuse de la colonie. Elle participe aussi à l'administration des hôpitaux et à l'éducation des enfants.

Convertir: Amener quelqu'un à changer de croyance, de religion ou d'opinion.

Paroisse: Territoire sur lequel un curé exerce ses fonctions. La paroisse est quelquefois désignée par le mot « cure ».

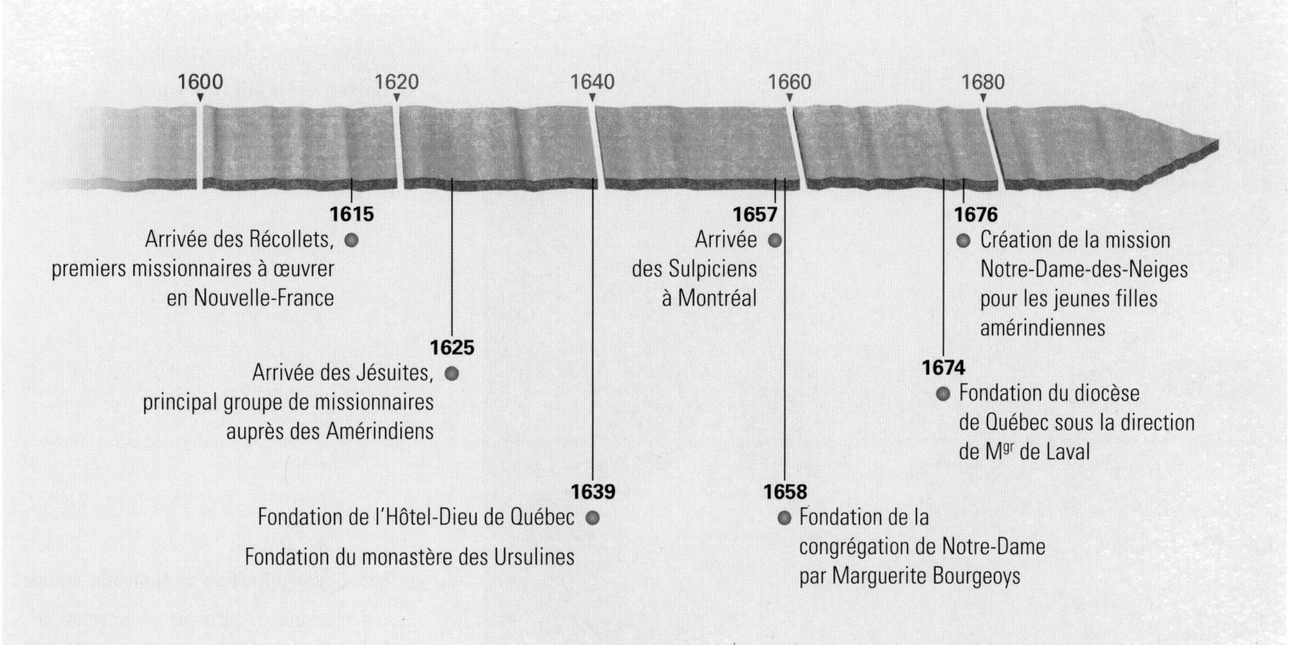

▲ **2.35 Le programme de l'Église.**

La conversion des Amérindiens est au cœur du programme de colonisation de l'Église.

Les moyens d'intervention

Les religieux, en particulier les Jésuites, utilisent divers moyens d'intervention pour rejoindre et convertir les Amérindiens.

Les Jésuites créent des «réductions», c'est-à-dire des endroits destinés à rendre sédentaires les nations nomades et à recevoir les «convertis». Ces réductions sont peu nombreuses. La plus connue est celle créée en 1637 à Sillery, près de Québec. Elle disparaît 20 ans plus tard, car les Amérindiens n'y viennent plus en nombre suffisant.

Après 1680, des membres convertis de diverses nations, comme les Iroquois, les Abénaquis et les Algonquins, viennent d'eux-mêmes se réfugier dans la colonie pour y vivre leur foi chrétienne. Des Iroquois, notamment, s'établissent dans la région de Montréal. Ils s'installent dans des missions dites «permanentes». Ce type de missions n'est pas totalement régi par les missionnaires. Les Amérindiens qui y vivent conservent une certaine autonomie et une bonne partie de leurs coutumes. À plusieurs reprises, ces Amérindiens serviront d'intermédiaires entre les Français et les Iroquois ou d'autres nations autochtones restées sur leur territoire ancestral.

Évangélisation

Action de prêcher l'Évangile et de convertir au christianisme.

Récollets, Jésuites, Sulpiciens et Ursulines viennent en Nouvelle-France en vue de convertir les Amérindiens à la foi catholique.

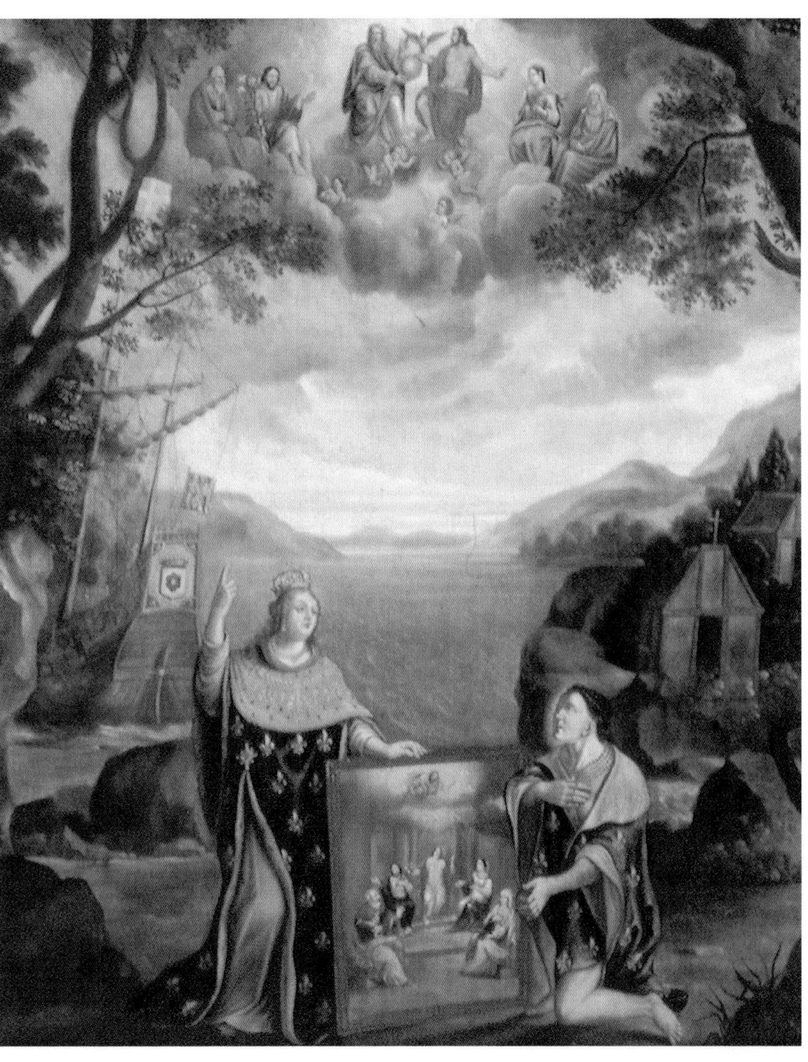

1. Décrivez les éléments qui composent le tableau ci-contre en demeurant le plus neutre possible : personnages, objets, lieu, décor, etc. Désignez des éléments susceptibles de vous renseigner sur l'époque, les faits ou les événements qu'il représente.

2. Après avoir observé l'œuvre attentivement, indiquez l'impression qu'elle vous fait.

◄ **2.36 L'évangélisation en Nouvelle-France.**

Les missionnaires travaillent activement à leur œuvre d'évangélisation durant la première moitié du 17e siècle.

Artiste inconnu, *La France apportant la foi aux Hurons de la Nouvelle-France*, vers 1666.

Les Jésuites en Huronie

▲ **2.37 Sainte-Marie-des-Hurons, en Ontario.**

Ce site est une reconstitution du quartier général de la mission des Jésuites français du 17e siècle.

Observez la photographie ci-dessus. Quel indice révèle que la mission est constamment en danger ?

Les Jésuites décident de privilégier l'évangélisation des Hurons. Cette nation est non seulement la principale tribu commerçante, mais aussi l'alliée des Français. Le meilleur moyen de convertir un grand nombre d'Amérindiens est de s'installer parmi eux, estiment les Jésuites. Ils créent donc un quartier général, Sainte-Marie-des-Hurons, au sud-est de la baie Georgienne. De là, ils envoient des missionnaires dans plusieurs communautés huronnes. Ces missionnaires vivent au milieu des Hurons et interviennent souvent dans leur mode de vie. Ils prennent la parole dans les conseils, essaient d'influencer les sorciers, prêchent et donnent le baptême.

De 1630 à 1640, de graves épidémies frappent les Amérindiens et déciment près du tiers de leur population. Comme leur organisme ne peut se défendre contre les nouvelles maladies apportées par les Européens, la contagion se transforme en épidémie. La population huronne se divise alors en deux camps d'importance égale : l'un cherche chez les prêtres une protection surnaturelle et accepte de se convertir dans l'espoir d'échapper à la mort ; l'autre se révolte et menace ouvertement les Jésuites.

En 1649, la situation explose quand les Iroquois, ennemis de longue date, profitent de la faiblesse et de la division des Hurons pour attaquer la Huronie. Les Hurons convertis sont massacrés ou dispersés. Quelques Jésuites sont torturés et mis à mort. Les Hurons opposés aux Jésuites sont intégrés dans la société iroquoise. Enfin, un groupe de Hurons convertis échappent au massacre et se réfugient à Québec. Ils forment un groupe à part et vivent sous la protection des Jésuites. Ce sont aujourd'hui les Hurons de Wendake.

◄ **2.38 Le martyre des missionnaires.**

En 1649, cinq missionnaires sont tués avec leurs protégés hurons.

Alfred Pommier, *Martyrdom of three Jesuit priests, Father Brebeuf and Lallemant at the stakes, Father Jogue kneeling* [Le martyre de trois prêtres jésuites : les pères Brébeuf et Lallemant torturés, le père Jogue agenouillé, 1649], 19e siècle.

Les missionnaires étaient-ils vraiment conscients des dangers qu'ils couraient en prêchant l'Évangile en Huronie ? Justifiez votre réponse.

Compétence 2

Au cours des décennies suivantes, l'action des Jésuites se stabilise. De 1670 à 1680, ils fondent des missions dans diverses communautés autochtones, en particulier dans la région des Grands Lacs, le long du Mississippi et, dans une moindre mesure, sur la rive nord du Saint-Laurent. Ces missions sont tantôt éloignées des communautés autochtones, tantôt situées au cœur de ces communautés. Mais leur objectif et leurs moyens d'intervention ont changé. Elles ne visent plus à transformer les autochtones, mais plutôt à «propager la bonne parole» parmi eux. Résultat : les missionnaires sont mieux acceptés et ont la possibilité de s'occuper des autochtones convertis sans être inquiétés par ceux qui ne le sont pas.

Selon vous, pourquoi les missionnaires changent-ils leurs moyens d'intervention auprès des autochtones ?

Le collège des Jésuites

Les Jésuites mettent beaucoup d'énergie dans l'éducation des fils des habitants. À cette époque, les matières scolaires, comme la grammaire et les mathématiques, sont enseignées exclusivement aux garçons. En 1635, les Jésuites fondent un collège qui, tout le long du Régime français, sera le seul établissement à offrir l'enseignement primaire et secondaire au complet.

Une trentaine d'années plus tard, en 1663, Mgr de Laval fonde le Séminaire de Québec. Il réalise une de ses premières œuvres, le Grand Séminaire. On y forme les futurs prêtres. Pour sa part, le Petit Séminaire se charge à ses débuts d'héberger et de franciser les autochtones. Après la Conquête, le Petit Séminaire prend la relève du Collège des Jésuites, qui ferme ses portes en 1765, et devient une maison d'enseignement pour les jeunes garçons de la colonie.

▼ 2.39 **Le Séminaire de Québec, fondé en 1663.**

Cette partie du Séminaire de Québec abrite aujourd'hui l'École d'architecture de l'Université Laval. Cette université, fondée en 1852, est aussi une œuvre du Séminaire.

Les *Relations* des Jésuites

De 1632 à 1672, les Jésuites envoient chaque année à leur supérieur, en France, un compte rendu de ce qu'ils accomplissent en Nouvelle-France. Ces *Relations* des Jésuites sont publiées afin de susciter des dons de la part de bienfaiteurs, d'attirer des colons et d'encourager des vocations missionnaires. Aujourd'hui, ces *Relations* constituent une importante source de renseignements sur l'histoire de la colonisation française.

Le jésuite Paul Le Jeune arrive à Québec en 1632. À l'automne 1633, il part pour six mois avec un groupe de Montagnais qui descendent le fleuve Saint-Laurent de Québec jusqu'aux environs de Kamouraska. Le Jeune trouve le voyage particulièrement difficile.

« Le cinquième de février, nous quittâmes notre douzième demeure pour aller faire la treizième. Je me trouvais fort mal. Le Sorcier me tuait avec ses cris, ses hurlements et son tambour. Il me reprochait incessamment que je faisais l'orgueilleux, et que le Manitou m'avait fait malade aussi bien que les autres. Ce n'est pas, lui dis-je, le Manitou, ou le diable qui m'a causé cette maladie, mais la mauvaise nourriture qui m'a gâté l'estomac, et les autres travaux qui m'ont débilité. Tout cela ne le contentait point, il ne laissait pas de m'attaquer, notamment en la présence des Sauvages, disant que je m'étais moqué du Manitou et qu'il s'était vengé de moi comme d'un superbe. »

Source : Paul LE JEUNE, *Un Français au «royaume des bestes sauvages» (1634)*, Montréal, Comeau & Nadeau, 1999, p. 223-224 (édition originale française publiée sous le titre *Relation de ce qui s'est passé en la Nouvelle France, en l'année 1634*, Paris, 1635).

1. **Dans l'extrait présenté ci-contre, quel mot le sorcier emploie-t-il pour désigner Dieu ?**
2. **Selon vous, pourquoi le sorcier qualifie-t-il le missionnaire d'orgueilleux ?**
3. **De quelles mauvaises conditions de vie le prêtre se plaint-il ?**

Note

Pour faciliter la lecture de cet extrait, nous avons remplacé l'orthographe ancienne de certains mots par leur orthographe actuelle.

2.40 Un missionnaire accompagné d'Amérindiens.

Les déplacements en canot sont souvent périlleux.

John Henry Walker, *Un Jésuite au Canada*, vers 1851.

La fondation de Montréal

En 1639, Jérôme Le Royer de La Dauversière, percepteur d'impôts et fidèle lecteur des *Relations* des Jésuites, rêve de fonder dans l'île de Montréal un établissement où l'on s'emploiera à convertir les Amérindiens. Il s'associe à Jean-Jacques Olier de Verneuil, fondateur de la congrégation des Sulpiciens, et constitue la Société de Notre-Dame de Montréal. Au printemps 1642, Paul de Chomedey, sieur de Maisonneuve, à la tête d'un groupe de 54 personnes, dont 4 femmes, prend possession des lieux où s'élèvera Ville-Marie.

▲ **2.41 Une plaque de bronze représentant la signature de l'acte de fondation de Ville-Marie (Montréal).**

On peut voir cette plaque à la place d'Armes, à Montréal.

Les Sulpiciens

En 1657, un groupe de prêtres sulpiciens arrivent à Montréal. La même année, ils fondent le premier séminaire sulpicien, sous la direction de l'abbé de Queylus. L'établissement est consacré à l'éducation des garçons. Les Sulpiciens s'occupent également de la vie paroissiale de Montréal. En 1663, la Société de Notre-Dame de Montréal leur cède la seigneurie de l'île de Montréal.

Témoins de L'HISTOIRE

Jeanne Mance

Jeanne Mance fait partie des personnes qui accompagnent le sieur de Maisonneuve lorsqu'il fonde Ville-Marie (Montréal). Elle sera la première femme laïque de la Nouvelle-France à exercer officiellement le métier d'infirmière.

Issue d'une famille française aisée, Jeanne Mance se consacre très tôt au soin des malades. Intéressée par le travail de conversion des missionnaires, elle s'embarque pour la Nouvelle-France où elle participe à la fondation de Ville-Marie. Elle y met sur pied le premier hôpital, l'Hôtel-Dieu de Montréal, dont elle demeure l'administratrice jusqu'à sa mort.

Jeanne Mance est surnommée affectueusement l'« ange de la colonie » par ses malades. Sous sa direction, l'hôpital se développe et, en même temps, la colonie progresse: la population de Ville-Marie passe bientôt de 40 à 1500 habitants. Grâce à sa ténacité, à son courage et à son habileté à obtenir du soutien et des dons, Jeanne Mance a participé de façon active à la prospérité de la nouvelle colonie.

► **2.42 Jeanne Mance (1606-1673).**

La verrière ci-contre est située dans le hall d'entrée du pavillon de Bullion de l'Hôtel-Dieu de Montréal. Elle montre le premier médecin de Ville-Marie, Jean Poupée, et Jeanne Mance soignant un Amérindien.

James McIsaac, dessinateur, et Vincent Poggi, verrier, 1954.

2.2 Les communautés de femmes

À l'époque de la Nouvelle-France, les religieuses occupent une place essentielle dans le programme de colonisation de l'Église. Les différentes communautés viennent en aide aux Jésuites dans leur mission d'évangélisation. Elles fondent des établissements d'enseignement pour filles ou des hôpitaux pour les habitants de la colonie.

▲ **2.43 La monastère des Ursulines, à Québec.**

Sous la direction énergique de Marie de l'Incarnation, les Ursulines construisent rapidement leur couvent.

Joseph Légaré, *Le monastère des Ursulines*, 1840.

Les Ursulines

Des femmes entrent aussi en communauté pour se consacrer à la prière et participer au programme de colonisation. Marie de l'Incarnation (1599-1672), née Marie Guyart, est une ursuline originaire de Tours, en France, résolue à venir en mission en Amérique. Le 1er août 1639, elle débarque à Québec avec quelques compagnes. La même année, elle fonde le monastère des Ursulines de Québec, destiné à l'éducation des jeunes filles françaises et huronnes. Les jeunes Amérindiennes ne tardent pas à délaisser l'école. Après quelques décennies, on ne compte plus que des petites Françaises dans les classes des Ursulines.

Selon vous, quel genre d'enseignement les jeunes filles recevaient-elles en Nouvelle-France ?

Les Hospitalières de la Miséricorde de Jésus

En 1639, des sœurs hospitalières de la Miséricorde de Jésus débarquent aussi en Nouvelle-France. Elles fondent l'Hôtel-Dieu de Québec. En 1699, les Hospitalières prennent en charge l'Hôpital général, situé au bord de la rivière Saint-Charles, près de Québec. Cet établissement est destiné au soin des vieillards et des handicapés.

◀ **2.44 L'Hôtel-Dieu de Québec.**

Les Hospitalières de la Miséricorde de Jésus ont fondé l'Hôtel-Dieu de Québec en 1639. Aujourd'hui, cet hôpital fait partie du Centre hospitalier universitaire de Québec (CHUQ).

Les sœurs de la congrégation de Notre-Dame

Fondée en 1658 par Marguerite Bourgeoys, la congrégation de Notre-Dame est une communauté religieuse canadienne qui se consacre à l'éducation des jeunes filles. Elle est aussi la première communauté de religieuses non cloîtrées, c'est-à-dire qui ne vivent pas à l'écart du monde, dans un couvent fermé. Marguerite Bourgeoys a convaincu le pape que certaines femmes dévouées à Dieu peuvent être beaucoup plus efficaces lorsqu'elles agissent dans la collectivité. Par groupes de deux ou trois, les dames de la Congrégation tiennent des écoles dans les paroisses, peu nombreuses, de la colonie. En 1676, la mission Notre-Dame-des-Neiges est créée pour les jeunes filles amérindiennes sur le versant sud du mont Royal. Elle sera ensuite transférée à Sault-au-Récollet, puis à Oka.

▲ 2.45 **L'église Notre-Dame-du-Bon-Secours à Montréal.**

En 1657, Marguerite Bourgeoys obtient la permission de faire construire une chapelle sur les rives du Saint-Laurent. L'église, telle qu'on la connaît aujourd'hui, remonte à 1771. Ce site est le plus ancien parmi les sites montréalais qui ont conservé leur vocation d'origine.

Carrefour ARTS PLASTIQUES

Enquête sur un portrait

Le portrait de gauche, qui montre la fondatrice de la congrégation de Notre-Dame, a été peint par Pierre Le Ber. L'artiste a réalisé cette œuvre quelques heures après la mort de la religieuse. Selon l'historien de l'art François-Marc Gagnon, cela explique pourquoi le sujet a les yeux mi-clos, les traits tirés et les mains jointes. Jusqu'au début des années 1950, ce portrait (toile de gauche) avait disparu… sous un autre ! En effet, au 19e siècle, un artiste a dessiné par-dessus celui de Pierre Le Ber un portrait plus «vivant» de Marguerite Bourgeoys (toile de droite). Il semble que l'idée de Le Ber de peindre la religieuse peu de temps après sa mort n'ait pas été appréciée…

Au milieu du 20e siècle, des experts ont mis en doute l'authenticité de la toile. Ils ont donc demandé que des analyses soient faites. En 1963, le restaurateur d'art Edward Korany a enlevé toutes les couches de peinture qui couvraient la toile de droite. Il a ainsi retrouvé le portrait original de la religieuse peint par Le Ber.

▲ 2.46 **Le portrait original de Marguerite Bourgeoys.**

Pierre Le Ber, *Portrait de Marguerite Bourgeoys*, 1700.

▲ 2.47 **Un portrait de Marguerite Bourgeoys repeint au 19e siècle.**

Jori Smith Palardy, *Portrait de Marguerite Bourgeoys*, dit Pseudo Le Ber, 1962.

Pendant ce TEMPS...

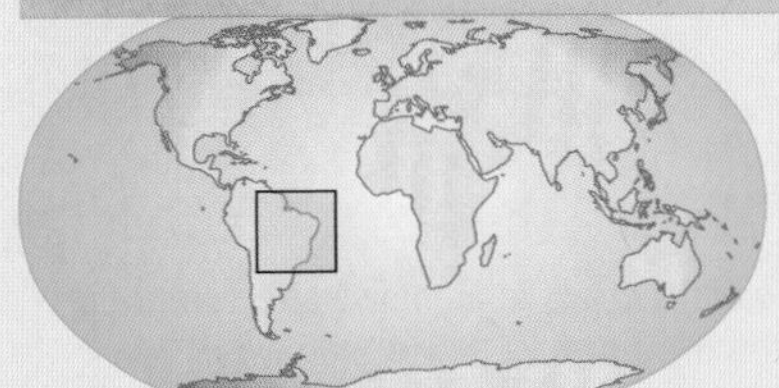

Le Brésil

Lors de la signature du traité de Tordesillas, en 1494, une ligne de partage des nouveaux territoires est établie entre l'Espagne et le Portugal, les deux royaumes colonisateurs. L'Afrique et le Brésil vont au Portugal alors que le reste de l'Amérique du Sud revient à l'Espagne. Très rapidement, les Portugais découvrent les richesses du Brésil: le «bois-brésil» d'abord, puis la canne à sucre. Sur certains points, le système des capitaines-donataires instauré au Brésil ressemble beaucoup au régime seigneurial mis en place en Nouvelle-France. D'autre part, un programme d'évangélisation est aussi déployé par la Compagnie de Jésus.

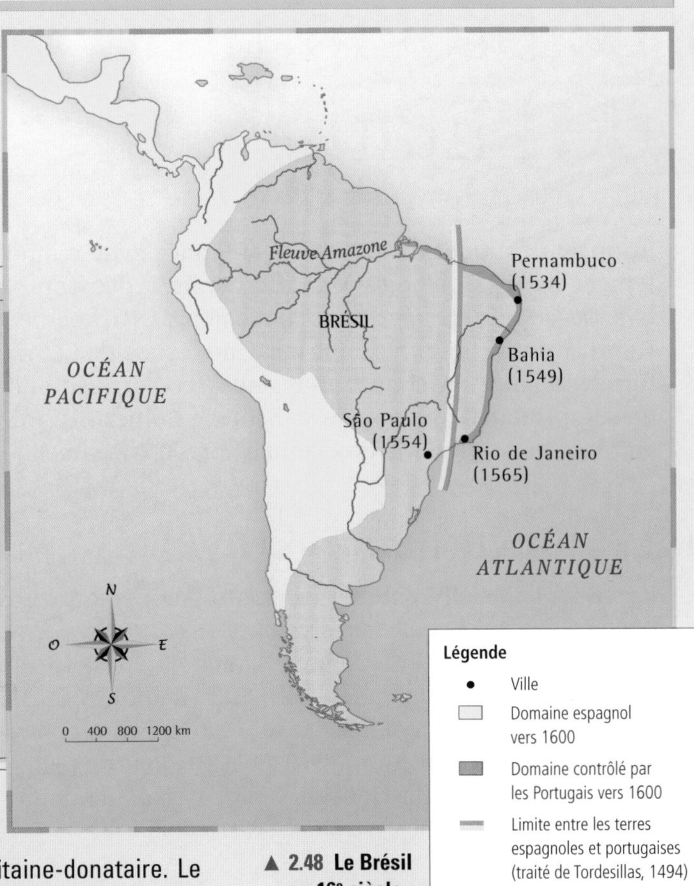

▲ **2.48 Le Brésil au 16e siècle.**

À la fin du 16e siècle, la région de Pernambuco produit plus de la moitié de la richesse de la colonie.

À compter de 1532, la colonie portugaise du Brésil est divisée en 15 grands domaines. Le roi concède chaque domaine, ou donation, à un noble, le donataire, ou capitaine-donataire. Le donataire doit assurer le développement de la concession. En retour, il reçoit la propriété directe de 20% des terres concédées, le monopole des moulins ainsi que le droit de réduire les Amérindiens en esclavage et de percevoir certaines redevances, notamment celle sur la valeur du bois coupé. Les colons portugais qui s'établissent au Brésil ont des devoirs envers les capitaines-donataires. Ainsi, ils sont tenus de servir comme soldats en temps de guerre et de payer des impôts. Mais ils ont aussi le droit de se faire concéder une terre moyennant le versement de certaines charges.

La donation de la région de Pernambuco, sur la côte nord-est du Brésil, produit à elle seule 56% de la richesse de la colonie en 1593. On y trouve en abondance des bois de teinture, dont le «bois-brésil». En râpant ce bois, on parvient à fabriquer une teinture rouge qui sert à colorer les œufs de Pâques, notamment. Au début du 17e siècle, l'exploitation du «bois-brésil» est si rentable qu'elle donne lieu à des coupes excessives et frauduleuses. En 1625, le gouvernement portugais, craignant le déboisement de la côte, donne le monopole de la coupe aux Jésuites. En même temps, ceux-ci veillent à protéger la main-d'œuvre amérindienne contre une exploitation abusive.

La Compagnie de Jésus est présente au Brésil depuis 1549. Elle y expérimente son programme de colonisation missionnaire. Pour évangéliser les indigènes, les Jésuites les regroupent dans un village, autour d'une église et d'une école. Ils leur enseignent les rudiments de la religion catholique en portugais et en tupi, la langue indigène. Habiles pédagogues, les Jésuites recourent aux images, à la musique et au théâtre pour faciliter l'apprentissage de leurs élèves. Ils leur apprennent également des métiers utiles à la colonisation, comme ceux de tisserand et de menuisier.

Quel rôle l'Église catholique a-t-elle joué dans le développement de la colonie portugaise?

3 Le programme de l'État

État

Gouvernement et administration centrale d'un territoire. L'État est composé d'institutions politiques et juridiques.

À partir de 1663, l'État français prend en main la colonie. Le roi, à la tête de l'État français, prend les décisions importantes et nomme les personnes clés qui les mettront en application.

Jusqu'au début des années 1660, la France évite d'intervenir directement dans la colonisation. Elle confie à des compagnies marchandes le soin de développer ses colonies. Richelieu, tout comme Henri IV avant lui, refuse d'investir des fonds de l'État dans l'aventure coloniale. Les choses changent avec l'arrivée de Louis XIV et de son principal ministre, Jean-Baptiste Colbert. Le roi prend alors en main le programme de colonisation de la Nouvelle-France.

3.1 Le gouvernement royal

En 1661, Louis XIV commence son règne personnel. Il n'a que 23 ans. Le souverain s'entoure de conseillers. Avec l'aide de son ministre Colbert, Louis XIV projette de réorganiser l'administration de l'État. Il montre aussi de l'intérêt pour les colonies et souhaite qu'elles contribuent à la richesse du royaume. Il envisage donc de redresser la situation de la Nouvelle-France et d'augmenter son peuplement.

► **2.49 Le château de Versailles.**

Le château de Versailles était la résidence principale du roi Louis XIV. Aujourd'hui transformé en musée, le château reçoit plus de trois millions de visiteurs par année.

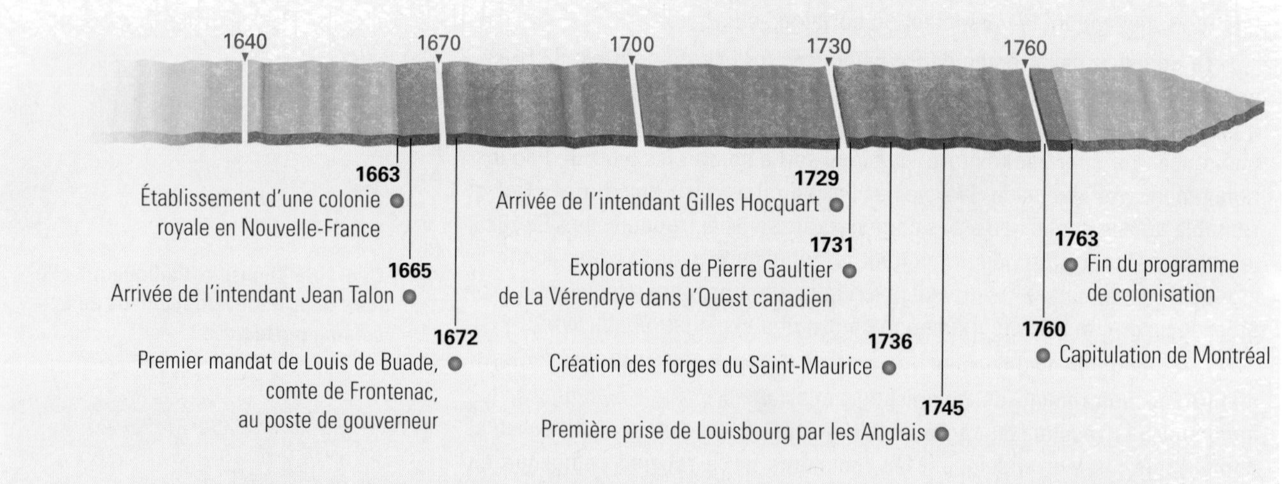

▲ **2.50 Le programme de l'État.**

La Nouvelle-France devient une colonie royale en 1663. À partir de cette date, le développement de la colonie est sous la responsabilité du roi de France.

En 1663, le roi supprime les privilèges de la Compagnie des Cent-Associés, aussi appelée « Compagnie de la Nouvelle-France ». L'extrait suivant résume la position de Louis XIV à ce sujet.

« Mais au lieu d'apprendre que ce pays [Nouvelle-France] était peuplé, comme il devait, vu le long temps qu'il y a que nos sujets en sont en possession, nous aurions appris avec regret que non seulement le nombre des habitants était fort petit, mais même qu'ils étaient tous les jours en danger d'en être chassés par les Iroquois, [...] et considérant que cette compagnie de cent hommes, était presque anéantie par l'abandonnement volontaire du plus grand nombre des intéressés [...] et que le peu qui restait de ce nombre n'était pas assez puissant pour soutenir ce pays, [...] nous aurions pris la résolution de retirer des mains des intéressés en la dite compagnie [...] tous les droits de propriété, justice, seigneurie, de pourvoir aux offices de gouverneurs, et lieutenants généraux des dits pays et places [pour qu'ils] soient et demeurent réunis à notre couronne [et qu'ils soient] dorénavant exercés en notre nom par des officiers que nous nommerons à cet effet [...]

Donné à Paris, au mois de mars de l'an de grâce 1663, et de notre règne le vingtième. »

Source : « Acceptation du roi de la démission de la Compagnie de la Nouvelle-France », *Édits et ordonnances*, 1 : 31s, cité dans Michel BRUNET, Guy FRÉGAULT et Marcel TRUDEL, *Histoire du Canada par les textes*, Montréal, Fides, 1952, p. 33-34.

Note

Pour faciliter la lecture de cet extrait, nous avons remplacé l'orthographe ancienne de certains mots par leur orthographe actuelle.

1. Résumez en vos mots le triste constat que fait le roi de l'état de sa colonie en 1663.

2. Selon vous, a-t-il raison en tous points ?

La Compagnie française des Indes occidentales

Après la dissolution de la Compagnie des Cent-Associés en 1663, la Nouvelle-France devient une colonie royale. Un an plus tard, Colbert, le ministre responsable des colonies sous Louis XIV, crée la Compagnie française des Indes occidentales, qui a pour mission de peupler et de gérer la Nouvelle-France, l'Acadie, les Antilles, une partie de l'Amérique du Sud et le Sénégal. La Compagnie a le monopole de cet immense territoire. Elle doit cependant chasser les Hollandais des territoires qu'ils occupent en Afrique et dans les Antilles, et faire concurrence à leurs activités commerciales.

La Compagnie réussit à déloger les Hollandais et établit des Français à leur place. Toutefois, sa situation financière devient vite désastreuse. En 1674, le roi l'abolit et transforme tout le territoire qu'elle occupe en colonie royale. La transition se fait encore plus rapidement en Nouvelle-France, où l'intendant Talon redonne la liberté de commerce aux habitants dès 1669.

La liberté de commerce est accordée aux grandes et aux petites compagnies de France et de Nouvelle-France. La plupart des compagnies importantes en Nouvelle-France participent au commerce triangulaire. Il s'effectue entre quatre pôles : la France, Louisbourg / l'Acadie / la Nouvelle-France, les Antilles et l'Afrique.

L'administration de la colonie

Auparavant, la colonie était dirigée par un gouverneur nommé par la Compagnie des Cent-Associés. En 1663, Louis XIV décide d'adopter un nouveau type d'administration pour la colonie. Le modèle retenu est calqué sur celui qui est en vigueur dans les provinces françaises. Dans la **métropole**, toutes les colonies du roi relèvent du ministre de la Marine. En Nouvelle-France, l'exécution des ordres royaux est confiée à deux hauts fonctionnaires : le gouverneur et l'intendant. Ce sont les deux personnages les plus importants de la colonie.

Observez le tableau ci-contre. D'après vous, comment le peintre a-t-il exprimé la noblesse du roi Louis XIV ?

▲ **2.51 Louis XIV (1638-1715).**

Le roi de France, en 1701, à l'âge de 63 ans.

Hyacinthe Rigaud, *Louis XIV, roi de France, en costume royal*, 1701.

Métropole : Pays qui possède des colonies.

FRANCE		Roi	
		Ministre de la Marine	
NOUVELLE-FRANCE		Conseil souverain	
	Colonie	Gouverneur général	Intendant
	Région	Gouverneur particulier	Subdélégués de l'intendant
	Seigneurie ou paroisse	Capitaine de milice → Peuple	

▲ **2.52 Les institutions politiques de la Nouvelle-France en 1663.**

En devenant une colonie royale, la Nouvelle-France est prise en main par le roi et les personnes clés qu'il désigne.

En 1663, un changement important survient dans l'administration de la Nouvelle-France.

1. **Expliquez brièvement en quoi consiste ce changement.**
2. **Selon vous, ce style d'administration est-il plus efficace que le précédent ? Justifiez votre réponse.**

Le ministre de la Marine

Le ministre de la Marine est le grand responsable des colonies. Il prend les décisions concernant la Nouvelle-France. C'est lui qui reçoit tous les rapports qui proviennent des autorités administratives de la colonie. Sous Louis XIV, le ministre de la Marine est Jean-Baptiste Colbert.

Le gouverneur général

Le gouverneur général représente le roi. Il est le personnage le plus important de la colonie. Il commande les armées et les **milices**, et il est responsable des relations avec les nations amérindiennes et les Treize colonies. En principe, son autorité s'étend sur toute l'Amérique française.

Les gouverneurs de la Nouvelle-France proviennent tous de la noblesse française. Parmi eux, Pierre de Rigaud de Vaudreuil est le seul à être né au Canada. Entré en fonction en 1755, il sera le dernier gouverneur de la Nouvelle-France.

L'intendant

L'intendant juge les litiges en matière criminelle et civile que les seigneurs n'ont pas pu régler à l'intérieur des instances de justice seigneuriales. Il veille aussi sur l'économie et les finances de la colonie. À ce titre, il gère le **Trésor public**, réglemente les pratiques commerciales et fixe le cours des monnaies. L'intendant s'occupe également de la distribution des terres et du peuplement de la colonie. Par des recommandations directes au roi, il nomme ses adjoints dans les domaines qui relèvent de son autorité: construction et entretien des routes et des canaux, services de santé, etc. Dans l'exercice de ses fonctions, l'intendant peut compter sur la collaboration de quelques fonctionnaires. À Trois-Rivières et à Montréal, il bénéficie de l'assistance de délégués.

Milice: Groupe d'habitants chargés de défendre la population.

Trésor public: Ensemble des ressources financières d'un État.

Compétence 2

Observez l'illustration ci-dessous.

Imaginez-vous que des gens animent par leurs activités la place qui entoure le palais de l'Intendant. Décrivez la scène.

▼ 2.53 Le palais de l'Intendant, siège du Conseil souverain, à Québec.

Le premier palais de l'Intendant est aménagé dans une ancienne brasserie vers 1686. On peut aujourd'hui visiter les vestiges des palais de l'intendant dans un site historique nommé l'« îlot des Palais », à Québec.

Richard Short, *Vue du palais de l'intendant*, Québec, 1761.

Le tout premier intendant de la Nouvelle-France, Louis Robert de Fortel, n'a jamais traversé en Amérique. Jean Talon est donc le premier intendant à exercer ses fonctions sur place, dans la colonie. Il remplit deux mandats: de 1665 à 1668 et de 1670 à 1672. Son passage en Nouvelle-France est déterminant pour la colonie. Gilles Hocquart, intendant de 1729 à 1748, marque lui aussi la Nouvelle-France, tant par la durée de son mandat que par l'ampleur de ses réalisations.

▲ **2.54 Jean Talon (1625-1694).**

Talon a grandement contribué au développement de la Nouvelle-France en favorisant, entre autres, le peuplement de la colonie.

Claude François (frère Luc), *Jean Talon, premier intendant de la Nouvelle-France*, vers 1671.

Le Conseil souverain

Le Conseil souverain, rebaptisé «Conseil supérieur» en 1703, a pour rôle d'enregistrer officiellement les édits royaux, c'est-à-dire les ordres en provenance de la cour de France. Il a aussi le mandat de débattre et d'entériner les décisions des personnes en position d'autorité comme le gouverneur et l'intendant.

Le Conseil souverain exerce surtout la fonction de tribunal d'appel. À ce titre, il entend les causes de **droit civil** et de **droit criminel** provenant des cours de justice inférieures de Québec, de Trois-Rivières et de Montréal.

En 1663, le Conseil souverain se compose du gouverneur, de l'intendant, de l'évêque et de cinq conseillers nommés conjointement par le gouverneur et l'évêque. En 1675, le roi décide de nommer lui-même les conseillers. Au début du 18e siècle, il portera leur nombre à 12.

Droit civil: Droit concernant les relations entre les individus: les contrats, la propriété, le mariage et la famille.

Droit criminel: Droit concernant les délits comme les vols, les agressions et les meurtres.

▼ **2.55 Une séance du Conseil souverain.**

Les membres du Conseil souverain assistent à la toute première séance, en 1663.

Charles Huot, *Étude pour «Le Conseil souverain»*, 1927.

L'évêque

Au temps de la Nouvelle-France, l'évêque est le plus haut dignitaire de la colonie. Il y joue un rôle de premier plan. À cette époque, l'évêque est nommé par le roi de France et sa nomination est confirmée par le pape. Un seul diocèse, celui de Québec, couvre tout le continent; il va de Québec à la Louisiane, en passant par l'Acadie.

Le rôle des paroisses en Nouvelle-France

L'arrivée de Mgr de Laval en 1659 marque le début d'une organisation paroissiale bien définie. La **dîme** est officiellement instaurée en 1663. Vingt-cinq paroisses sont créées entre 1664 et 1684. La perception de la dîme est alors assurée par le Séminaire de Québec. L'argent amassé est ensuite réparti équitablement entre les paroisses. Ce système centralisé est bien adapté aux conditions de vie de la colonie.

Dîme : Partie des récoltes, à la campagne, ou somme d'argent, à la ville, versée à l'Église pour en assurer le fonctionnement.

Les paroisses jouent un rôle important dans la colonie. En tant que premières institutions d'encadrement de la population canadienne, elles forment la base de l'organisation civile et politique des communautés. La milice, par exemple, se rattache aux paroisses. Cependant, elle ne se trouve pas sous leur autorité. Les paroisses participent, entre autres, au recensement de la population. Le clergé se charge également de l'éducation et des services hospitaliers dans les paroisses. Toutefois, l'aspect le plus fondamental du rôle des paroisses est leur contribution à la vie communautaire. Tout s'articule autour de celles-ci, car l'Église de la paroisse constitue le lieu de rencontre des habitants.

Selon vous, quel est le rôle le plus important d'une paroisse ? Justifiez votre réponse.

Avec la croissance de la population, les paroisses sont dirigées par des curés permanents qui prélèvent eux-mêmes la dîme. La paroisse dépend donc du nombre de fidèles qui participent aux services religieux. Le redécoupage des paroisses, en 1721, démontre bien ce désir de créer un réseau de paroisses sur le territoire de la Nouvelle-France.

Le nombre de paroisses augmente au même rythme que le peuplement. À la fin du Régime français, on dénombre une centaine de paroisses sur les rives du Saint-Laurent. Toutefois, de nombreuses inégalités subsistent entre elles à cause des différences démographiques. D'autre part, la population augmente de façon régulière et le manque de curés se fait sentir tout au long du 18e siècle.

2.56 Le village du Bic, dans le Bas-Saint-Laurent.

En Nouvelle-France, une paroisse est un territoire administré par un curé qui est responsable de la célébration des messes, des baptêmes, des mariages et des registres paroissiaux.

François-Xavier de Montmorency-Laval

◄ 2.57 **Mgr de Laval (1623-1708).**

Mgr de Laval est le premier évêque de Québec. Il a été surnommé le « père de la patrie ». Le pape Jean-Paul II l'a béatifié en 1980.

Artiste inconnu, *Portrait de Mgr François de Laval*, vers 1788.

En 1659, François-Xavier de Montmorency-Laval est nommé vicaire apostolique, autrement dit le chef religieux de la colonie. En 1674, la Nouvelle-France devient un diocèse, une unité territoriale placée sous la direction d'un évêque. Mgr de Laval est nommé à la tête de ce diocèse et devient donc le premier évêque de la Nouvelle-France. À son arrivée dans la colonie, il consacre toute son énergie à l'organisation de l'Église. Avant sa nomination à la fonction d'évêque, les services religieux étaient assurés par les missionnaires récollets ou jésuites.

En 1663, Mgr de Laval impose le principe de la dîme pour garantir la subsistance des prêtres canadiens. La même année, il fonde le Séminaire de Québec afin d'assurer la formation des candidats à la prêtrise. Il crée des paroisses et nomme un curé à la direction spirituelle de chacune. Les progrès sont lents. En 1730, sur la centaine de paroisses que comprend la colonie, une vingtaine seulement a un curé permanent. Dans les autres paroisses, un prêtre passe de temps en temps pour célébrer la messe et administrer les sacrements.

Mgr de Laval prend aussi position sur des questions qui ne font pas partie de sa mission religieuse. Par exemple, il s'oppose à la vente d'eau-de-vie aux Amérindiens. Ceux-ci, qui ne connaissaient pas les boissons alcooliques avant l'arrivée des Européens, développent le goût de l'alcool, mais supportent mal son effet.

Le troc d'eau-de-vie contre des fourrures cause des ravages importants parmi les populations autochtones. Les missionnaires s'y opposent fermement, appuyés par Mgr de Laval qui en fait une bataille personnelle. Les Amérindiens, privés d'alcool du côté des Français, se tournent vers les Hollandais et les Anglais qui acceptent de leur en échanger contre des fourrures. Mais la colonie française ne veut pas perdre la traite des fourrures aux mains des concurrents, et les intérêts commerciaux finissent par l'emporter.

1. En 1966, la cathédrale Notre-Dame de Québec est classée monument historique. À quoi sert-il de déclarer un édifice « monument historique » ?

2. Selon vous, en 1674, qui décide de faire de cet édifice, simple église à l'époque, une cathédrale ?

► 2.58 **La cathédrale Notre-Dame de Québec.**

Érigée en 1647, la cathédrale Notre-Dame de Québec est, à l'origine, une simple église. Elle se trouve sur l'emplacement de la première chapelle de la colonie, construite par Champlain en 1633 et incendiée en 1640. En 1674, l'église est désignée pour devenir une cathédrale. Elle subira plusieurs transformations au fil des ans.

Le capitaine de milice

De 1630 à 1665, par manque de soldats, les habitants n'ont d'autre choix que de se constituer eux-mêmes des milices pour se défendre contre les Amérindiens. En 1669, tous les habitants âgés de 18 à 60 ans en état de porter les armes doivent s'enrôler. Les miliciens sont divisés en compagnies, et leur recrutement s'effectue à l'intérieur de la paroisse. Un capitaine de milice dirige chaque compagnie.

Le capitaine de milice est un habitant nommé à la tête d'une cinquantaine de miliciens pour son courage, sa force et son talent naturel de meneur d'hommes. Il représente le gouverneur, l'intendant et, par le fait même, le roi.

Dans la structure sociale de la colonie, le capitaine de milice jouit d'une position élevée. Il est presque aussi important que le seigneur et, dans bien des cas, plus influent que lui.

Le capitaine de milice ne remplit pas seulement des fonctions militaires; il a aussi des responsabilités civiles. Par exemple, il s'occupe de la diffusion et du respect des ordonnances du gouverneur et de l'intendant. Il supervise également la construction et l'entretien des chemins en s'assurant que chaque habitant construit et entretient le bout de chemin public qui traverse sa terre.

Observez l'illustration ci-contre.

Selon vous, pourquoi, en plus d'un mousquet, les miliciens sont-ils équipés d'une hache ?

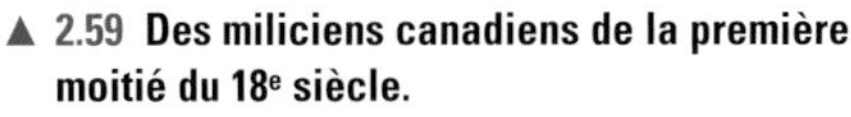

▲ **2.59 Des miliciens canadiens de la première moitié du 18e siècle.**

Le milicien canadien est habitué à la vie sauvage de la Nouvelle-France. Il n'a pas d'uniforme militaire et porte des vêtements adaptés aux rigueurs du climat et aux déplacements en forêt.

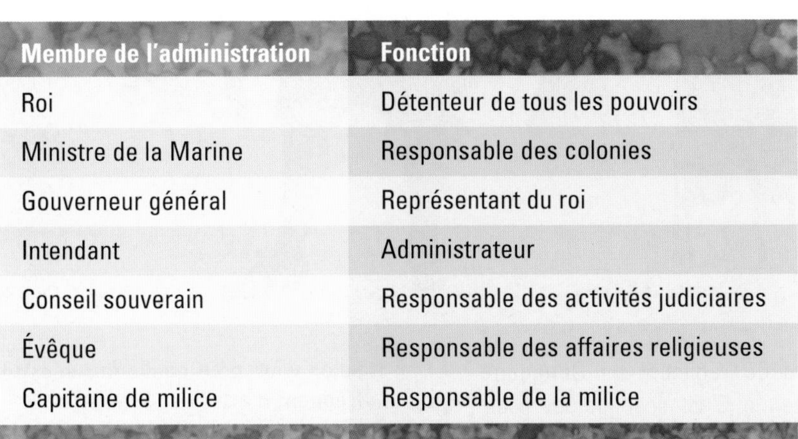

Membre de l'administration	Fonction
Roi	Détenteur de tous les pouvoirs
Ministre de la Marine	Responsable des colonies
Gouverneur général	Représentant du roi
Intendant	Administrateur
Conseil souverain	Responsable des activités judiciaires
Évêque	Responsable des affaires religieuses
Capitaine de milice	Responsable de la milice

▲ **2.60 Les membres de l'administration de la Nouvelle-France et leur fonction.**

Dès 1663, le roi instaure une nouvelle forme d'administration particulièrement structurée. La Nouvelle-France devient à ce moment une colonie royale.

3.2 L'effort de peuplement

Au début des années 1660, les programmes de colonisation ne donnent pas les résultats attendus. La colonie est toujours sous-peuplée. En 1663, après plus de 50 ans d'existence, la Nouvelle-France comprend à peine 3000 Français. À la même époque, la Nouvelle-Angleterre, sa voisine, compte plus de 80 000 habitants. De 1640 à 1660, le nombre des nouveaux arrivants reste inférieur à 1000. Le taux de natalité, tout de même assez élevé, ne peut compenser la faiblesse de l'immigration.

Dès son arrivée, l'intendant Jean Talon projette de mettre sur pied un programme de colonisation intégrale de la Nouvelle-France. Ce programme comprend des mesures visant à favoriser le peuplement et à développer une agriculture commerciale.

Concept

Peuplement

Action de peupler, c'est-à-dire établir et installer un groupe d'individus sur un territoire.

Avant 1663, les compagnies sont responsables du peuplement de la colonie. Les résultats sont médiocres. De 1663 à 1673, les politiques de l'État (accueil des « Filles du roi », attribution de terres aux soldats, etc.) obtiennent plus de succès. Par la suite, l'immigration diminue et l'accroissement démographique repose presque exclusivement sur les naissances.

Le recrutement de soldats

En 1665, le roi envoie 1200 soldats en Nouvelle-France. Ces soldats, membres du régiment de Carignan-Salières, ont pour mission de mettre un terme aux attaques des Iroquois. Ils sont invités à demeurer en Nouvelle-France une fois leur mission accomplie. Seulement 400 soldats décident de rester. Les officiers se voient concéder des seigneuries, et les soldats des censives.

Observez l'illustration ci-dessous.

1. **Qui combattait aux côtés des soldats du régiment ?**
2. **Qu'est-ce qui les distingue des soldats du régiment ?**

▼ **2.61 Les soldats du régiment de Carignan-Salières.**
Les soldats du régiment de Carignan-Salières portent tous l'épée, et la plupart sont armés de mousquets.

■ **Saviez-vous que...** Plusieurs officiers du régiment de Carignan-Salières ont eu le privilège d'obtenir une seigneurie. C'est ainsi que des villes québécoises, comme Saint-Ours, Chambly, Sorel, Berthier, Contrecœur et Boisbriand, portent le nom de ces premiers seigneurs, autrefois capitaines du régiment de Carignan-Salières. ■

1. **Selon vous, pour quelle raison est-il fréquent d'attribuer à un lieu le nom d'un personnage historique ?**
2. **Au Québec, quel organisme décide du nom officiel d'un lieu ?**

L'immigration

Talon encourage l'immigration de travailleurs en Nouvelle-France. La plupart des hommes remplissent un contrat, habituellement d'une durée de trois ans. Au terme de leur contrat, on aide ceux qui décident de rester à acquérir une terre. Près des deux tiers des **engagés** choisissent de retourner en France à la fin de leur contrat.

Engagé: Personne qui « s'engage » par contrat à venir travailler en Nouvelle-France pour une période d'au moins trois ans. On l'appelle aussi « 36 mois ».

Période	Nombre d'immigrants	Pourcentage d'hommes	Pourcentage de femmes
Avant 1630	21	71,4 %	28,6 %
De 1630 à 1639	139	63,3 %	36,7 %
De 1640 à 1649	227	62,1 %	37,9 %
De 1650 à 1659	642	62,8 %	37,2 %
De 1660 à 1669	1698	63,3 %	36,7 %
De 1670 à 1679	798	53,8 %	46,2 %
De 1680 à 1689	542	89,7 %	10,3 %
De 1690 à 1699	522	93,9 %	6,1 %
De 1700 à 1709	307	92,2 %	7,8 %
De 1710 à 1719	311	94,2 %	5,8 %
De 1720 à 1729	434	96,8 %	3,2 %
De 1730 à 1739	499	96,8 %	3,2 %
De 1740 à 1749	592	97,3 %	2,7 %
De 1750 à 1759	1751	97,0 %	3,0 %
Indéterminée	44	–	–
Total	**8527**		
Moyenne		**81 %**	**19 %**

1. Selon le tableau ci-contre, quelles années ont connu la période d'immigration la plus forte ? Pourquoi ?

2. À quelle période le pourcentage de femmes immigrantes se rapproche-t-il le plus de celui des hommes ?

◄ **2.62 L'immigration en Nouvelle-France.**

Le tableau ci-contre indique le nombre d'immigrants ainsi que le pourcentage d'hommes et de femmes qui se sont établis dans la colonie à différentes périodes.

Source : R. Cole HARRIS et Geoffrey J. MATTHEWS, *Atlas historique du Canada. Tome I : Des origines à 1800*, Montréal, Les Presses de l'Université de Montréal, 1987, planche 45.

Les Filles du roi

À ses débuts, la colonie compte beaucoup plus d'hommes que de femmes. Celles-ci représentent moins du cinquième des immigrants. L'écart entre le nombre d'hommes et le nombre de femmes empêche l'accroissement naturel de la population. Le gouvernement français décide donc de favoriser l'établissement en Nouvelle-France de plusieurs centaines de jeunes femmes, surnommées les « Filles du roi ». Il s'agit de jeunes Françaises, pour la plupart orphelines ou pauvres. De 1663 à 1673, il en arrive près de 800 dans la colonie, ce qui met un terme au déséquilibre entre les sexes.

La natalité

Pour favoriser davantage l'accroissement de la population, le roi encourage par des récompenses les mariages précoces ainsi que les familles de dix enfants et plus.

Le texte suivant est extrait d'une lettre écrite par Jean Talon au ministre de la Marine, en novembre 1670. L'intendant décrit au haut fonctionnaire les mesures prises par son Administration pour hâter le mariage des Filles du roi.

« Toutes les filles venues cette année sont mariées à quinze près que j'ai fait distribuer dans des familles connues en attendant que les soldats qui les demandent aient formé quelques établissements et acquis de quoi les nourrir.

Pour avancer le mariage de ces filles je leur ai fait donner ainsi que j'ai accoutumé de faire, outre quelques subsistances, la somme de cinquante livres monnaie de Canada en denrées propres à leur ménage.

[...] il serait bon de recommander fortement que celles qui seront destinées pour ce pays ne soient aucunement disgraciées de la nature, qu'elles n'aient rien de rebutant à l'extérieur, qu'elles soient saines et fortes pour le travail de la campagne, ou du moins qu'elles aient quelque industrie pour les ouvrages de main, j'en écris dans ce sens à Messieurs les directeurs. Trois ou quatre filles de naissance et distinguées par la qualité serviraient peut-être utilement à lier par mariage des officiers qui ne tiennent au pays que par les appointements et l'émolument de leurs terres, et qui par disproportion des conditions ne s'engagent pas davantage.

Les filles envoyées l'an passé sont mariées, et presque toutes ou sont grosses ou ont eu des enfants, marque de la fécondité de ce pays. »

Source : « Lettre de l'intendant Jean Talon au ministre de la Marine », *Rapport de l'Archiviste de la Province de Québec, 1930-1931*, Québec, 1931, p. 125-126. Lettre de novembre 1670.

1. a) Selon Talon, quelles sont les qualités requises pour être une « Fille du roi » ?

b) Qu'en pensez-vous ?

2. Que sous-entend Talon au sujet du rôle des femmes en Nouvelle-France ?

De 1668 à 1673, la maison Saint-Gabriel accueille de nombreuses Filles du roi. Pourquoi ces jeunes femmes s'installent-elles à cet endroit ?

▲ **2.63 La maison Saint-Gabriel, dans le quartier de Pointe-Saint-Charles, à Montréal.**

Acquise par Marguerite Bourgeoys en 1668 pour y accueillir les « Filles du roi » avant qu'elles ne se marient, la maison Saint-Gabriel est au cœur des activités agricoles de la congrégation de Notre-Dame. Devenue un musée en 1966, la propriété est l'un des derniers vestiges du Régime français au Canada.

3.3 Le développement de l'économie coloniale

Le développement de l'agriculture en Nouvelle-France est essentiel pour subvenir aux besoins de la population. Avant 1663, le nombre de seigneuries concédées est faible, car peu d'immigrants consentent à payer de leur poche le prix de la traversée. Les seigneuries sont donc souvent lentes à se développer.

L'augmentation du nombre de seigneuries

Jean Talon donne un nouvel élan au régime seigneurial, et le nombre de seigneuries augmente de façon considérable. L'intendant dresse un nouveau plan des lots destinés à recevoir les colons à Charlesbourg, près de Québec. Habituellement, les lots concédés à des censitaires se découpent en longues bandes de terre. Talon tente l'expérience des habitations regroupées. Dans cette organisation, les lots sont disposés autour d'un carré central et s'éloignent en triangles jusqu'à leurs extrémités. Les habitants sont invités à construire leurs maisons autour du carré central. Cette nouvelle façon de faire a pour but de rapprocher les habitants les uns des autres pour qu'ils puissent se porter secours dans le cas d'une attaque des Iroquois.

Quel objectif vise ce type d'organisation des terres ?

Malgré la sécurité qu'il offre, ce mode d'aménagement ne se répand pas dans la colonie. Les habitants préfèrent avoir accès à un cours d'eau directement relié à leur terre pour faciliter le transport.

En 1672, lorsqu'il quitte la Nouvelle-France, Talon a concédé 46 nouvelles seigneuries où se sont établis des centaines de Filles du roi, de colons, de soldats et d'officiers. Tous ces gens ont choisi de rester dans la colonie. La Nouvelle-France a alors connu la plus forte période d'immigration de son histoire.

▲ **2.64 Une organisation des terres particulière.**
À Charlesbourg, près de Québec, Talon expérimente une nouvelle façon de diviser les terres. Le village forme un carré central, et les terres concédées, des pointes de tarte.

L'intensification et la diversification de l'agriculture

À l'arrivée de Jean Talon, en 1665, les habitants de la Nouvelle-France pratiquent une agriculture de subsistance. La production suffit à la demande. L'intendant a un objectif: obtenir des surplus pour les exporter. Trois ans après son arrivée, il déclare un surplus de blé. Pour diversifier l'agriculture, Talon introduit la culture du lin, du chanvre, du houblon et de l'orge. Le lin sert à la confection de vêtements, et le chanvre, à la fabrication de cordages pour les navires. Avec le houblon et l'orge, on produit de la bière. En 1668, Talon fait construire une brasserie dans la basse-ville de Québec pour diminuer l'importation de vin et d'alcool. Toutefois, l'établissement ferme ses portes dès 1675.

L'agriculture constitue une activité essentielle à la vie économique de la Nouvelle-France. Pourquoi cette activité est-elle importante ?

Les habitants possèdent déjà des porcs et des bovins. Talon introduit des chevaux pour faciliter le transport des colons. Il fait aussi venir des moutons. La laine sert à fabriquer des étoffes. L'intendant établit une tannerie près de Québec pour la production du cuir.

Talon facilite la mise en valeur des ressources qui permettent à la population de subvenir à ses besoins et d'amorcer un développement économique. Ce développement produira les résultats attendus une génération plus tard, quand les besoins fondamentaux de la population seront comblés.

Le commerce triangulaire

Jean Talon tente de mettre sur pied un réseau commercial entre la France, la Nouvelle-France et les colonies françaises des Antilles : le commerce triangulaire. Ce commerce extérieur progresse grâce aux suppléments d'argent accordés par le roi pendant quelques années. Dès le départ de Talon et l'arrêt du financement royal, c'est le rappel à la réalité : la jeune colonie est trop peu peuplée et trop peu développée pour exporter des surplus. Il faut attendre le tournant du siècle, vers 1700, pour que l'on recueille suffisamment de bois, de poisson, d'huiles et de produits agricoles pour les exporter. Cependant, la guerre qui sévit en Europe vient encore ralentir la mise sur pied du commerce triangulaire.

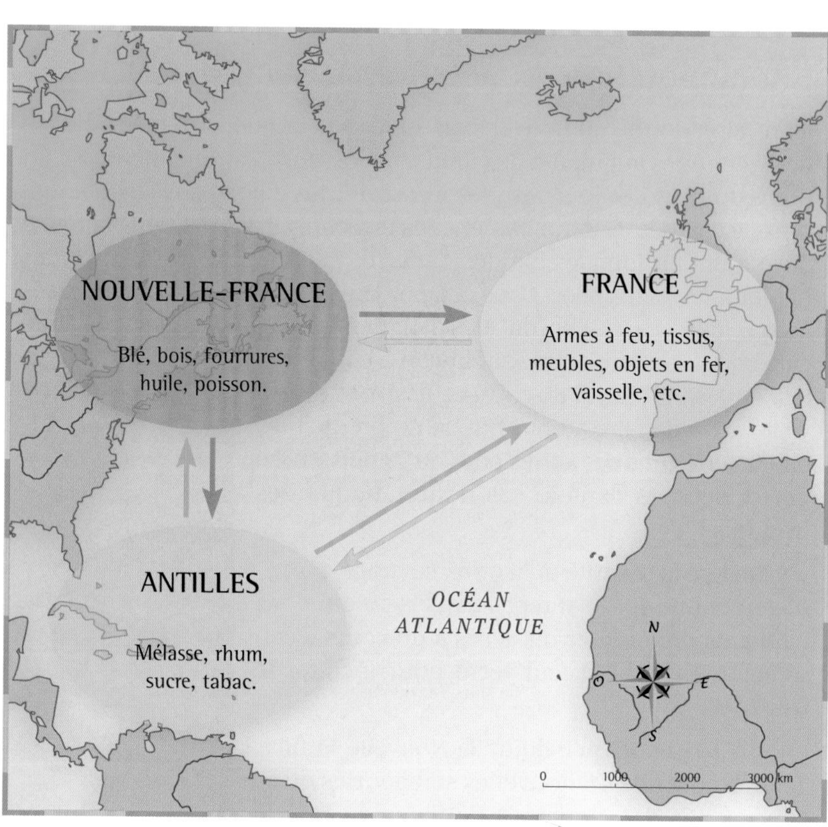

▲ **2.65 Le commerce triangulaire au 18e siècle.**

Le commerce triangulaire est mis en place en Nouvelle-France par Jean Talon, vers la fin des années 1660. Mais, il faut attendre le début du 18e siècle pour que ce commerce prenne de l'importance.

À la fin de la guerre, en 1713, le commerce triangulaire prospère rapidement grâce à la construction de la forteresse de Louisbourg, dans l'île Royale (aujourd'hui l'île du Cap-Breton). Cette ville-forteresse constitue une sorte d'entrepôt géant pour stocker de nombreux produits, notamment la morue, que l'on pêche en grande quantité sur les bancs de Terre-Neuve et que l'on fait sécher.

La mélasse, le rhum, le sucre et le tabac des Antilles sont exportés en France et en Nouvelle-France. Les produits manufacturés de la France, comme la vaisselle, les tissus, les meubles, les objets en fer et les armes à feu, sont exportés dans les colonies des Antilles et de la Nouvelle-France. Enfin, le bois, le blé, l'huile (de baleine et de loup marin), le poisson et la fourrure de la Nouvelle-France sont exportés aux Antilles et en France.

Les navires qui circulent entre la France, la Nouvelle-France et les Antilles chargent tous les produits qui sont en surplus à un endroit et les débarquent là où ils sont en demande. De 1715 à 1745, le commerce triangulaire s'avère très bénéfique à la Nouvelle-France et aux autres pôles d'échange. La guerre, qui éclate de nouveau en 1745, met fin à ce commerce profitable à l'essor de la colonie.

Selon vous, pourquoi les bateaux reviennent-ils en Nouvelle-France une seule fois par année, au début de l'été ?

Pendant ce TEMPS...

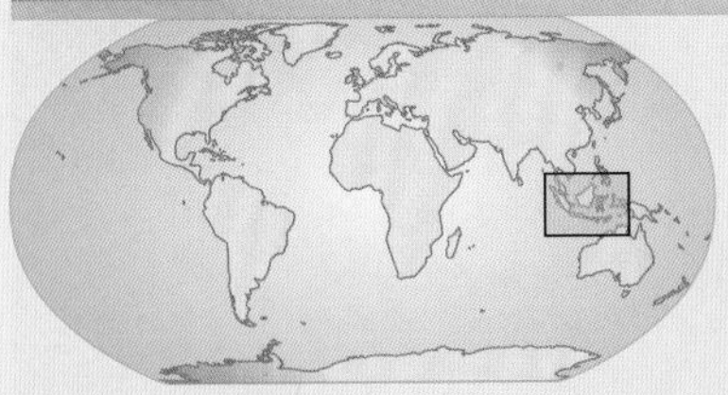

Les Moluques, ou les îles interdites

Au 17e siècle, les Hollandais réussissent à déloger complètement les Portugais de l'archipel des Moluques, situé dans l'est de l'Indonésie. Ils espèrent prendre le contrôle de la production et du commerce du clou de girofle et de la muscade. La colonie est contrôlée par la Compagnie hollandaise des Indes orientales, connue sous les initiales «V.O.C.». En plus du monopole du commerce, la Compagnie détient les privilèges suivants: pouvoir de déclarer la guerre, de signer des traités, de fabriquer de la monnaie, de rendre justice, etc.

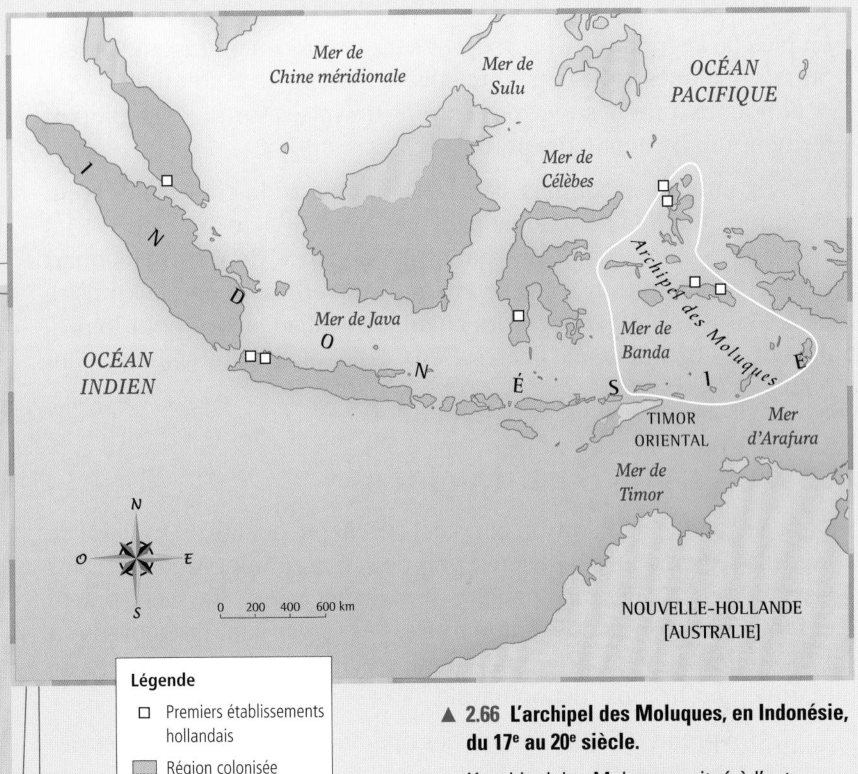

▲ **2.66 L'archipel des Moluques, en Indonésie, du 17e au 20e siècle.**

L'archipel des Moluques, situé à l'est de l'Indonésie, compte aujourd'hui plus de deux millions d'habitants.

La France n'est pas le seul royaume à laisser à des sociétés marchandes le soin d'établir des colonies. D'autres royaumes en font autant. Le motif est toujours le même: épargner à l'État l'obligation d'assumer les frais. La stratégie adoptée est, elle aussi, invariable: le roi accorde à un groupe de marchands le monopole du commerce sur un territoire donné contre la promesse de fonder un établissement.

En Europe, au 15e siècle, le girofle et la muscade comptent parmi les épices les plus convoitées et les plus chères qui soient. On trouve ces épices principalement dans les archipels des Moluques et de la Sonde. Une expédition vers ces précieuses denrées prend de deux à trois ans.

Les Portugais, qui exploitaient la «terre des épices» depuis le milieu du 16e siècle, sont délogés par les Hollandais vers 1640. La Compagnie hollandaise des Indes orientales établit des centres d'approvisionnement aux îles Moluques et veille à ce que les plants de muscadier et de giroflier ne sortent pas de l'archipel. Pour maintenir le prix des épices élevé, les Hollandais vont jusqu'à brûler une grande part des muscadiers existants pour n'en conserver qu'une petite quantité.

Grâce au commerce des épices, la Compagnie hollandaise des Indes fait fortune. Au plus fort de sa gloire, vers 1670, elle possède 40 vaisseaux de guerre, 150 navires marchands et une armée de plus de 10000 soldats. Les Hollandais resteront maîtres de la «terre des épices» jusqu'en 1770.

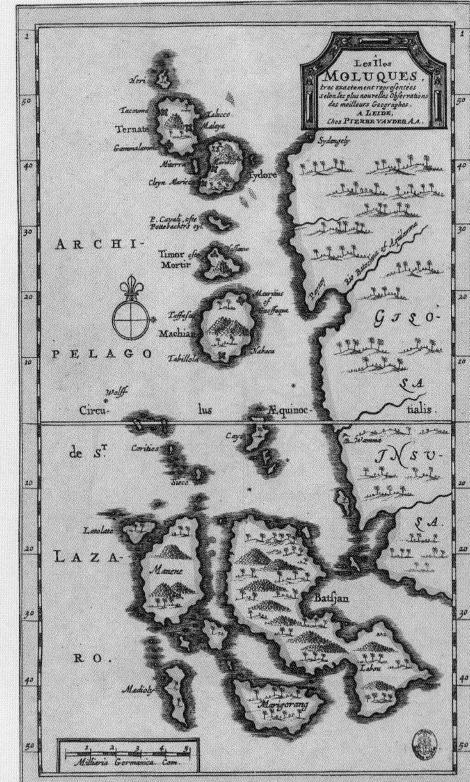

► **2.67 Les îles Moluques très exactement représentées, vers 1707.**

Les Européens ont été attirés par les Moluques parce qu'elles produisaient beaucoup d'épices.

Pierre Van Der Aa, *Les îles Moluques très exactement représentées selon les plus nouvelles observations des meilleurs géographes*, vers 1707.

L'industrie manufacturière

En plus de l'agriculture, Talon et ses successeurs encouragent la création de quelques industries. Toutefois, le marché de la colonie est trop petit pour assurer la survie des entreprises mises sur pied. La plupart ferment rapidement leurs portes.

Les progrès accomplis dans le domaine industriel s'observent surtout pendant la période de paix que connaît la colonie, de 1713 à 1744, et, plus précisément, durant l'intendance de Gilles Hocquart (1729-1748). L'industrie navale amorce une reprise quand le ministre de la Marine décide d'ouvrir un chantier royal à Québec pour la production de bâtiments de guerre. Deux cents ouvriers qualifiés y sont embauchés.

▲ **2.68 Gilles Hocquart (1694-1783).**

Hocquart a joué un rôle déterminant dans le développement du commerce et de l'agriculture en Nouvelle-France. Parmi ses plus importantes réalisations figure la construction d'une route entre Québec et Montréal.

Artiste inconnu, *Portrait de l'intendant Gilles Hocquart*, œuvre non datée.

Les forges du Saint-Maurice

Déjà, à l'époque de Talon, on connaît l'excellente qualité du minerai de fer de la région de Trois-Rivières, près de la rivière Saint-Maurice. Dans les années 1730, des marchands commencent à exploiter ce gisement et fondent les forges du Saint-Maurice. Ces forges sont inaugurées en 1738. Elles doivent principalement servir à produire des fers de marine pour la construction navale.

Le roi prend les commandes des opérations dès 1743, car l'entreprise n'est pas rentable. Les forges emploient alors une centaine de personnes. Dans les années 1750, les forges du Saint-Maurice produisent des boulets de canon, des poêles et des chaudrons en fonte ainsi que des fers de marine.

1. Près de quel cours d'eau les forges du Saint-Maurice sont-elles construites ?
2. La forge basse, construite tout près de la rivière, est dotée d'une cheminée de pierre très haute. Pourquoi, selon vous ?

▲ **2.69 Une vue des forges du Saint-Maurice.**

Les forges du Saint-Maurice ont été fondées en 1730 par François Poulin de Francheville, sieur de Saint-Maurice.

Joseph Bouchette, *Les forges, rivière Saint-Maurice*, 1832.

Les obstacles au développement économique de la colonie

Trois obstacles principaux empêchent l'essor économique de la Nouvelle-France : la politique mercantiliste de la métropole, la pénurie chronique de monnaie et le manque de main-d'œuvre qualifiée.

Le mercantilisme

Le mercantilisme est une théorie économique répandue en Europe du 16e au 18e siècle. Cette théorie soutient que la puissance d'un pays se mesure à la quantité d'or et d'argent qu'il possède. Selon ce système, pour accumuler le plus de richesses possible, un pays doit vendre aux autres plus de produits qu'il ne leur en achète. Il doit aussi développer son industrie pour éviter d'acheter à l'étranger. Dans ce contexte, les colonies jouent un double rôle : approvisionner à peu de frais les métropoles en matières premières et permettre aux métropoles d'écouler leurs produits manufacturés.

Le ministre Jean-Baptiste Colbert se fait le promoteur du mercantilisme en France. Le but qu'il vise en développant l'empire colonial est de mieux servir les intérêts de la métropole. Pour protéger les industries françaises de la concurrence, Colbert empêche les colons de commercer librement et de créer des industries. En agissant ainsi, Colbert et ses successeurs font échec au développement industriel de la colonie.

▲ **2.70 Jean-Baptiste Colbert (1619-1683).**

Louis XIV confie à son ministre Jean-Baptiste Colbert la responsabilité de réorganiser l'administration de la Nouvelle-France. Sur le plan économique, Colbert veut appliquer les principes mercantilistes.

Philippe de Champaigne, *Jean-Baptiste Colbert, ministre des Finances de Louis XIV*, 1662.

Selon vous, comment le mercantilisme peut-il nuire au développement économique de la Nouvelle-France ?

Le manque d'argent

En Nouvelle-France, l'activité économique est tellement faible que les personnes qui ont de l'argent ont peu d'occasions de le faire fructifier. Les marchands trouvent plus profitable d'investir leurs capitaux en France. En effet, dans ce pays riche et développé, l'argent investi offre un meilleur potentiel de bénéfices. La Nouvelle-France a souvent été en guerre. Elle connaît d'abord une période d'affrontements répétés avec les nations amérindiennes ennemies des Français, surtout au 17e siècle. De plus, la rivalité entre la France et l'Angleterre provoque plusieurs conflits armés dès le 17e siècle.

1. Résumez en vos mots ce qui provoque la pénurie de monnaie en Nouvelle-France.

2. De nos jours, est-il encore possible de connaître une pénurie de monnaie métallique ou de monnaie de papier ?

◄ **2.71 Une pièce de monnaie française.**

Cette pièce de monnaie en argent était en circulation en France à la fin du 17e siècle. Sur l'avers, on voit Louis XIV, et sur le revers, la couronne royale.

La monnaie de carte

En janvier 1685, la colonie manque de monnaie, et l'intendant, Jacques de Meulles, doit rémunérer les soldats. En attendant l'arrivée du vaisseau du roi, qui en apporte chaque année, il invente une monnaie de papier. Il inscrit divers montants sur des cartes à jouer traditionnelles et y appose sa signature. Puis, quand la monnaie arrive à destination, il rembourse les soldats en espèces. On aura recours à la monnaie de carte jusqu'à la fin du Régime français. À aucun moment de son histoire, la Nouvelle-France ne bénéficiera de capitaux suffisants pour développer pleinement le commerce et l'industrie.

Nommez une autre forme de document écrit qui a la même fonction que la monnaie de carte.

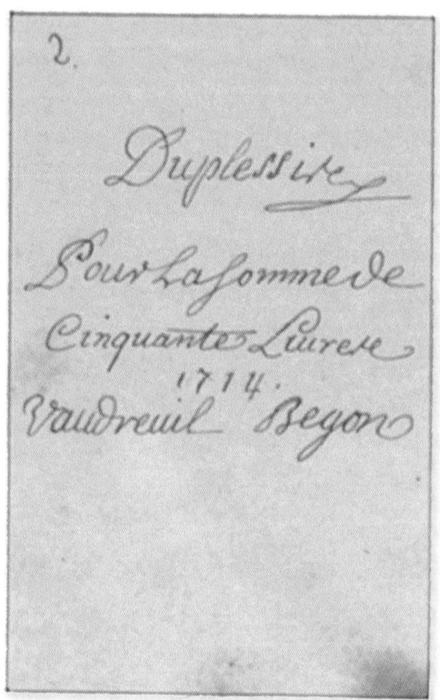

▲ **2.72 La monnaie de carte.**

La monnaie de carte a été introduite en Nouvelle-France, en 1685. Pendant un certain temps, on s'est servi de cartes à jouer.

Le manque de main-d'œuvre qualifiée

En plus d'une pénurie de monnaie, la Nouvelle-France souffre d'un manque de main-d'œuvre compétente. Les meilleurs artisans rentabilisent beaucoup plus facilement leur savoir-faire en France, où se trouve la clientèle riche et puissante. Leur travail y est plus en demande, plus apprécié et mieux rémunéré. De plus, comme le roi interdit toute activité manufacturière dans les colonies, le besoin d'artisans spécialisés y est beaucoup moins grand.

La rareté de la main-d'œuvre qualifiée en Nouvelle-France a pour effet de faire grimper les salaires. Malgré ces conditions avantageuses, les artisans sont peu nombreux à s'établir dans la colonie. En France, un artisan peut travailler 12 mois par année, sa vie durant, alors qu'en Nouvelle-France, le travail est souvent intermittent et loin d'être assuré d'une année à l'autre.

▲ **2.73 Un forgeron de la Nouvelle-France.**

Les forgerons arrivent dans la colonie avec les premiers colons. Ils s'occupent surtout de la réparation des armes et des outils dans les forts de défense et de traite.

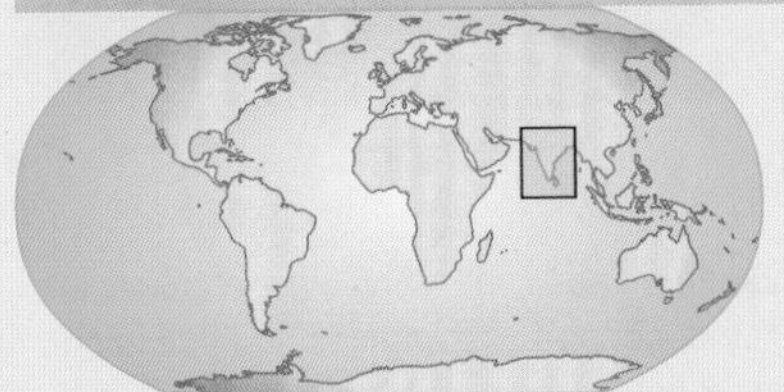

Pondichéry

L'Inde française est une colonie diversifiée composée d'établissements, de comptoirs commerciaux et de terrains dispersés le long du littoral. En Inde, les marchands étrangers de toutes les origines sont accueillis favorablement par les autorités locales. Ils s'inscrivent dans des circuits commerciaux locaux déjà bien constitués. En échange de produits manufacturés et de matières premières comme l'ivoire, le tabac et le café, les marchands européens sont prêts à verser de grandes quantités d'or et d'argent.

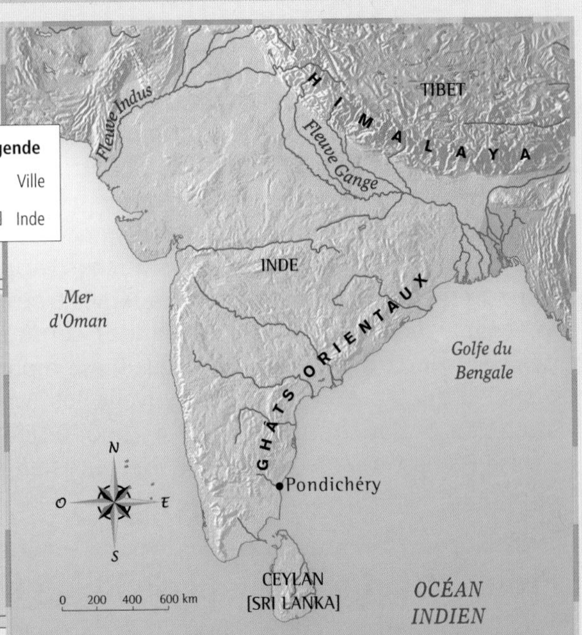

▲ **2.74 Le comptoir de Pondichéry, en Inde, fondé en 1674.**

Capitale des établissements français en Inde, Pondichéry est située sur la côte sud-est du pays.

Le comptoir commercial de Pondichéry est fondé en 1674 par la Compagnie française des Indes orientales. Il est situé sur la côte orientale de l'Inde, dans une région propice à la culture du coton. Vers 1682, il est considéré comme le comptoir français le plus important de l'Inde. Ce village de pêcheurs et de marchands est renommé pour la qualité de ses étoffes. Elles comptent pour la moitié de la valeur des cargaisons expédiées en France.

En Inde française, comme en Nouvelle-France, ce sont les Jésuites qui assurent principalement la propagation de la foi chrétienne. Pour gagner la confiance de la population locale, ils apprennent la langue et les coutumes du pays. Beaucoup de missionnaires adoptent les comportements des Indiens pour mieux les convertir. Ils s'habillent comme eux, s'assoient par terre les jambes croisées et ne prennent qu'un repas par jour: des fruits, des légumes et un peu de riz cuit à l'eau.

1. Nommez l'océan, la mer et le golfe qui bordent l'Inde.

2. Nommez deux fleuves importants de l'Inde.

Certains missionnaires jésuites tolèrent les pratiques hindouistes et vont même jusqu'à accepter d'élever un muret dans leur église pour séparer les Indiens selon leurs classes sociales (castes). Mais ils ne sont pas tous aussi tolérants. Un jour, dans une église de Pondichéry, le curé a ordonné de démolir le muret séparant les castes. Dès le lendemain, les fidèles l'ont reconstruit en élevant une barricade de chaises.

► **2.75 L'hôtel de ville de Pondichéry aujourd'hui.**

Après avoir été acquise par les Français, Pondichéry est cédée à l'Inde en 1954.

3.4 L'expansion territoriale

Le développement territorial en Nouvelle-France commence avec les missionnaires. Leur œuvre d'évangélisation les amène à bien connaître les régions du lac Huron et du Saguenay–Lac-Saint-Jean. En 1650, après la destruction de la Huronie par les Iroquois, les Français voient disparaître leur réseau de postes de traite. Ils doivent franchir de plus grandes distances vers l'ouest et vers le sud pour trouver de nouvelles sources d'approvisionnement en fourrures. Des Hurons vont d'eux-mêmes trouver les Français dans la colonie pour relancer les échanges commerciaux. Le coureur des bois Médard Chouart des Groseilliers repart avec eux, accompagné d'un autre Français. Ce voyage les amène jusqu'aux lacs Michigan et Supérieur. De 1659 à 1660, en compagnie de Pierre-Esprit Radisson, son beau-frère, Des Groseilliers retourne au lac Supérieur et atteint sa pointe ouest.

Concept

Territoire

Au cours des 17e et 18e siècles, la Nouvelle-France connaît une importante expansion territoriale. Au début, cette expansion est attribuable aux missionnaires qui accompagnent les explorateurs. Puis, elle se poursuit par l'établissement de nombreux postes de traite pour le commerce des fourrures. Les colonies anglaises se sentent progressivement encerclées et tentent de s'étendre à l'ouest des Appalaches. C'est le début des guerres intercoloniales.

Frontenac, gouverneur de la Nouvelle-France

À partir de 1672, sous l'administration du gouverneur Louis de Buade, comte de Frontenac, l'expansion territoriale est fortement stimulée. Frontenac désire avant tout monopoliser la traite des fourrures. Il fait ériger un fort à l'entrée du lac Ontario, le fort Cataracoui ou fort Frontenac (aujourd'hui Kingston, en Ontario), de façon à contrôler le passage des convois de fourrures en provenance de l'ouest. Dans la même période, il s'associe à René Robert Cavelier de La Salle, un explorateur intrépide, et lui confie les commandes du fort.

Pendant ce temps, au nord de la Nouvelle-France, le père jésuite Charles Albanel et quelques compagnons traversent les lacs Saint-Jean et Mistassini, puis suivent la rivière Rupert jusqu'à la baie James. Le groupe prend possession des lieux au nom du roi de France.

Observez l'illustration ci-dessous.

L'expédition qu'ont entreprise Marquette, Jolliet et leurs compagnons comporte-t-elle des risques ? Si oui, décrivez-en un.

Le Mississippi

En 1673, le père Jacques Marquette et Louis Jolliet découvrent une route d'eau menant au fleuve Mississippi. Ils s'engagent sur le grand fleuve et se rendent jusqu'au pays des Illinois. Quelques années plus tard, Jolliet tente de se faire concéder ce territoire pour le peupler et l'exploiter à son compte. Frontenac s'y oppose. Il encourage Cavelier de La Salle à trouver à son tour une route d'eau vers le Mississippi. En 1682, après avoir érigé un fort dans la vallée de l'Ohio, Cavelier de La Salle trouve une voie d'eau menant au Mississippi. Il descend le fleuve jusqu'au golfe du Mexique et établit un poste dans la région.

▼ **2.76 Le père Marquette et Louis Jolliet.**

Marquette et Jolliet ont été les premiers à découvrir une route d'eau menant au fleuve Mississippi.

Artiste inconnu, *French Explorer. Descending the Mississippi River with Father Marquette* [Les explorations françaises. Le père Marquette descendant le fleuve Mississippi], 19e siècle.

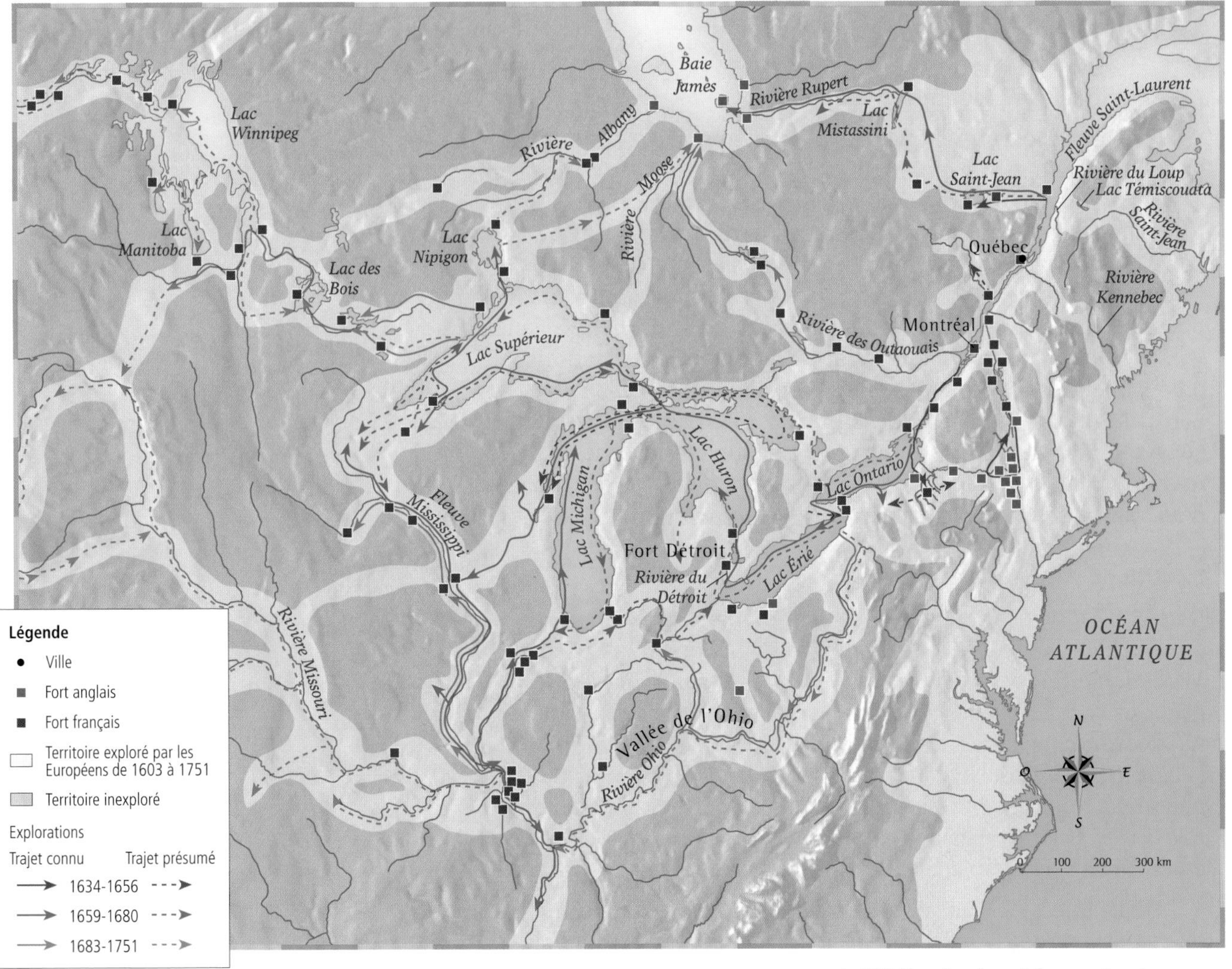

▲ **2.77 L'exploration et l'expansion de la Nouvelle-France de 1634 à 1751.**

Le territoire de la Nouvelle-France connaît une expansion rapide et importante à partir de la seconde moitié du 17e siècle.

Une nouvelle colonie au sud : la Louisiane

En 1698, la paix est rétablie. Pierre Le Moyne d'Iberville part de la France en direction du sud. Pour les Français, il est essentiel de protéger les colonies établies dans les Antilles et d'en fonder une à l'embouchure du Mississippi. Cette nouvelle colonie deviendra la Louisiane. D'Iberville y construit un premier fort en 1698. Quelques années plus tard, les Français établissent la capitale permanente à La Nouvelle-Orléans. La Louisiane est dotée d'un riche potentiel commercial et connaîtra un développement rapide.

Le traité de paix stipule la création d'un important poste de traite sur la rivière du Détroit, qui relie les lacs Huron et Érié (ce poste de traite est à l'origine des villes de Detroit et de Windsor). Le fort Détroit est érigé en 1701. Par la suite, les Français fonderont d'autres établissements permanents à mi-chemin entre les Grands Lacs et la Louisiane.

1. Quel facteur peut expliquer l'expansion rapide du territoire de la Nouvelle-France ?

2. Dans vos mots, expliquez brièvement comment ce facteur a favorisé l'expansion du territoire de la colonie.

Le jeu des alliances

Les relations avec les Amérindiens

Les Français et les Anglais se livrent une vive concurrence dans la traite des fourrures. C'est pourquoi le commerce illégal commence à se répandre dans la région située entre les Grands Lacs et la Nouvelle-Angleterre. On assiste aussi à une recrudescence des conflits entre la Nouvelle-France et la Nouvelle-Angleterre, deux colonies rivales. Les Iroquois décident de s'allier aux Anglais pour pouvoir continuer de s'approvisionner en armes à feu. Cette alliance leur permet de poursuivre leurs offensives contre les nations amérindiennes rivales et les alliés de celles-ci, les Français. Les tribus chassées de leur territoire ancestral par les Iroquois, de 1650 à 1665, ont repris le commerce des fourrures avec les Français. Elles souhaitent ainsi obtenir les armes à feu dont elles ont besoin pour vaincre les Iroquois et regagner leurs terres.

La Grande Paix de Montréal

De 1683 à 1700, les conflits se généralisent dans la région située entre le haut du fleuve Saint-Laurent, le lac Supérieur et le fleuve Mississippi. Après des défaites multiples, les Iroquois désirent négocier la paix. Les délibérations, qui réunissent une trentaine de nations amérindiennes des Grands Lacs, ont lieu à Montréal sous l'égide des Français. Le grand chef huron Kondiaronk et le gouverneur de la Nouvelle-France, Louis Hector de Callières, y jouent un rôle décisif. Un traité est conclu en 1701 entre les Iroquois, les Français et les tribus alliées aux Français : c'est la Grande Paix de Montréal.

Par ce traité, les Français s'octroient le rôle de médiateurs en cas de conflits entre les Amérindiens. Ils deviennent aussi leurs pourvoyeurs de produits européens. De leur côté, les Iroquois s'engagent à rester neutres si des conflits éclatent entre les Français et les Anglais. Désormais, ils éviteront de prendre part à de grandes offensives.

Selon vous, comment se déroulait la signature d'un traité entre les Amérindiens et les Français ?

▼ **2.78 La Grande Paix de Montréal.**

Un chef iroquois tient à la main un wampum, symbole de paix, lors de la ratification du traité.

L'importance de la traite

Vers 1730, quand les explorations vers l'ouest reprennent, le commerce des fourrures redevient florissant. Il sort alors d'une longue période de léthargie pendant laquelle le commerce triangulaire entre la France, la Nouvelle-France et les Antilles a pris un essor important. En fait, la traite des fourrures n'a pas connu d'interruption. La Nouvelle-France n'a pas le choix : elle est obligée d'entretenir de bonnes relations avec les alliés autochtones si elle veut maintenir sa puissance militaire face aux Anglais, qui sont très supérieurs en nombre. Cependant, de 1700 à 1730, la traite est largement subventionnée par l'État français, qui achète les fourrures et paie les présents offerts aux autochtones.

Vers l'ouest... jusqu'aux montagnes Rocheuses

Vers 1730, la cour de France encourage Pierre Gaultier de Varennes, sieur de La Vérendrye, à explorer l'ouest du continent. On espère toujours découvrir, comme le souhaitait déjà Champlain, la fameuse mer de l'Asie censée mener directement aux richesses des Indes et de la Chine. Mais la France refuse d'assumer les frais élevés de cette expédition. Pour financer l'entreprise, La Vérendrye s'allie à des marchands de Montréal. Son avancée dans les territoires de l'ouest est lente. En chemin, il noue des relations avec des autochtones et met sur pied un nouveau réseau de traite. Au fur et à mesure que La Vérendrye, accompagné de ses quatre fils, progresse vers l'ouest et le sud-ouest des Grands Lacs, le marché des fourrures se redresse en France et la traite retrouve un nouveau dynamisme en Nouvelle-France. L'expédition se termine aux **contreforts** des montagnes Rocheuses, dans les années 1740.

Contrefort : Montagne moins élevée bordant la chaîne de montagnes principale.

▲ **2.79 Un paysage des montagnes Rocheuses.**

Le 1er janvier 1743, la progression vers l'ouest des frères La Vérendrye, fils de Pierre Gaultier de La Vérendrye, s'arrête. Un écran de pierre leur barre la route : les contreforts des montagnes Rocheuses.

1. Si les frères La Vérendrye avaient traversé de l'autre côté des montagnes Rocheuses, quel océan auraient-ils pu voir ?

2. Selon vous, cet océan correspondait-il à la « mer de l'Asie » censée mener directement aux richesses des Indes et de la Chine ?

La Compagnie de la baie d'Hudson

En 1659, deux coureurs des bois, Radisson et Des Groseilliers, acceptent de suivre un groupe d'Amérindiens jusqu'à l'extrémité ouest du lac Supérieur. Là, des Cris leur donnent des indications précises sur la baie d'Hudson.

De retour dans la colonie, Radisson et Des Groseilliers refusent de partager ces précieux renseignements avec les autres Français. En fait, ils sont les seuls à vouloir atteindre la baie d'Hudson par l'océan Atlantique, en bateau. Les autres tentent de s'y rendre en canot d'écorce, par la rivière Saguenay, le lac Saint-Jean et la rivière Rupert.

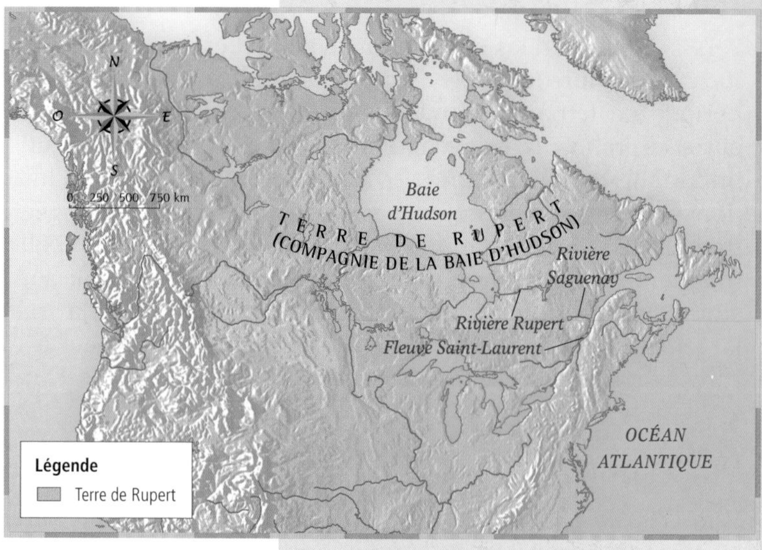

▲ **2.80 La Terre de Rupert en 1670.**

Ce lieu porte le nom de Terre de Rupert en l'honneur du prince Rupert (1619-1682), cousin de Charles II, roi d'Angleterre (1630-1685).

Des concurrents empêchent cependant Radisson et Des Groseilliers d'entreprendre l'expédition maritime prévue dans cette région. Dans l'espoir de réaliser leur projet, Radisson et Des Groseilliers se rendent en Angleterre, où ils obtiennent l'appui du prince Rupert, frère du roi, ainsi que celui de très riches hommes d'affaires. En 1670, la Compagnie de la baie d'Hudson est créée. Le roi accorde à la compagnie le monopole de la traite des fourrures sur un vaste territoire appelé la « Terre de Rupert » (territoire actuel du nord du Québec, du nord de l'Ontario, du Manitoba, de la Saskatchewan, du sud de l'Alberta et d'une partie des Territoires du Nord-Ouest).

La Compagnie de la baie d'Hudson fonde trois postes de traite à la baie James et, en 1682, un autre poste à l'embouchure de la rivière Nelson, au nord-ouest de la baie d'Hudson. Ce dernier poste devient immédiatement le plus important en Amérique du Nord parce que la rivière Nelson communique avec un réseau de lacs et de rivières qui s'étend sur un vaste territoire.

Quand les Français de la Nouvelle-France réussissent, à leur tour, à atteindre la baie James, il est trop tard. La Compagnie de la baie d'Hudson y a déjà établi des postes de traite. Les Français doivent attendre la guerre de la ligue d'Augsbourg pour contre-attaquer et prendre le contrôle de la traite des fourrures dans la région. Toutefois, les Anglais ripostent, et les postes de traite changent fréquemment de mains de 1689 à 1713. Pierre Le Moyne d'Iberville s'illustre à maintes reprises dans ces affrontements. Finalement, en 1713, le roi Louis XIV cède définitivement tout le territoire de la baie d'Hudson aux Britanniques, par le traité d'Utrecht.

Les Français continuent cependant de faire concurrence aux Britanniques autour de la baie James, une rivalité qui crée des tensions entre la France et la Grande-Bretagne. De 1740 à 1750, les Français surpassent leurs concurrents établis au poste britannique de la rivière Nelson, pourtant très éloigné de la Nouvelle-France, grâce aux explorations de la famille La Vérendrye qui implante une chaîne de Postes dans les Prairies canadiennes.

Observez les coureurs des bois dans l'illustration ci-dessous.

À votre avis, les Amérindiens les ont-ils influencés dans leur manière de se vêtir ? Si oui, comment ?

▼ **2.81 La traite des fourrures.**

Radisson et Des Groseilliers établissent des liens avec les Amérindiens.

Archibald Bruce Stapleton, *Radisson et Des Groseilliers établissant le commerce des fourrures dans le Nord-Ouest,1662*, 20e siècle.

3.5 La société coloniale

Dès leur arrivée en Nouvelle-France, de 1630 à 1640, les premiers groupes de paysans français doivent changer leurs habitudes. Le climat, en particulier, est bien plus rigoureux qu'en France. Comme la colonie en est à ses débuts, tout est à faire. La terre que l'on concède gratuitement aux nouveaux arrivants pour l'agriculture est en fait une forêt dont ils doivent abattre les arbres et arracher les souches. Ces pionniers doivent donc être déterminés et persévérants.

Pour exécuter ce dur travail, les immigrants français ne peuvent pas compter sur beaucoup d'aide. Seulement quelques centaines de Français habitent alors la colonie, et toutes les terres nécessitent un long travail de défrichement. Les premiers colons s'inspirent donc des Amérindiens qu'ils côtoient. Ils adoptent plusieurs de leurs techniques et de leurs habitudes. Les Amérindiens connaissent parfaitement le pays, et ils utilisent des techniques simples et faciles à apprendre. Les immigrés français intègrent rapidement les connaissances des Amérindiens et adaptent leurs traditions françaises à la réalité de la Nouvelle-France.

La vie dans la colonie est très différente de la vie en France. Là-bas, l'autorité restreint la liberté des paysans et le pays est très peuplé. En Nouvelle-France, les paysans sont libres de chasser, de pêcher, de s'établir et de se déplacer où ils veulent. De plus, les redevances qu'ils versent à leur seigneur sont souvent bien moins élevées qu'en France. C'est parce que leur mode de vie et leur culture sont bien différents de ceux des Français que, dès les années 1660, les habitants de la Nouvelle-France sont appelés des « Canadiens ».

Concept

Canadiens

Désigne, dès les années 1660, les habitants nés en Nouvelle-France. Ces colons français ont appris à surmonter de nombreuses difficultés, comme la rigueur du climat et le manque de ressources ; ils ont adapté leurs traditions françaises pour former une nouvelle société en Amérique.

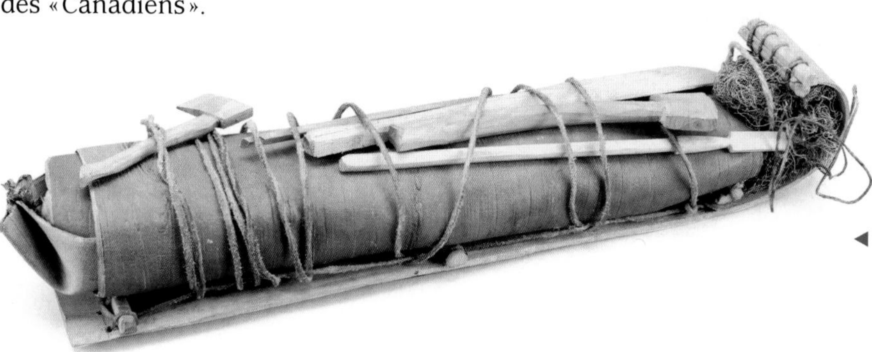

2.82 Un toboggan.

Le toboggan a été inventé par les Amérindiens pour faciliter le transport de marchandises sur la neige. Les habitants de la Nouvelle-France l'ont vite adopté.

Une société moins hiérarchisée qu'en France

En Nouvelle-France, les différences hiérarchiques sont moins marquées que dans la métropole. Ainsi, certaines catégories sociales, comme la haute aristocratie et le haut clergé, sont peu représentées dans la colonie. À partir de 1663, les nouveaux arrivants sont issus principalement de la petite noblesse de province, qui est peu considérée en France à l'époque.

Pourquoi dit-on que la société en Nouvelle-France est moins hiérarchisée qu'en France ?

En arrivant en Nouvelle-France, plusieurs individus parviennent à se hisser dans la hiérarchie sociale, en devenant seigneurs par exemple, et jouissent ainsi d'un plus grand prestige. Quant aux habitants, appelés « paysans » en France, ils ont dans la colonie une vie et une situation sociale très différentes de ce qu'elles étaient dans la métropole ; ils sont plus à l'aise, plus libres et plus respectés.

Compétence 2

La noblesse

Même s'ils possèdent des seigneuries, les nobles habitent surtout la ville. Au début du gouvernement royal, la vie mondaine est très limitée. Les bals, les parties de campagne et les jeux sont plutôt rares. Ces activités seront plus populaires à partir des années 1730, à Québec et à Montréal.

La possession d'une seigneurie, c'est-à-dire le fait d'être seigneur, ne confère aucun titre de noblesse. Dans la communauté seigneuriale, le seigneur n'a pas beaucoup plus de pouvoir et de prestige que le capitaine de milice.

Les quelques membres qui forment le haut clergé, par exemple l'évêque, les chanoines et les directeurs de congrégations religieuses, proviennent pour la plupart de familles nobles. Quant aux membres du bas clergé, comme les prêtres, les religieux et les religieuses, ils sont généralement issus de milieux plus modestes. Toutefois, quelles que soient leurs origines, tous jouissent d'un certain prestige. Dans la colonie, le haut clergé et le bas clergé ne forment pas deux groupes distincts comme en France. Cependant, les prêtres recrutés dans la métropole ont un statut social supérieur à celui des prêtres nés en Nouvelle-France.

Observez l'illustration ci-dessous.

1. **Décrivez ce que vous voyez : l'aspect général de la place, l'activité humaine, les caractéristiques des maisons, etc.**
2. **Selon vous, quels avantages et quels inconvénients comportent cette forme d'aménagement et ce type de construction ?**

Les marchands

Les marchands se divisent en trois groupes. Le premier groupe de marchands gère l'approvisionnement de la colonie à partir de la France. Il envoie dans la colonie tous les produits dont elle a besoin et participe au commerce des fourrures et au commerce triangulaire. Les marchands de ce groupe font du commerce dans tout l'Empire français. La plupart d'entre eux sont très riches et envoient des représentants en Nouvelle-France.

Le deuxième groupe est formé des marchands les plus importants de la colonie. Ces commerçants vendent les marchandises importées de France à d'autres marchands de la colonie et ils participent au commerce triangulaire ainsi qu'au commerce des fourrures, quand celui-ci bat son plein.

▲ 2.83 **Un jour de marché sur la place publique.**

Les maisons sont habituellement disposées autour d'une place publique. Cet espace remplit des fonctions résidentielles, commerciales et ludiques.

Le troisième groupe est formé des marchands de moindre envergure qui vendent des produits en tous genres aux habitants des villes et des campagnes. Certains d'entre eux tiennent boutique ; d'autres sont marchands ambulants et parcourent les campagnes.

Dans la région de Montréal, quelques marchands sont spécialisés dans la traite des fourrures. Ils fournissent les marchandises à échanger aux voyageurs qui, à leur tour, leur remettent les fourrures de castor lorsqu'ils reviennent des territoires où vivent et chassent les Amérindiens.

Les fonctionnaires

Les villes comptent quelques fonctionnaires : délégués de l'intendant, ingénieurs, commissaires, médecins des troupes, notaires, procureurs, etc. Les plus importants partagent les valeurs de la noblesse et aiment donner l'impression de vivre richement. Les autres ne se distinguent pas vraiment des marchands et des gens de métier, si ce n'est par le prestige qu'ils retirent de servir l'Administration du roi.

Les artisans

Les artisans, ou gens de métier, vendent des biens ou des services à la population. Certains travaillent le fer (taillandiers, armuriers, forgerons), d'autres travaillent le bois (charpentiers, menuisiers, tonneliers), d'autres encore travaillent dans le domaine de l'alimentation (boulangers, bouchers), du vêtement (tailleurs, cordonniers) ou des soins personnels (coiffeurs, perruquiers). La navigation emploie de nombreux pilotes ainsi que des maîtres de barque.

Les esclaves

L'historien Marcel Trudel a recensé plus de 4000 esclaves pendant la période du Régime français, en particulier au 18e siècle. Les deux tiers sont des Amérindiens, issus pour la plupart de la nation des Panis. Les autres sont des Noirs achetés dans les colonies anglaises et dans les Antilles. Au Canada, on ne trouve aucune grande entreprise agricole utilisant le travail des esclaves. En règle générale, ceux-ci accomplissent des travaux domestiques chez des marchands ou des nobles. La plupart des esclaves sont affranchis après plusieurs années de service.

Les manœuvres

Une partie de la population de la Nouvelle-France ne possède aucune compétence particulière. Ces gens offrent leur force de travail sur les chantiers de construction ainsi que dans les fermes à l'époque des récoltes. Dans ces secteurs d'activité, les gages sont assez élevés, mais les emplois sont temporaires.

Les habitants

À la veille de la Conquête, les habitants représentent environ 80 % de la population. Une fois qu'elles ont surmonté les premières difficultés liées au défrichement de leur lot, les familles parviennent à vivre assez bien de l'agriculture. Leur production agricole comble leurs besoins essentiels.

La majorité des habitants de la colonie possèdent des droits de pêche et de chasse, alors qu'en France ces droits sont strictement réservés aux nobles.

Dès le début de la colonie, les femmes participent activement au développement du territoire. Leur collaboration est indispensable quand les miliciens (les habitants-soldats) doivent s'absenter pour aller se battre en période de guerre. La loi accorde cependant tous les pouvoirs aux hommes.

Comme les institutions se développent lentement, beaucoup de disputes et de problèmes se règlent au sein même des petites communautés d'habitants. La famille constitue le centre d'entraide et de services par excellence.

▲ **2.84 Une bassinoire.**

L'hiver, les habitants de la Nouvelle-France passaient ce récipient contenant des braises chaudes sur la surface d'un lit afin d'en réchauffer les draps.

En Nouvelle-France, les groupes sociaux ne sont pas homogènes, mais il existe néanmoins certaines catégories sociales.

1. **Nommez trois catégories sociales en Nouvelle-France.**
2. **Indiquez, pour chaque catégorie, une réalité qui la caractérise.**

Compétence 2

3.6 Les femmes en Nouvelle-France

Au début de la Nouvelle-France, Québec constitue un simple comptoir de traite et très peu de femmes y vivent. En 1617, une première famille française, celle de Marie Rollet et de Louis Hébert, s'installe en permanence dans sa maison à Québec. Marie Rollet assiste son conjoint dans son travail d'apothicaire et de cultivateur.

Vers 1634, les colons commencent à arriver ; en majorité des hommes, des familles et quelques jeunes filles qui trouvent un époux très rapidement. Les rares femmes de la colonie travaillent très dur. En plus de nombreuses tâches traditionnellement réservées aux hommes, comme le travail aux champs et le défrichement, les femmes accomplissent les travaux domestiques liés à la maisonnée.

Bien des raisons incitent les femmes à quitter la France et à s'installer dans la colonie : suivre leur mari, échapper à la misère, prendre mari ou se joindre à un ordre religieux. L'immigration des femmes, notamment celle des Filles du roi, provoque un essor démographique important dans la colonie.

1. Indiquez les raisons qui incitent les femmes à venir s'installer en Nouvelle-France.

2. Comment la présence des femmes contribue-t-elle au développement de la colonie ? Donnez des exemples.

Coutume de Paris : Ensemble des lois et des usages qui régissent le droit civil en France et qui ont été introduits en Nouvelle-France.

Le rôle des femmes

De nombreuses femmes exploitent de petits commerces de tissus, de vêtements, d'ustensiles et d'eau-de-vie. Certaines participent au métier de leur mari. Des veuves tiennent des auberges ou reprennent le commerce et l'entreprise familiale.

En l'absence de son mari, à condition qu'il soit d'accord, une femme peut aussi participer à la gestion des affaires commerciales et réaliser des transactions. Certaines femmes de la petite noblesse et de la bourgeoisie mènent elles-mêmes leurs propres affaires commerciales. Plusieurs seigneuries sont dirigées par des femmes. Par exemple, Marie-Catherine Peuvret (1667-1739), devenue veuve à 48 ans, dirige la seigneurie de Beauport avant de la céder à son fils.

En Nouvelle-France, la **Coutume de Paris** est en vigueur. À l'exception des célibataires et des veuves, les femmes sont soumises à l'autorité de leur mari ou de leur père. L'époux représente le chef de la famille selon le régime de la communauté de biens. La propriété des biens est attribuée au couple, mais leur gestion demeure la responsabilité du mari. À la mort de l'un des époux, le survivant ou la survivante reçoit la moitié des biens et l'autre moitié va aux enfants. Les veuves peuvent toutefois renoncer à leur héritage s'il ne représente que des dettes, ce qui constitue pour elles une certaine protection financière. Elles peuvent aussi obtenir une séparation de biens et requérir le droit d'administrer elles-mêmes leurs biens personnels si elles font la preuve de l'incapacité de leur mari.

▼ **2.85 Une nouvelle vie.**

Pour bien des femmes, la Nouvelle-France représente un cadre de vie favorable à la réalisation de leurs projets.

4 La conquête de la Nouvelle-France

Si le projet de colonisation intégrale de la Nouvelle-France connaît des échecs, le développement des Treize colonies britanniques a beaucoup plus de succès. Les colonies britanniques se sont peuplées rapidement, et leur commerce, très prospère, est alimenté par une industrie diversifiée. La domination des Français sur l'intérieur du continent nuit à l'expansion territoriale des colonies britanniques. La **Grande-Bretagne** et ses gouvernements coloniaux sont résolus à unir leurs efforts pour l'éliminer.

Grande-Bretagne : Nom désignant, à partir de 1707, l'union entre l'Angleterre et l'Écosse.

4.1 Les origines de la Conquête

La Nouvelle-France a souvent été en guerre. Elle connaît d'abord une période de conflits avec les ennemis amérindiens des Français, surtout au 17e siècle. Ensuite, la rivalité entre l'Angleterre et la France provoque plusieurs conflits armés dès le 17e siècle, et aussi au 18e siècle.

Malgré ces difficultés, la Nouvelle-France forme vers 1750 un vaste empire, allant du golfe du Saint-Laurent jusqu'aux pieds des montagnes Rocheuses, et du nord des Grands Lacs jusqu'au golfe du Mexique.

Toutefois, à cause de la faible densité de sa population, la colonie demeure fragile. En 1760, pour chaque habitant de la Nouvelle-France, les colonies britanniques en comptent plus de vingt.

Année	Treize colonies	Nouvelle-France
1710	331 711	18 000
1730	629 445	34 118
1760	1 593 625	64 041

▲ **2.86 La population de la Nouvelle-France et des Treize colonies de 1710 à 1760.**

Les données du tableau indiquent que la population de la Nouvelle-France est nettement inférieure à celle des Treize colonies pour les trois années mentionnées.

Source : BUREAU DE LA STATISTIQUE DU CANADA, *Recensement du Canada, 1665-1871*, volume 4, Ottawa, 1874 ; *The Statistical History of United States from Colonial Time to Present*, Fairfield Publishers Inc.

◄ **2.87 Le naufrage du *Pélican*.**

En 1697, Pierre Le Moyne d'Iberville reprend le poste de la Compagnie de la baie d'Hudson, qui était passé aux mains des Anglais. Malgré la victoire, le *Pélican*, un navire équipé de 44 canons, fait naufrage à l'embouchure de la rivière Nelson.

I. B. Scotin, *D'Iberville's ship «Pelican» wrecked off the Mouth of the Nelson* [Le naufrage du navire d'Iberville, le Pélican, à l'embouchure de la rivière Nelson], 1722.

Observez l'illustration ci-contre.

1. **Selon vous, pourquoi le *Pélican* a-t-il fait naufrage ?**
2. **Par quels moyens les hommes gagnent-ils la rive ?**

La guerre de la ligue d'Augsbourg, de 1689 à 1697

Plusieurs puissances européennes se liguent contre le roi de France, Louis XIV, qui veut étendre son influence et ses territoires partout en Europe. En Amérique, les Français et les Anglais, qui se font déjà concurrence, entrent officiellement en guerre en 1689. Depuis 1670, les hostilités sont déclenchées entre la Nouvelle-France et la Nouvelle-Angleterre à cause du jeu des alliances. Ainsi, les Iroquois, qui sont les alliés des Anglais, se sont déjà battus contre les Français.

En 1689, les Iroquois sèment la désolation à Lachine, près de Montréal. Frontenac, alors gouverneur de la Nouvelle-France, riposte en envoyant, à l'hiver 1690, des troupes composées de Français et d'Amérindiens qui terrorisent trois villages frontaliers de la Nouvelle-Angleterre. À l'été 1690, l'amiral anglais William Phipps se voit confier le commandement d'une expédition comprenant 32 navires et 2000 hommes. Phipps doit attaquer Québec. La ville, qui est protégée par une enceinte et une armée de 3000 hommes, est prête à riposter. Finalement, la bataille n'a pas lieu.

Pierre Le Moyne d'Iberville s'illustre durant cette première guerre intercoloniale en prenant possession, en 1694, du poste de la Compagnie de la baie d'Hudson, situé à l'embouchure de la rivière Nelson. Le poste change de mains plusieurs fois, mais d'Iberville le reprend de nouveau en 1697. Entre-temps, il ravage des postes de pêche et des forts anglais à Terre-Neuve et dans l'État du Maine actuel.

Le traité de Ryswick, signé en 1697, met fin à cette guerre. En Amérique, c'est le retour aux possessions d'avant la guerre, sauf à la baie d'Hudson où les Français conservent le plus important poste de traite, celui établi à la rivière Nelson. De leur côté, les Anglais gardent leurs postes de traite de la baie James.

1. En vertu de quel traité la France perd-elle la Nouvelle-France ?

2. Quel traité ne donne ni n'enlève de possessions à la France ?

Année	Nom de la guerre	Traité	Résultat
1689 - 1697	Ligue d'Augsbourg	Traité de Ryswick (1697)	La France conserve les mêmes possessions qu'avant la guerre.
1701 - 1713	Succession d'Espagne	Traité d'Utrecht (1713)	La France perd Terre-Neuve, l'Acadie et la baie d'Hudson.
1744 - 1748	Succession d'Autriche	Traité d'Aix-la-Chapelle (1748)	La France récupère Louisbourg.
1756 - 1763 (Europe) 1754 - 1760 (Amérique)	Guerre de Sept Ans (Guerre de la Conquête)	Traité de Paris (1763)	La France perd la Nouvelle-France, sauf les îles Saint-Pierre et Miquelon.

▲ **2.88 Les guerres européennes et les guerres intercoloniales, les traités conclus et leur résultat.**

Au fil des différentes guerres, le territoire de la Nouvelle-France est modifié.

La guerre de Succession d'Espagne, de 1701 à 1713

En Europe, l'enjeu est toujours de restreindre la volonté d'expansion de Louis XIV. Celui-ci veut profiter de la succession du roi d'Espagne pour placer un de ses proches sur ce trône et ainsi augmenter son pouvoir. En Amérique, la guerre entre la Nouvelle-France et la Nouvelle-Angleterre reprend, mais le contexte a beaucoup changé.

En effet, la Grande Paix de Montréal est signée en 1701 entre les Français, leurs alliés amérindiens de la région des Grands Lacs, les Iroquois et quelques nations de la région du Mississippi. À partir de ce moment, les Iroquois se déclarent neutres et n'interviennent plus dans les hostilités entre les Français et les Britanniques. Les affrontements se déplacent alors vers l'est, sur la côte de l'Atlantique, puisque la paix règne dans les régions situées à l'ouest de Montréal depuis la signature de la Grande Paix. En 1703, des Français et leurs alliés amérindiens, les Abénaquis, qui habitent ce territoire, attaquent des villages côtiers en Nouvelle-Angleterre (le Maine et le Massachusetts actuels). Les Britanniques ripostent, notamment en attaquant Port-Royal, en Acadie, en 1707, qui résiste aux assauts. Toutefois, une nouvelle attaque de Port-Royal, en 1710, fait passer l'Acadie sous le contrôle britannique. Terre-Neuve est également le théâtre d'affrontements.

En 1711, une importante flotte commandée par l'amiral anglais Hovenden Walker se dirige vers Québec, pendant qu'une armée de terre se dirige vers la vallée du Richelieu pour attaquer Montréal. Mais la flotte de l'amiral Walker perd une douzaine de bâtiments durant une grosse tempête dans le golfe du Saint-Laurent et rebrousse chemin. L'armée de terre fait demi-tour en apprenant cette mauvaise nouvelle.

En Europe, la France a essuyé plusieurs défaites contre la Grande-Bretagne. Le traité d'Utrecht de 1713, qui met fin à la guerre, est donc favorable aux Britanniques. La France choisit de céder des colonies, plutôt que du territoire en Europe. Elle cède la baie d'Hudson, Terre-Neuve ainsi que l'Acadie, à l'exception de l'île du Cap-Breton.

Compétence 2

Observez l'illustration ci-dessous.

1. **Décrivez les hommes qui attaquent le village.**
2. **Nommez un élément qui sert à protéger les lieux.**
3. **Quel moyen les attaquants utilisent-ils pour mettre le feu aux maisons ?**

▶ **2.89 L'incendie de Deerfield, au Massachusetts.**

En 1704, après avoir exercé des représailles contre les Abénaquis, les Britanniques subissent une attaque surprise dans le village de Deerfield. L'endroit est mis à sac.

Artiste inconnu, *Burning of Deerfield, Massachusetts, during an Indian attack, 1704* [L'incendie de Deerfield au Massachusetts au cours d'une attaque amérindienne, en 1704], œuvre non datée.

La guerre de Succession d'Autriche, de 1744 à 1748

Le conflit qui oppose les Français et les Britanniques en Europe entraîne peu de conséquences en Amérique. Les Français tentent de récupérer l'Acadie à partir de la ville forteresse de Louisbourg, mais ils échouent. La riposte britannique est couronnée de succès. Louisbourg, imprenable par la mer, est prise en 1745 grâce à une offensive terrestre. Un **blocus** maritime à l'entrée du golfe du Saint-Laurent perturbe ensuite de façon importante l'économie de la Nouvelle-France. Les Français ne subissent cependant aucune attaque directe.

Lors de la signature du traité d'Aix-la-Chapelle, en 1748, la France récupère Louisbourg et peut alors reconstruire les fortifications détruites par les Britanniques.

Blocus : Encerclement d'un littoral, d'un port ou d'un pays tout entier pour empêcher toute communication avec l'extérieur.

◀ **2.90 La capture de la forteresse de Louisbourg.**

En 1745, les Britanniques prennent d'assaut la forteresse de Louisbourg.

Artiste inconnu, *The surrender of the French fortress of Louisbourg on Cape Breton Island to British forces in 1745* [La reddition de la forteresse de Louisbourg dans l'île du Cap-Breton aux forces britanniques en 1745], 19e siècle.

◀ **2.91 La forteresse de Louisbourg aujourd'hui.**

Il est possible de visiter une partie de la forteresse française de Louisbourg, reconstruite dans les années 1960. Cet établissement historique est situé dans l'île du Cap-Breton, en Nouvelle-Écosse.

Quelle conséquence la guerre de la Succession d'Autriche a-t-elle eue pour la Nouvelle-France ?

Les étapes de la Conquête

Les conflits européens se transportent souvent en Amérique. La France et la Grande-Bretagne s'affrontent au cours de trois guerres avant la guerre de Sept Ans. Cette quatrième guerre oppose les colonies et aboutit à la disparition de la Nouvelle-France.

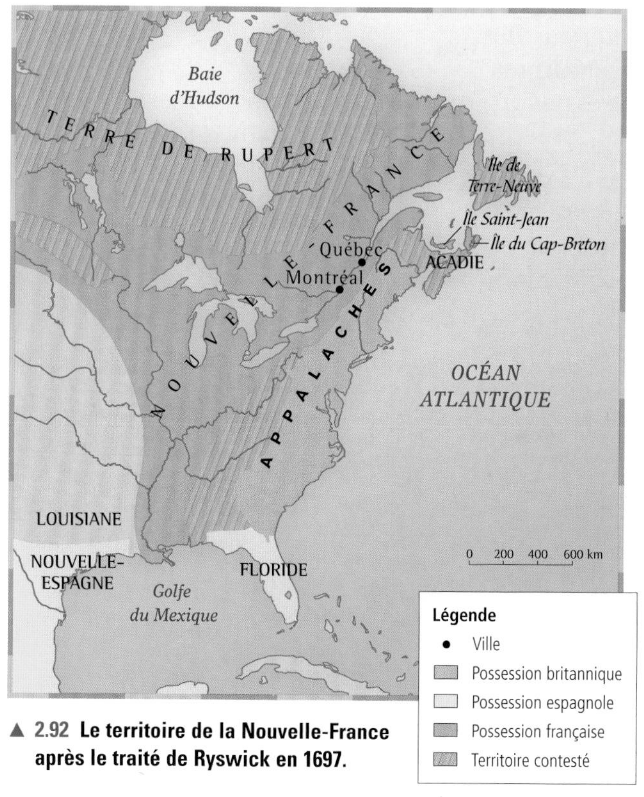

▲ **2.92 Le territoire de la Nouvelle-France après le traité de Ryswick en 1697.**

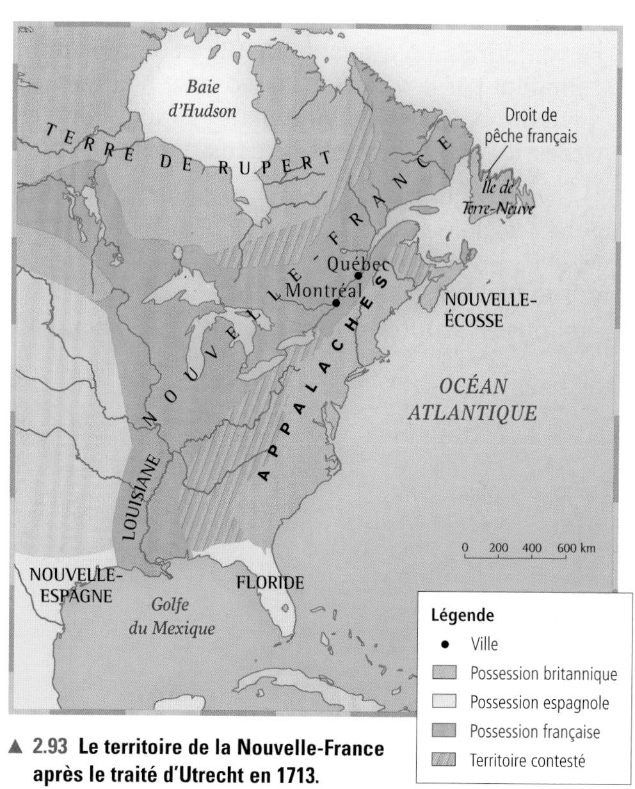

▲ **2.93 Le territoire de la Nouvelle-France après le traité d'Utrecht en 1713.**

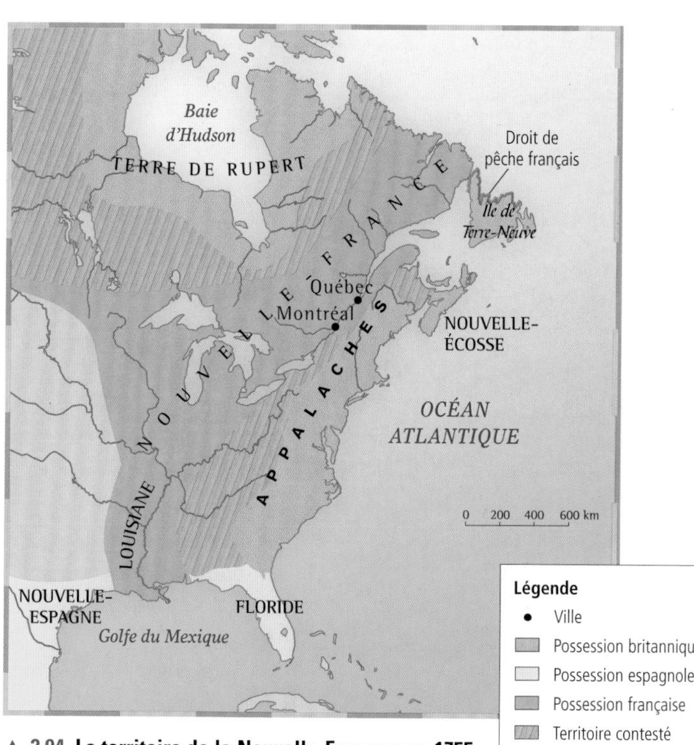

▲ **2.94 Le territoire de la Nouvelle-France vers 1755.**

Observez bien ces cartes qui représentent le territoire de la Nouvelle-France à trois périodes différentes.

1. **Le territoire de la Nouvelle-France a-t-il subi des pertes ou des gains durant la période de 1697 à 1755 environ ? Si oui, de quelles pertes ou de quels gains s'agit-il ?**
2. **Pourquoi les Treize colonies britanniques cherchent-elles, elles aussi, à étendre leur territoire en Amérique ?**

La guerre de la Conquête, de 1754 à 1760

La guerre entre la Nouvelle-France et les colonies britanniques d'Amérique du Nord débute dans la vallée de l'Ohio en 1754, avant même que la guerre soit déclarée entre la France et la Grande-Bretagne. Pour cette raison, en Amérique du Nord, cette guerre est aussi connue sous le nom de « Guerre de la Conquête ». Les habitants des Treize colonies, en particulier ceux de la Virginie, sont déjà à l'étroit sur la côte atlantique. Ils pénètrent donc à l'intérieur du continent par la vallée de l'Ohio et se heurtent aux Français. Après quelques batailles, les Virginiens abandonnent, entre autres, le fort Necessity qu'ils viennent de construire.

Des combats s'engagent aussi à la frontière qui longe les deux colonies, dans la bande de terre qui sépare la Nouvelle-Écosse et le Nouveau-Brunswick d'aujourd'hui. En 1755, les forts Beauséjour et Gaspereau tombent aux mains des Britanniques. Ils sont alors rebaptisés les forts « Cumberland » et « Moncton ».

Observez la carte ci-dessous. Selon vous, la Nouvelle-France avait-elle une chance, en 1754, de vaincre les Treize colonies lors d'un affrontement ? Justifiez votre réponse.

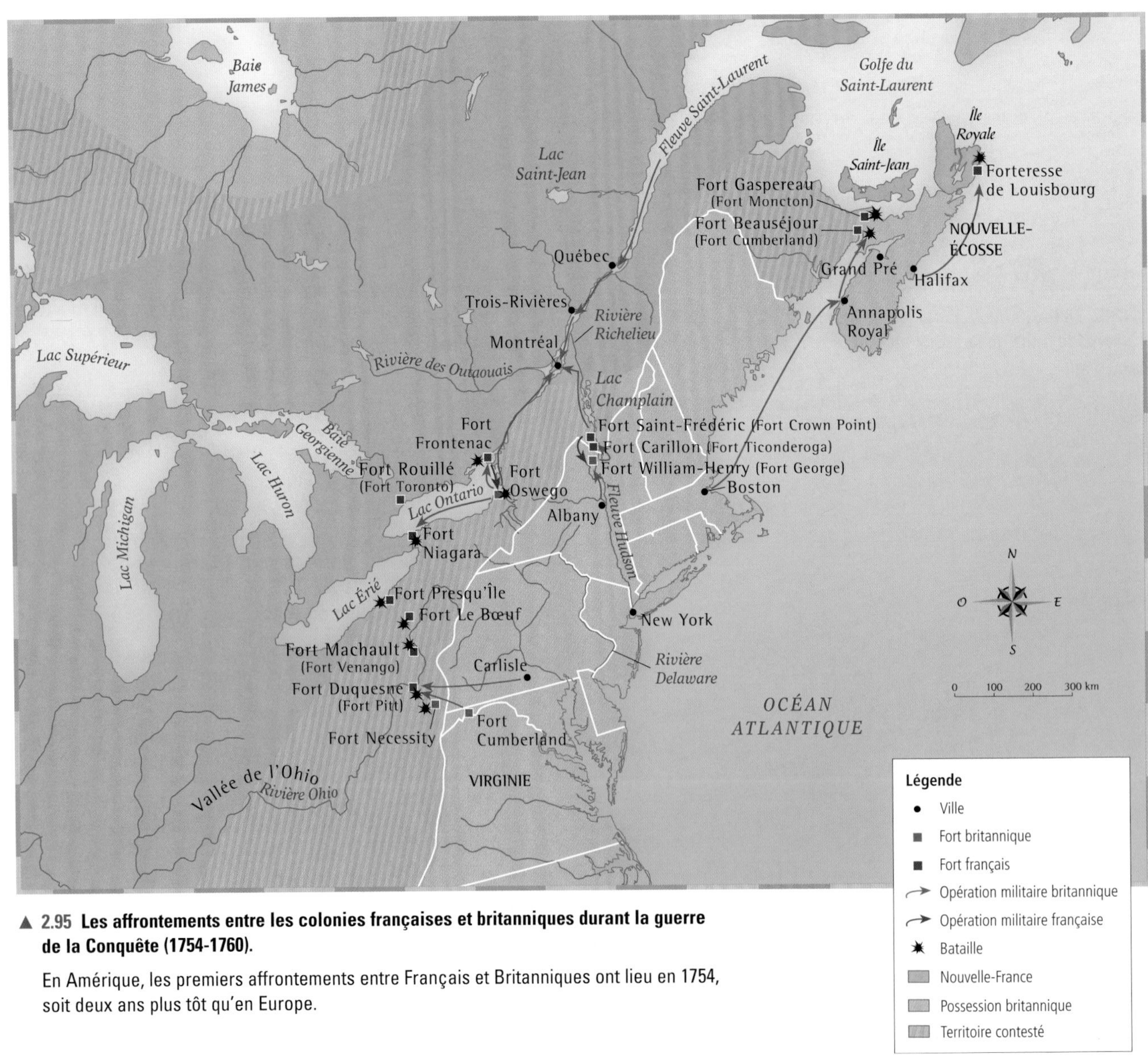

▲ 2.95 **Les affrontements entre les colonies françaises et britanniques durant la guerre de la Conquête (1754-1760).**

En Amérique, les premiers affrontements entre Français et Britanniques ont lieu en 1754, soit deux ans plus tôt qu'en Europe.

4.2 La déportation des Acadiens

Même si les Acadiens vivent sur un territoire sous domination britannique depuis 1713, ils refusent de prendre les armes aux côtés des Britanniques. Ils choisissent de rester neutres dans la guerre qui commence entre les Français et les Britanniques des colonies. Les autorités de Londres ne s'exposent à aucun risque. Afin d'éviter que les Acadiens prennent finalement le parti des Français et viennent grossir les rangs ennemis, elles déportent environ 9000 Acadiens de 1755 à 1763. Au moment de monter à bord des navires, des familles sont séparées. Bon nombre de déportés ne se reverront plus. Certains seront amenés dans les Treize colonies, d'autres en Grande-Bretagne et en France.

Après la chute de Louisbourg, en 1758, l'Acadie a perdu tout intérêt stratégique. Cette déportation a aussi pour objectif de s'approprier les terres fertiles des Acadiens, tant en Nouvelle-Écosse que dans l'île Saint-Jean (aujourd'hui l'Île-du-Prince-Édouard).

Où vont-ils ?

Un certain nombre d'Acadiens échappent à la déportation en se cachant dans les bois ou en se réfugiant en Nouvelle-France. En 1764, quand on les autorise enfin à rentrer chez eux, les Acadiens ont la mauvaise surprise de retrouver leurs terres occupées par des colons de langue anglaise. Certains s'installent à proximité de leurs anciens établissements. Petit à petit, leur communauté grossit et finit par donner naissance aux collectivités de langue française qui existent encore aujourd'hui en Nouvelle-Écosse, à l'Île-du-Prince-Édouard et au Nouveau-Brunswick. D'autres préfèrent rester en Gaspésie et dans la vallée du Saint-Laurent, où ils s'étaient réfugiés. D'autres encore choisissent plutôt de s'établir en Louisiane, où ils forment toujours une minorité importante.

▼ 2.96 La déportation des Acadiens.

Un jour de l'année 1755, les habitants de Grand Pré sont convoqués dans l'église de leur paroisse pour apprendre qu'ils sont prisonniers de guerre et que tous leurs biens leur sont confisqués.

C. W. Jefferys, *Reading the Order of expulsion to the Acadians in the parish Church at Grand Pre, in 1755* [Lecture de l'ordonnance d'expulsion des Acadiens dans l'église de Parish à Grand Pré en 1755], vers 1920.

Observez l'illustration ci-contre.

1. Décrivez les personnages qui la composent.

2. Selon vous, ce tableau rend-il bien ce que l'artiste a essayé de représenter ?

3. Quelle est la valeur de ce tableau comme source historique ?

4.3 La victoire des Britanniques

Le 17 mai 1756, alors que les colonies françaises et britanniques s'affrontent depuis deux ans en Amérique, l'Angleterre déclare la guerre à la France. Cette date marque le début officiel de la guerre de Sept Ans en Europe. Cette année-là et la suivante, la Nouvelle-France a l'avantage sur ses adversaires et réussit à prendre les forts Oswego (près du lac Ontario) et William-Henry (près du fleuve Hudson).

La Nouvelle-France connaît sa dernière victoire d'envergure au fort Carillon, en 1758. Ses effectifs, constitués de soldats réguliers, de miliciens canadiens et d'alliés amérindiens, réussissent à repousser l'armée d'invasion britannique, pourtant très supérieure en nombre. La même année, l'Angleterre mobilise des forces considérables pour éliminer une fois pour toutes la Nouvelle-France. La forteresse de Louisbourg et les forts Frontenac et Duquesne tombent aux mains des Britanniques. Le cœur de la Nouvelle-France est désormais ouvert aux invasions, par la route du golfe du Saint-Laurent ou du lac Ontario.

Le siège de Québec

Au début de l'année 1759, James Wolfe est nommé major général et commandant des forces de terre de l'expédition dirigée contre Québec. L'année précédente, il avait participé à la prise de Louisbourg. Le commandement des forces navales revient au vice-amiral Charles Saunders. Plus de 8000 soldats réguliers et près de 50 navires composent la flotte britannique.

Le 27 juin, le général Wolfe prend pied du côté sud de l'île d'Orléans. Il fait installer des canons sur les hauteurs de la pointe de Lévis, juste en face de Québec, puis bombarde la ville presque sans interruption, jusqu'à sa destruction quasi complète.

Observez l'illustration ci-dessous.

1. **Décrivez les dommages causés aux bâtiments.**
2. **Les ruines de quel type d'édifice aperçoit-on au centre de la place ?**
3. **Selon vous, que se disent les gens ?**

▼ **2.97 Des édifices en ruine après les bombardements de Québec.**

Plusieurs bâtiments ont dû être reconstruits à la suite des bombardements de la ville de Québec.

Dominic Serres, *Vue de l'église Notre-Dame-des-Victoires, à Québec*, 1760.

◀ **2.98 Le débarquement des troupes britanniques à l'anse au Foulon en 1759.**

La défaite des troupes françaises entraîne la capitulation de Québec.

Francis Swaine, *A View of the Launching Place Above the Town of Quebec, Describing the Assault of the Enemy, 13 September 1759* [Représentation du lieu de tir au-dessus de la ville de Québec, décrivant l'assaut de l'ennemi, 13 septembre 1759], 1763.

Les batailles de Québec

Pendant l'été, les établissements agricoles situés sur la rive sud du Saint-Laurent, à l'est de Québec, sont détruits. Le 31 juillet, une attaque est tentée contre la côte de Beauport. L'opération se solde par un échec. Dans la nuit du 12 au 13 septembre, James Wolfe mène un détachement par un chemin escarpé de l'anse au Foulon jusque sur les plaines d'Abraham. Plutôt que d'attendre l'arrivée des renforts, le général Montcalm décide de sortir de la ville de Québec, où il était à l'abri des fortifications, et d'engager le combat. Quelques minutes suffisent pour mettre les Français et les Canadiens en déroute.

Au cours de la bataille, James Wolfe est tué. Quant à Montcalm, il est blessé gravement et meurt peu de temps après. Laissée à elle-même, presque totalement rasée et privée de vivres, la ville de Québec capitule le 18 septembre.

▲ **2.99 La bataille de Québec.**

Cette bataille entre les Français et les Britanniques a coûté la vie à des centaines de personnes, dont Wolfe et Montcalm.

Augustus Tholey, *Major General James Wolfe and the Marquis de Montcalm at the Battle of Quebec, 13 September 1759* [Le général James Wolfe et le marquis de Montcalm lors de la bataille de Québec, le 13 septembre 1759], 1894.

La capitulation de la Nouvelle-France

En avril 1760, François Gaston de Lévis, successeur de Montcalm à la tête des troupes régulières françaises, défait les Britanniques au cours de la bataille de Sainte-Foy. Les Britanniques rentrent s'abriter dans les murs de Québec. Tous les espoirs reposent sur l'arrivée des renforts, car les armées manquent de vivres et de munitions. Un navire ennemi se présente le premier devant Québec : le *Lowestoft*. Il est suivi d'une flotte entière. Enfin, au cours de l'été, trois armées d'invasion britanniques convergent vers Montréal : l'une, à l'ouest, part du lac Ontario ; une autre, à l'est, remonte le fleuve Saint-Laurent ; une dernière, au sud, suit la rivière Richelieu. Les trois forts français situés le long du lac Champlain et de la rivière Richelieu, les forts Île-aux-Noix, Saint-Jean et Chambly, sont abandonnés devant l'avance ennemie. Montréal est encerclée de toutes parts. Pour éviter des morts inutiles, le gouverneur Vaudreuil décide de capituler lors d'un conseil de guerre tenu le 6 septembre 1760. La reddition est signée deux jours plus tard.

1. Dans le texte, on lit que « Québec capitule le 18 septembre ». Que signifie le mot « capituler » ?

2. Si Québec, haut lieu de l'administration de la Nouvelle-France, capitule, pourquoi les batailles se poursuivent-elles ?

ACTIVITÉ SYNTHÈSE

Comparaison de trois programmes de colonisation en Nouvelle-France

Vous connaissez maintenant les trois grands programmes de colonisation qui ont marqué l'histoire de la Nouvelle-France, soit celui des compagnies, celui de l'Église et celui de l'État. Afin d'organiser vos connaissances, résumez dans un tableau les aspects suivants de chaque programme :

- les principaux dirigeants ou participants (individus ou organisations) ;
- les objectifs ;
- les réalisations ;
- les principales difficultés de la mise en application.

Pour aller plus loin

1. Vous êtes responsable, en Nouvelle-France, de l'un des trois programmes de colonisation. Votre projet est commencé depuis déjà quelques années. Vous devez faire un rapport au roi de France sur l'état de la situation afin de le persuader que vos actions donnent des résultats.

   Faites ressortir les effets particuliers de votre programme en insistant, s'il y a lieu, sur les activités économiques, le peuplement de la colonie et vos relations avec les Amérindiens et la population établie en Nouvelle-France.

2. Vous avez appris que les territoires de la Virginie, du Brésil, des îles Moluques et de Pondichéry dépendent de diverses puissances européennes.

   Parmi ces quatre colonies, choisissez-en une et comparez les moyens utilisés pour la coloniser avec ceux utilisés en Nouvelle-France. Décrivez les ressemblances et les différences entre ces moyens. Utilisez les informations de votre manuel et complétez votre recherche à l'aide d'ouvrages ou de sites Internet fiables.

   Présentez vos informations sous la forme de votre choix : affiche, présentation multimédia ou autre.

1 L'État et le développement économique

▲ **2.100 Louis XIV.**

En 1663, Louis XIV met en place en Nouvelle-France une organisation administrative hiérarchisée, similaire à celle en vigueur en France.

Aux 16e et 17e siècles, la colonie de la Nouvelle-France appartient à l'Empire français. À cette époque, le territoire est placé sous l'autorité de compagnies qui possèdent le monopole du commerce des fourrures.

Après 1663, le roi de France décide de s'occuper de l'administration de la colonie. Il forme un gouvernement et nomme un gouverneur pour le représenter en Nouvelle-France. Le Conseil souverain se compose du gouverneur, de l'intendant, de l'évêque et de quelques conseillers.

Le gouvernement royal est aussi chargé de l'économie coloniale. Plusieurs mesures sont prises afin de diversifier l'économie et de développer certains secteurs, comme la construction navale et les forges. Le gouvernement investit dans la construction de fortifications et de routes. Il fixe le cours de la monnaie et le prix de plusieurs produits. Les efforts du gouvernement ne donnent pas tous les résultats escomptés, car les intérêts économiques de la colonie dépendent des intérêts de la métropole.

Relisez la définition du concept d'« État », à la page 102, et précisez la différence qui existe entre un État et une colonie, puis entre un État et un pays (État souverain).

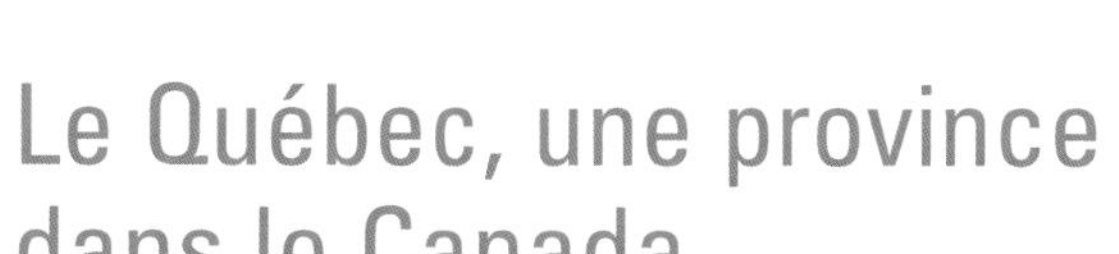

1.1 Le Québec, une province dans le Canada

Aujourd'hui, le Québec est une province de la confédération canadienne. Il est considéré comme un État ayant un statut de province, c'est-à-dire qu'il gouverne la population québécoise et gère son propre territoire. Selon l'organisation du système fédéral, certains pouvoirs sont partagés entre le gouvernement fédéral et les provinces. Le Québec, entre autres, exerce des compétences exclusives dans certains domaines, tels que la santé, l'éducation, la gestion des ressources naturelles (hydroélectricité, mines, forêts) ou les institutions municipales. D'autres pouvoirs relèvent du gouvernement fédéral, comme l'armée, la protection du territoire, les relations internationales, la monnaie et le droit criminel. Certaines compétences sont partagées par le gouvernement fédéral et les provinces, soit : l'agriculture, l'immigration, les transports et les communications.

▲ **2.101 La salle de l'Assemblée nationale.**

C'est dans cette salle de l'Assemblée nationale, appelée « Salon bleu », que siègent aujourd'hui les députés.

1.2 Le rôle de l'État

Aujourd'hui, l'économie est de type capitaliste. C'est d'ailleurs ce système économique qui prime dans la majorité des pays. La production de biens et de services appartient principalement à l'entreprise privée. Toutefois, l'État ne dépend pas complètement des entreprises. L'État canadien, comme l'État québécois, agit également comme un agent économique important. Il impose des règles à l'économie et se charge de redistribuer les richesses afin de réduire les inégalités sociales et économiques.

L'État produit aussi certains biens et services, comme c'est le cas dans les domaines de la santé et de l'éducation. Il contrôle des entreprises publiques, telles que Loto-Québec, Hydro-Québec et la Société des alcools du Québec (SAQ), et il exploite les richesses naturelles. De plus, l'État crée des lois en matière d'environnement et de protection du patrimoine. Il agit aussi à titre d'aide à l'entreprise privée lorsque cela s'avère nécessaire. Avant tout, l'État s'assure que l'économie favorise le mieux-être de tous les citoyens.

Pour comprendre le rôle de l'État dans le développement économique, on peut prendre pour exemple les deux principaux secteurs d'activité économique qui ont marqué le territoire et l'identité québécoise : l'hydroélectricité et l'industrie culturelle. Le gouvernement doit tenir compte de tous les acteurs économiques, des groupes sociaux ainsi que de la population qu'il représente.

Selon vous, quel rôle l'État peut-il jouer pour diminuer l'écart entre les citoyens riches et les citoyens pauvres ?

▼ **2.102 Le centre-ville de Montréal.**

Montréal est la « capitale » économique du Québec. Toutefois, l'écart entre le revenu des citoyens riches et celui des citoyens pauvres a tendance à se creuser.

1.3 L'État et le potentiel énergétique

Enjeu

Aujourd'hui, l'État québécois agit comme un agent économique important. Il cherche à préserver et à développer toutes les ressources naturelles, humaines et culturelles présentes sur son territoire. Le gouvernement s'assure que l'économie favorise le mieux-être de tous les citoyens et de toutes les citoyennes.

Le Québec d'aujourd'hui bénéficie pleinement de la mise en valeur de son territoire. Cela n'a pas toujours été le cas dans le passé, comme l'histoire nous le rappelle. Aux premiers temps de la Nouvelle-France, les nombreuses richesses de son vaste territoire ne profitent qu'aux compagnies marchandes et, ultimement, au roi. La doctrine économique de l'époque, le mercantilisme, structure les relations entre la jeune société française d'Amérique et sa métropole. Celle-ci tire profit des ressources que la Nouvelle-France lui fournit. Les habitants de la colonie ne peuvent cependant s'occuper de la gestion de leurs ressources.

L'État québécois moderne possède, quant à lui, l'entière responsabilité de son territoire. Toutes les décisions concernant son exploitation se prennent à l'Assemblée nationale. L'objectif premier du gouvernement est de s'assurer que ses ressources profitent à l'ensemble des citoyens. En cherchant à répondre à ses besoins par ses propres moyens, le Québec développe son autonomie à l'endroit des autres provinces canadiennes et des pays étrangers. De plus, les atouts géographiques de la province sont nombreux : richesse des mines, terres fertiles, forêts immenses, milliers de lacs et de rivières, réserves d'eau douce parmi les plus importantes du monde.

Le Québec d'aujourd'hui se distingue particulièrement au chapitre énergétique. Le développement de son potentiel hydroélectrique lui assure un avantage stratégique sur le continent. Cependant, bien que la construction de barrages hydroélectriques entraîne de nombreuses retombées économiques au Québec, elle ne fait pas toujours l'unanimité parmi les divers groupes sociaux qui composent la société québécoise.

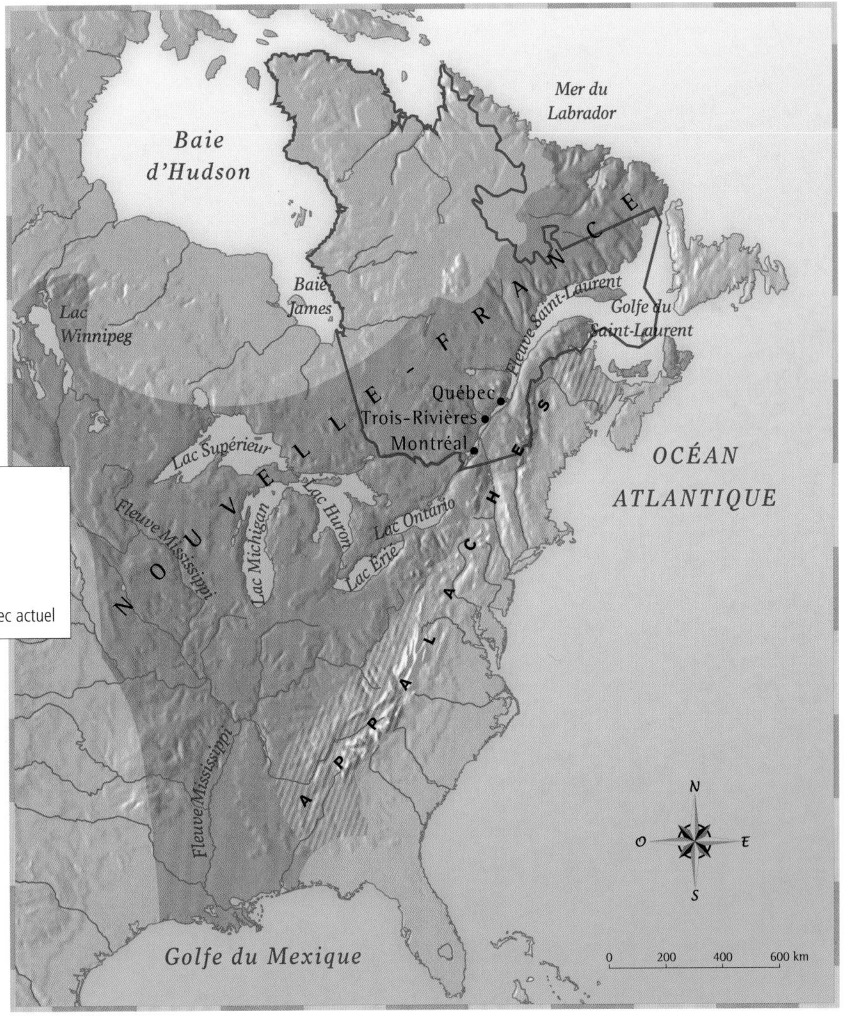

▶ **2.103 Le territoire de la Nouvelle-France en 1745 et celui du Québec actuel.**

La situation géographique du Québec est très avantageuse. À l'est, le golfe du Saint-Laurent donne accès à la mer et aux provinces maritimes. Cette ouverture sur l'océan Atlantique permet au Québec d'entretenir des liens commerciaux avec le monde. Au sud, se trouvent les États-Unis, notre partenaire commercial le plus important.

Les intérêts en jeu

Le débat entourant la dérivation de la rivière Rupert, dans le cadre du projet hydroélectrique Eastmain-1-A, oppose des groupes aux intérêts très différents. Le régime démocratique permet aux citoyens de ne pas être en accord avec leur gouvernement. Les discussions et les négociations sont donc nécessaires afin d'obtenir l'appui et la participation du plus grand nombre.

Le gouvernement du Québec agit d'abord en tant que promoteur du projet par l'entremise de son entreprise publique, Hydro-Québec. Il cherche avant tout à augmenter la production d'électricité de la province afin de lui garantir une plus grande autonomie énergétique. Avec Eastmain-1-A, le Québec pourrait même disposer de surplus qu'Hydro-Québec pourrait exporter pendant quelques années, notamment vers d'autres provinces comme l'Ontario.

Le projet entraîne également des retombées économiques de toutes sortes. Par exemple, des contrats sont octroyés à plusieurs entreprises pour l'exécution des travaux. Durant la phase de réalisation, des milliers de personnes iront travailler sur ce vaste chantier. Les régions du Nord-du-Québec, d'Abitibi-Témiscamingue et du Saguenay–Lac-Saint-Jean sont parmi celles qui bénéficieront le plus de ces retombées.

Nommez les nations autochtones qui vivent à proximité du réseau hydroélectrique.

▼ **2.104 Les territoires de production d'électricité au Québec, en 2007.**

L'immense territoire québécois, d'une superficie de 1 667 441 kilomètres carrés, et son réseau de centrales hydroélectriques.

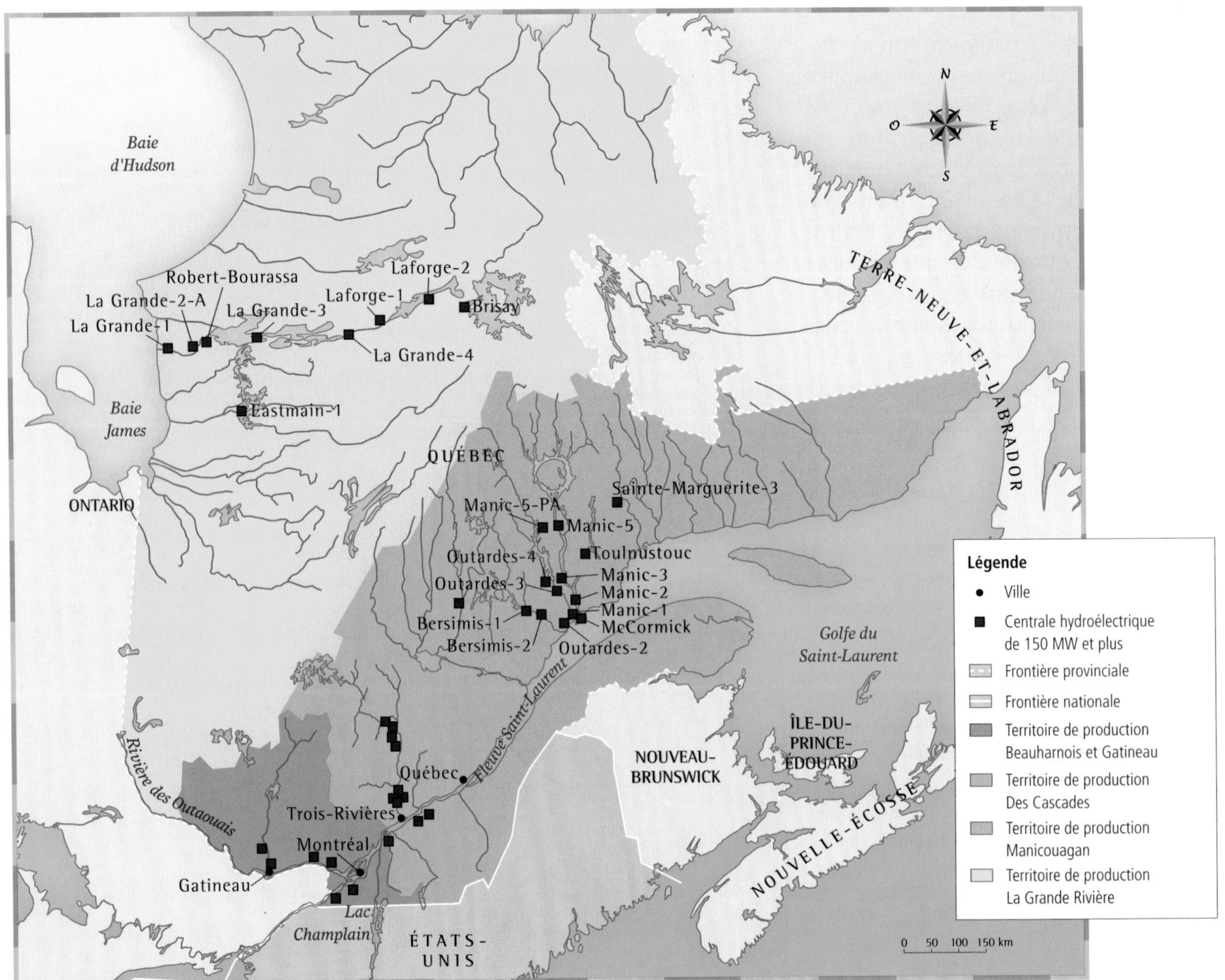

Le Québec consomme des quantités égales d'électricité et de pétrole. L'eau et le relief accidenté du territoire assurent plus de 96 % de la production électrique québécoise. Or, le Québec ne compte qu'une petite réserve de pétrole. Il existe donc un lien de dépendance énergétique qui unit le Québec aux régions productrices de pétrole dans le monde. Inversement, les provinces canadiennes ou les États américains vivent la même situation de dépendance vis-à-vis du Québec, car ils ne produisent pas suffisamment d'hydroélectricité. En augmentant la production d'hydroélectricité, le gouvernement québécois assure une plus grande autonomie aux citoyens et, par la même occasion, favorise le développement économique de la province.

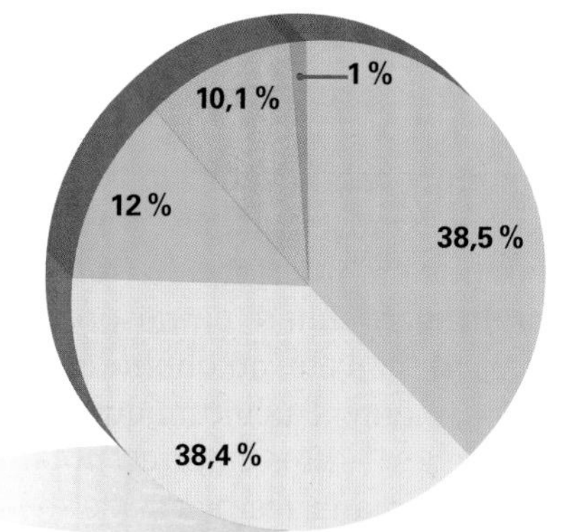

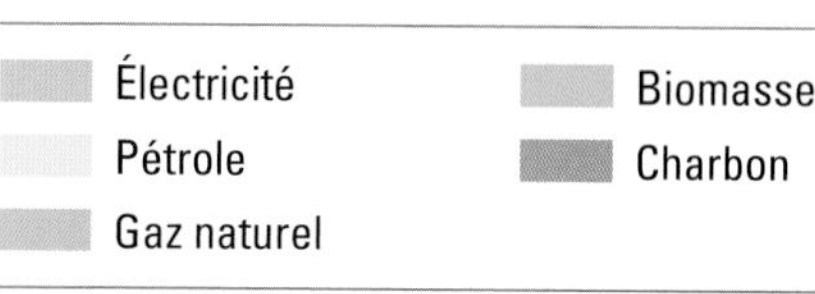

▲ **2.105 Les différentes sources d'énergie consommées au Québec en 2003 .**

Source : MINISTÈRE DES RESSOURCES NATURELLES ET DE LA FAUNE, *L'énergie au Québec*, édition 2004.

Un projet controversé

Les opposants au projet Eastmain-1-A, conscients de ses aspects négatifs, dénoncent les coûts environnementaux et sociaux d'une telle entreprise. D'une part, ils tiennent compte de ses répercussions sur la vie des groupes autochtones, puisque c'est sur leur territoire que seront construits les futurs barrages. Leur mode de vie traditionnel, fondé sur la chasse et la pêche, est menacé par les inévitables inondations que provoquent ces travaux. D'autre part, les groupes environnementaux craignent les effets négatifs de ce bouleversement sur l'écosystème.

Pour les citoyens, plusieurs questions se posent. Quels seront les effets du projet sur la faune et la flore ? Le Québec a-t-il vraiment besoin d'une nouvelle centrale ? Ne pourrait-il pas assurer son autonomie en réduisant sa consommation d'énergie, qui compte parmi les plus élevées de la planète ? Le développement durable du Québec est-il ainsi assuré ? Autant de questions essentielles pour lesquelles le gouvernement doit offrir des garanties. En janvier 2007, après un long processus de consultation, le premier ministre du Québec, Jean Charest, a procédé au lancement officiel des travaux de construction de la centrale hydroélectrique Eastmain-1-A. La mise en service de la centrale est prévue pour le début de l'année 2012.

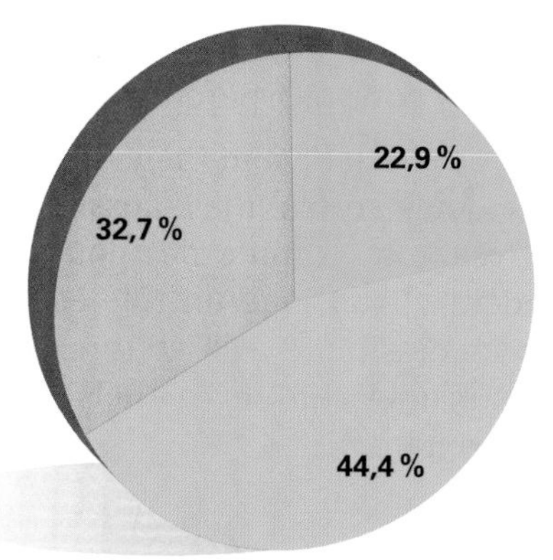

Mer du Nord
Afrique, Moyen-Orient et autres pays
Amérique (y compris le Canada)

▲ **2.106 Les sources d'approvisionnement en pétrole brut du Québec en 2003.**

Source : MINISTÈRE DES RESSOURCES NATURELLES ET DE LA FAUNE, *L'énergie au Québec*, édition 2004.

◀ **2.107 La rivière Rupert.**

Le projet de la centrale Eastmain-1-A prévoit la dérivation de l'une des dernières grandes rivières vierges du monde.

1.4 L'industrie culturelle et l'intervention de l'État au Québec

La culture est un véhicule important de l'identité québécoise, d'autant plus que le Québec est la seule province majoritairement francophone en Amérique du Nord. La société québécoise possède une culture particulière en raison de ses racines françaises, mais aussi de son désir d'être autonome et différente de la société anglo-saxonne environnante. La culture québécoise s'est épanouie malgré la forte influence d'autres cultures, notamment la culture américaine. C'est par les romans, les pièces de théâtre, les films et les autres formes d'art que s'expriment les différences culturelles de la société québécoise par rapport à celles du reste du Canada et du monde entier. C'est par sa culture, entre autres, que le Québec se différencie en tant que «société distincte» en Amérique du Nord.

L'expression de la culture donne naissance à une industrie vaste et diversifiée, que ce soit la production télévisuelle, cinématographique ou littéraire, pour ne nommer que celles-là. Cette industrie culturelle est étroitement liée à l'économie, car elle génère des millions de dollars grâce à la vente de disques, de livres, de billets de spectacle, de cinéma, de théâtre, etc. Mais la culture ne peut pas vivre et s'épanouir sans un soutien financier, surtout dans un marché relativement petit comme celui du Québec. Ainsi, l'industrie culturelle dépend-elle non seulement des lois de l'offre et de la demande, mais aussi d'un soutien financier et organisationnel pour prospérer et se diversifier.

Ce soutien vient bien sûr des spectateurs et des amateurs d'art de toutes sortes, mais aussi du milieu des affaires, de donateurs privés, tout comme des gouvernements municipal, provincial et fédéral. L'État joue un rôle essentiel dans le soutien à la création et l'accessibilité à la culture. La majorité des productions et des organismes culturels actuels subsistent grâce aux soutiens gouvernementaux.

« L'industrie culturelle rapporte certes de gros revenus, mais ces revenus ne vont pas nécessairement aux artistes et aux créateurs ou auteurs, mais bien souvent aux distributeurs, aux producteurs et aux investisseurs. L'industrie demeure fragile et dépend souvent du succès de quelques films ou de quelques auteurs ou chanteurs.

La culture et les communications créent quelque 177 000 emplois directs et indirects, et représentent un poids économique de 13,6 milliards de dollars (environ 8,4 % du produit intérieur brut). En chiffres, l'importance de la culture dans l'économie québécoise est comparable à celle de l'agriculture, des forêts, des mines et des pêcheries réunies... »

Source: Ministère de la Culture et des Communications, Direction des communications. *Culture Québec: Une culture qui voyage*, 2001, p. 15.

Selon vous, quel rôle l'État doit-il jouer pour assurer l'autonomie des créateurs, des artistes et de l'industrie culturelle au Québec ?

▲ **2.108 Les vitraux de la station de métro Champ-de-Mars, à Montréal.**

Ces vitraux ont été créés par l'artiste québécoise Marcelle Ferron (1924-2001). Elle est l'une des signataires du *Refus global*, un manifeste rédigé en 1948, dans lequel est exprimé un besoin de changement vis-à-vis des valeurs traditionnelles du Québec.

L'aide à la culture

Dans le domaine de la culture, tous les ordres de gouvernement (fédéral, provincial et municipal) participent au financement des arts. Les provinces ont un ministère responsable de la culture. Le ministère des Affaires culturelles du Québec a été créé en 1961 afin de favoriser le développement de la culture québécoise. Il est intervenu activement au cours des années dans plusieurs domaines de l'industrie culturelle, comme le cinéma, les livres et les disques.

Certains gouvernements forment également des organismes spécialisés dans la promotion d'industries culturelles. En 1992, le gouvernement du Québec a décidé de créer deux sociétés d'État, le Conseil des arts et des lettres du Québec (CALQ) et la Société de développement des entreprises culturelles (SODEC), dans le but de mieux répondre aux besoins de l'industrie culturelle au Québec.

▲ **2.109 Une artiste autochtone fabriquant une sculpture en stéatite (pierre à savon).**

Le gouvernement du Québec soutient aussi l'art des Premières Nations.

La richesse de la culture

L'industrie culturelle est certes florissante au Québec, comme elle l'est partout dans le monde. Cependant, la mondialisation des marchés, l'accessibilité aux autres cultures par les divers modes de communication (Internet, télévision, cinéma, etc.) et les accords de libre-échange, risquent d'étouffer la culture québécoise. La compétition (films américains, livres d'auteurs français, disques de rock anglais, etc.) est inévitable. La culture québécoise doit-elle aussi exporter ses produits et se faire connaître partout dans le monde ?

Dans tous les pays, la culture se nourrit tout autant des influences extérieures que de l'élan créatif des artistes locaux. Toutefois, les cultures propres à chaque pays et aux différentes communautés qui les composent doivent être protégées. C'est à cette condition que leur survie, leur originalité et leur diversité seront assurées. Pour cette raison, le gouvernement canadien, appuyé par le gouvernement du Québec, a participé activement à l'adoption de la Convention sur la protection et la promotion de la diversité des expressions culturelles de l'Organisation des Nations unies pour l'éducation, la science et la culture (UNESCO) en 2005. Cette convention internationale réaffirme la nécessité de préserver toutes les cultures et les identités, notamment dans un contexte de mondialisation culturelle et économique croissante.

▶ **2.110 La culture au cœur de la ville.**

On peut voir cette sculpture de Raymond Mason, intitulée *La foule illuminée*, au centre-ville de Montréal.

ACTIVITÉ DÉBAT

Le financement de la culture

L'industrie culturelle québécoise, bien qu'active et diversifiée, reste fragile. Elle permet le rayonnement de la culture québécoise, mais demeure dépendante du soutien du gouvernement, et aussi de l'amour et du sentiment d'appartenance qu'éprouvent les Québécois envers cette culture. Pour plusieurs, le financement des artistes et de l'industrie culturelle est indispensable à sa vitalité, et même à sa survie.

L'investissement de fonds publics dans la promotion de l'art demeure toutefois controversé. Certaines personnes considèrent que ces fonds peuvent servir à d'autres fins, comme la lutte à la pauvreté ou l'amélioration des soins de santé. Le financement des arts soulève aussi un certain nombre de questions. À quoi servent la culture et les arts dans une société ? Est-ce que l'art doit être rentable ?

▲ 2.111 **Un plateau de tournage.**

L'État fournit une part importante dans le financement du cinéma Québécois.

pour

- La culture forme la pierre angulaire de l'identité québécoise.
- Sans financement gouvernemental, l'industrie culturelle québécoise (émissions de télévision, films, livres) n'aurait pu ni voir le jour ni entrer en compétition avec les produits culturels des autres pays, notamment ceux des États-Unis.
- Si nous ne fabriquons pas un grand nombre de produits culturels spécifiques à notre manière d'être, nous serons rapidement engloutis par la quantité prodigieuse de films et de livres mis en marché par les Américains et les Européens.
- Certaines œuvres subventionnées par les organismes gouvernementaux ont grandement contribué au rayonnement de l'identité culturelle québécoise sur la scène internationale.
- Comme c'est le cas dans d'autres domaines, tels que le tourisme et les sports, la culture est un moteur économique important dont les retombées ne sont plus à démontrer.
- Sans financement gouvernemental, beaucoup moins de Québécois peuvent avoir accès aux produits culturels québécois, aux musées, aux bibliothèques, aux théâtres et aux salles de spectacle.

contre

- La culture subventionnée entraîne la création de produits de moindre valeur sur le marché. Les produits de qualité rapportent beaucoup plus. L'industrie culturelle doit être rentable et autosuffisante.
- Les événements subventionnés ne produisent pas toujours les retombées auxquelles on peut s'attendre. Il arrive parfois que ce soit un fiasco.
- Les consommateurs choisissent eux-mêmes les produits culturels qu'ils veulent consommer. Si leurs choix se portent vers les films américains, cela signifie sans doute que ces produits sont plus intéressants que les nôtres. C'est la loi de l'offre et de la demande qui s'applique. Après tout, l'anglais est la langue la plus répandue en Amérique du Nord !
- Il vaut mieux encourager le soutien matériel de particuliers plutôt que de compter sur une aide gouvernementale. Les industries culturelles québécoises doivent trouver de nouvelles formes de financement, ou encore réajuster leurs budgets de façon réaliste, et selon leurs propres moyens.
- Le gouvernement n'a pas à soutenir la culture. Elle doit subsister par elle-même.

En tant que citoyen ou citoyenne, quelle est votre position par rapport au financement des arts ? Expliquez votre point de vue.

ACTIVITÉ MÉTHO

Recueillir l'information : la critique du document

Les documents écrits (article de journal, lettre, traité, etc.) sont les principaux matériaux avec lesquels l'histoire se construit. Il faut donc être prudent avant de les utiliser. Certains documents peuvent être des faux ; d'autres peuvent fournir des informations erronées, incomplètes ou déformées par rapport à la réalité. En histoire, la démarche qui consiste à s'interroger sur les documents que l'on utilise est appelée la « méthode critique ».

Répondez aux questions suivantes afin de déterminer la valeur de l'extrait ci-contre.

- Qui a produit le document ?
- À quelle date a-t-il été produit ? La personne qui l'a produit avait-elle une opinion à défendre ? Avait-elle accès à la bonne information ? Était-elle un témoin direct ?
- D'où vient ce document ?
- Quel est le titre de ce document ?
- Quel était le destinataire ou le public visé ?
- Quelles raisons ou motivations ont amené l'auteur à rédiger ce texte ?

Extrait du mémoire de Champlain à Louis XIII (1618)

« […] divers peuples et nations [nous] ont donné […] le moyen de parvenir facilement au Royaume de la Chine et Indes orientales, d'où l'on tirerait de grandes richesses ; outre le culte divin qui s'y pourrait planter, comme le peuvent témoigner nos religieux récollets, plus l'abondance des marchandises dudit pays de la Nouvelle-France, qui se tirerait annuellement par la diligence des ouvriers qui s'y transporteraient. […]

[Il sera] nécessaire pour s'établir fermement dans ledit pays de la Nouvelle-France […] afin que ce saint œuvre soit béni de Dieu, d'y mener d'abord quinze religieux récollets, lesquels seront logés en un cloître qui sera fait proche de ladite église du Rédempteur.

[Il faudra aussi] y mener trois cents familles chacune composée de quatre personnes, savoir le mari et la femme, fils et fille, ou serviteur et servante, au-dessous de l'âge de vingt ans, savoir les enfants et les serviteurs.

[Nous aurons aussi besoin] d'y porter la force, laquelle sera de trois cents bons hommes bien armés et disciplinés, et lesquels néanmoins ne laisseront de travailler à tour de rôle à ce qui sera nécessaire […] »

Source : Jacques LACOURSIÈRE, Jean PROVENCHER et Denis VAUGEOIS, *Canada-Québec, synthèse historique 1534-2000*, Sillery, Septentrion, 2001, p. 49.

PROJET ORDI

La ligne à remonter dans le temps

La ligne du temps est un outil très utile pour observer la succession des événements dans une période donnée. C'est aussi une manière intéressante de présenter en un coup d'œil les faits historiques rattachés à une époque.

Dans ce dossier, vous avez vu comment les différents programmes de colonisation ont contribué à l'émergence d'une société en Nouvelle-France. À l'aide d'un logiciel de traitement de texte, construisez une ligne du temps couvrant l'ensemble de ces programmes et inscrivez-y les événements que vous jugez les plus importants. Utilisez l'information contenue dans votre manuel. Sur votre ligne du temps, vous devrez placer :

- des repères de temps pour diviser l'ensemble de votre ligne ;
- les années pendant lesquelles les événements évoqués se sont déroulés ;
- une brève description de ces événements ;
- des images qui illustrent les années représentées.

Bon travail !

Dossier 3 Le changement d'empire

Au Québec, des institutions publique comme les écoles francophones et anglophones, le droit civil, inspiré du droit civil français, et la common law, d'origine britannique, coexistent depuis la Conquête. Quelles autres institutions cohabitent depuis cette époque ? Quelle est leur place aujourd'hui dans la société québécoise ?

La Conquête de 1760 met fin au Régime français et à l'existence de la Nouvelle-France. Le changement d'empire bouleverse la vie sociale, politique et économique de la Nouvelle-France, désormais appelée par les Britanniques « Province of Quebec ». Une menace plane sur la langue française, la religion catholique et le droit civil français. Comment les habitants s'adaptent-ils à la nouvelle réalité?

De nos jours, les institutions francophones et anglophones sont bien enracinées. Est-ce que ces institutions sont semblables ou différentes ? En quoi leur coexistence sert-elle les intérêts des citoyens du Québec ? Avec l'apport des immigrants, la société québécoise est aussi devenue multiculturelle. Comment les diverses communautés cohabitent-elles au Québec ?

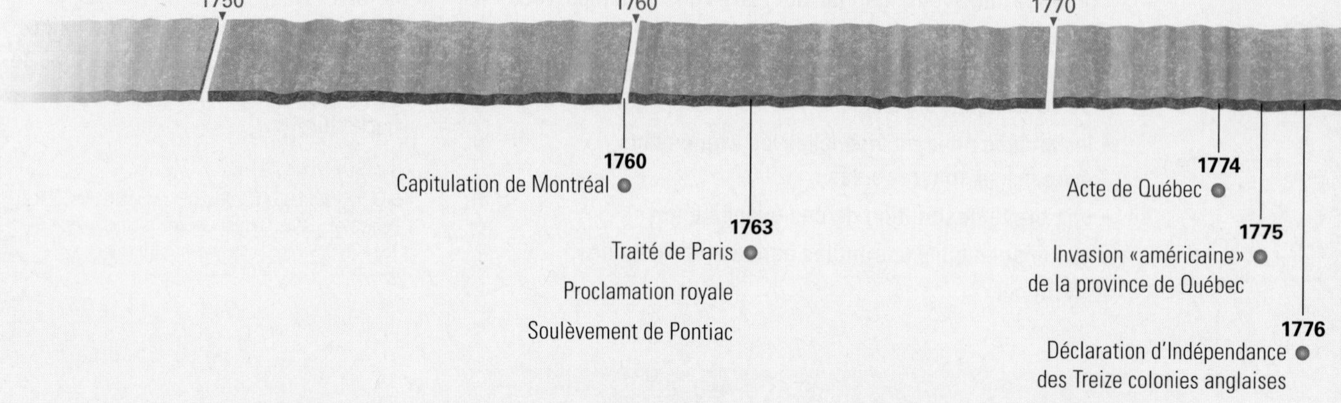

Observez les éléments qui composent cette illustration. À quels détails voyez-vous que la capitulation finale s'est déroulée à Montréal plutôt qu'à Québec ?

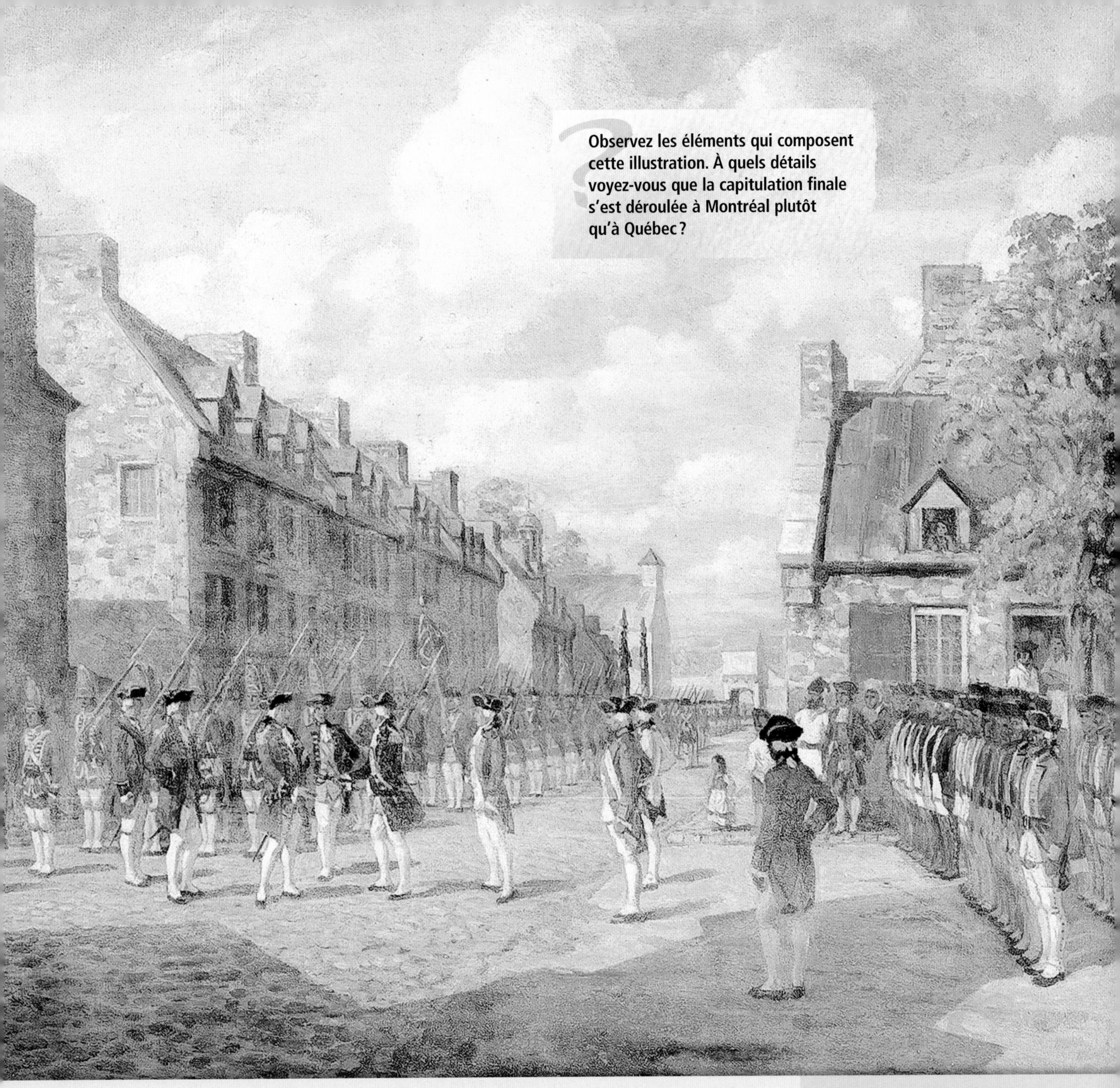

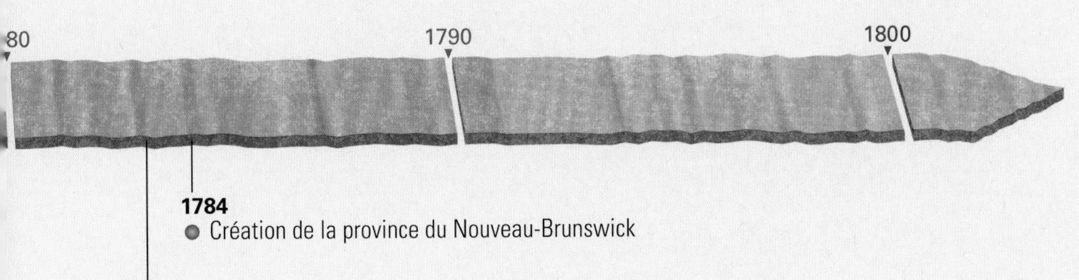

▲ **3.1 L'entrée des troupes britanniques dans la ville de Montréal après la capitulation de 1760.**

Le 8 septembre 1760, le gouverneur général de la Nouvelle-France, Pierre de Vaudreuil, signe la capitulation de Montréal.

Adam Sherriff Scott, *L'entrée des troupes britanniques à Montréal, en 1760*, vers 1928.

◀ **3.2 Les débuts du Régime britannique dans la province de Québec.**

Le changement d'empire entraîne des conséquences importantes dans la colonie.

Sommaire

Conquête

Les concepts que vous verrez dans ce dossier

Concept central
- **Conquête**

Concepts particuliers
- Droit
- Économie
- Éducation
- Langue
- Loyalistes
- Pouvoir
- Religion

Concepts communs
- Enjeu
- Société
- Territoire

Le changement d'empire

Un territoire À EXPLORER

Le partage des empires en Amérique du Nord en 1763

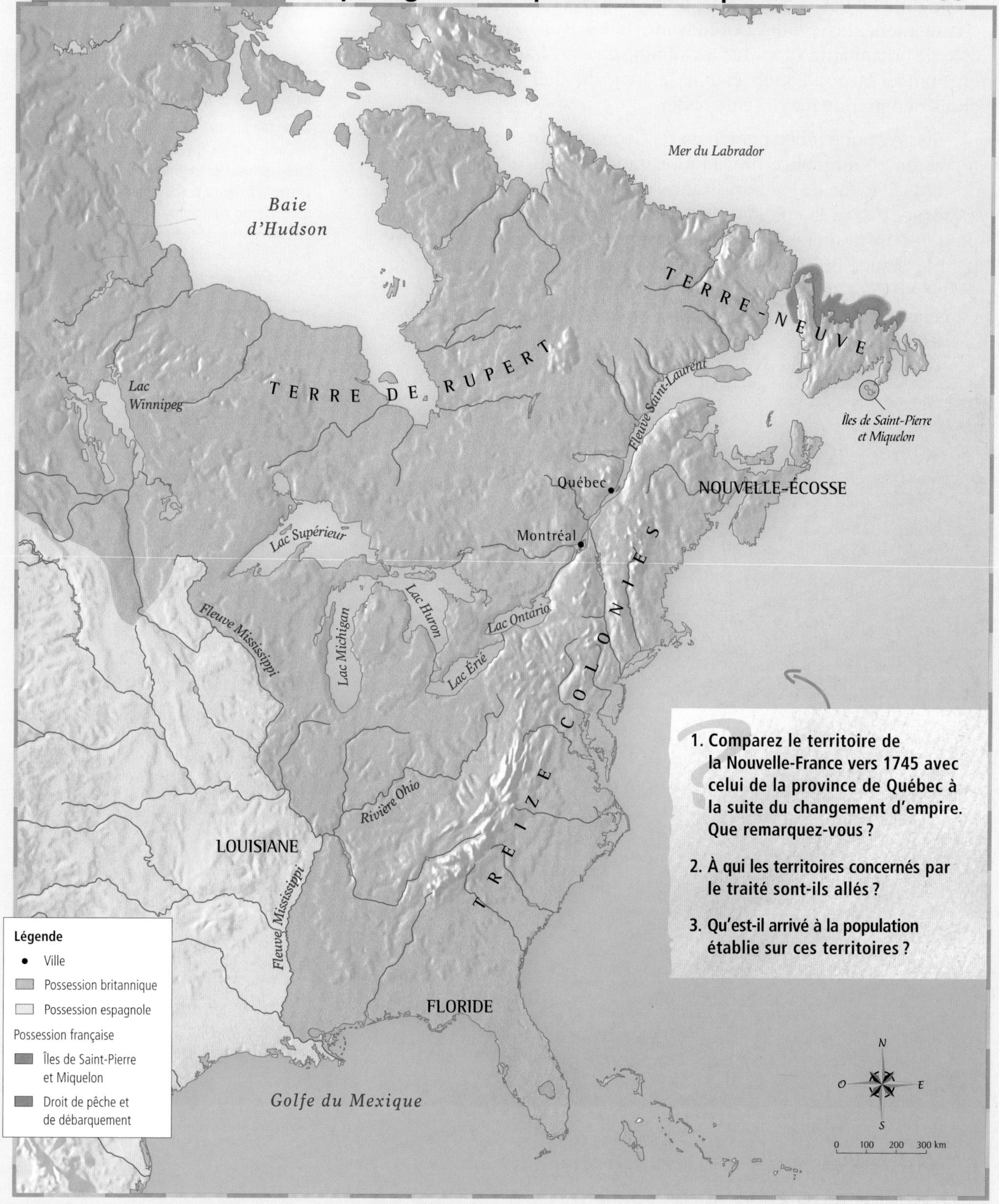

Mer du Labrador

Baie d'Hudson

TERRE-NEUVE

TERRE DE RUPERT

Lac Winnipeg

Fleuve Saint-Laurent

Îles de Saint-Pierre et Miquelon

Québec

NOUVELLE-ÉCOSSE

Montréal

Lac Supérieur

Lac Huron

Lac Michigan

Lac Ontario

Lac Érié

Fleuve Mississippi

TREIZE COLONIES

Rivière Ohio

LOUISIANE

FLORIDE

Golfe du Mexique

Légende

- Ville
- Possession britannique
- Possession espagnole

Possession française

- Îles de Saint-Pierre et Miquelon
- Droit de pêche et de débarquement

N, O, E, S

0 100 200 300 km

1. Comparez le territoire de la Nouvelle-France vers 1745 avec celui de la province de Québec à la suite du changement d'empire. Que remarquez-vous ?
2. À qui les territoires concernés par le traité sont-ils allés ?
3. Qu'est-il arrivé à la population établie sur ces territoires ?

▲ **3.3** Le traité de Paris de 1763 met fin à la guerre de Sept Ans.

1 L'identité du Québec

Au lendemain de la Conquête, les habitants d'origine française, qu'on appelle des «Canadiens», doivent apprendre à vivre avec un changement de régime. Dorénavant, la Nouvelle-France est une colonie britannique. Alors que les administrateurs français retournent en France, la population établie le long du fleuve Saint-Laurent choisit en grande majorité de rester.

En 1763, une proclamation du roi Georges III amène des changements en ce qui concerne l'administration de la colonie. L'anglais devient la langue de l'administration et les lois britanniques entrent en vigueur dans la colonie. Une période d'incertitude commence pour les institutions françaises. Devant la menace que constitue pour la Grande-Bretagne l'agitation des Treize colonies, le gouverneur décide, en 1774, de faire des concessions afin de s'assurer la fidélité des Canadiens. Depuis, ces deux peuples et leurs institutions ont réussi à coexister.

▼ **3.4 La ville de Québec partiellement détruite après la Conquête.**

Dans les premières décennies qui suivent la Conquête, la Nouvelle-France devient une colonie britannique dirigée par des administrateurs civils et militaires. L'Église protestante s'implante dans la colonie. Le commerce dépend entièrement des capitaux britanniques, et l'anglais est la langue des affaires et de l'administration.

Richard Short, *Une vue de l'archevêché et des ruines autour, tels qu'on peut les voir en montant de la basse-ville (Québec)*, 1761.

HIER

1. Décrivez l'état général dans lequel se trouve cette partie de la ville.
2. Quelle impression cette image vous laisse-t-elle ?

1.1 La dualité linguistique

La question de la double identité linguistique se pose au Canada et au Québec depuis l'époque de la Conquête. Au Canada, le français demeure minoritaire. Le Québec, au contraire, détient une forte majorité de Québécois de langue française. La société québécoise se compose majoritairement d'une population francophone et, dans une moindre proportion, d'une population anglophone bien enracinée. En raison d'une forte immigration, la population est aussi de plus en plus diversifiée au point de vue ethnique.

Même si le nombre total de francophones a augmenté au Canada, le pourcentage de personnes qui ont le français comme langue maternelle a diminué. Ainsi, au Canada, depuis 1971, la proportion de francophones est passée de 26,9 % à 22,9 %. Au Québec, cependant, cette proportion a légèrement augmenté depuis 30 ans.

Définissez en vos propres mots le terme « dualité » dans l'expression « dualité linguistique ».

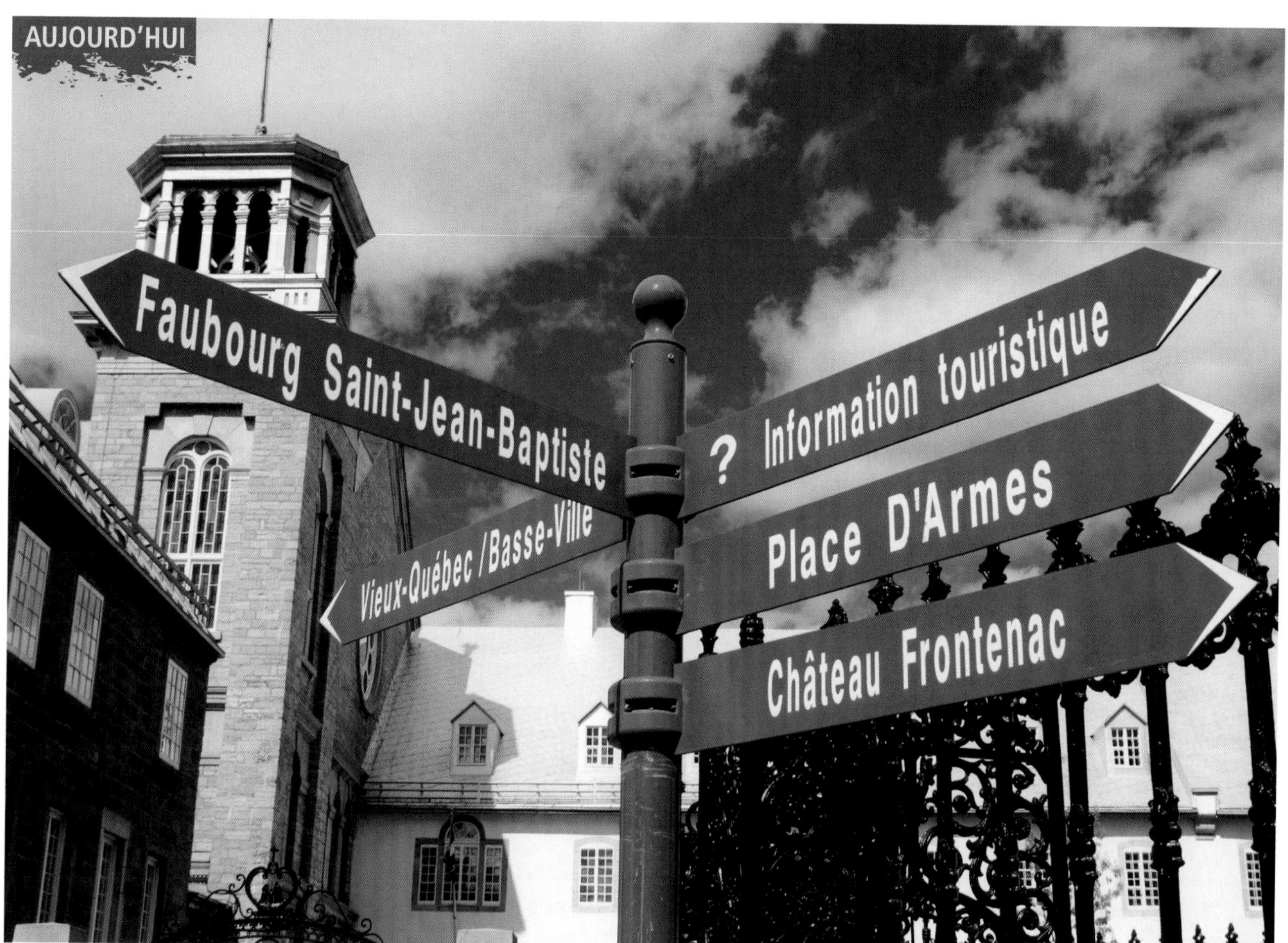

▲ **3.5 Québec, une grande ville francophone en Amérique.**

Aujourd'hui, le français est la langue officielle du Québec. Il est utilisé dans des domaines tels que l'administration publique, les entreprises et la signalisation routière. Le français est aussi la langue prédominante de l'affichage commercial.

Compétence 1

Dans certains milieux de travail, dans certaines entreprises, l'anglais ou le bilinguisme tend à s'imposer, particulièrement dans la région de Montréal.

Territoire	1991	1996	2001
Canada	16,3 %	17,0 %	17,7 %
Terre-Neuve-et-Labrador	3,3 %	3,9 %	4,1 %
Île-du-Prince-Édouard	10,1 %	11,0 %	12,0 %
Nouvelle-Écosse	8,6 %	9,3 %	10,1 %
Nouveau-Brunswick	29,5 %	32,6 %	34,2 %
Québec	35,4 %	37,8 %	40,8 %
Ontario	11,4 %	11,6 %	11,7 %
Manitoba	9,2 %	9,4 %	9,3 %
Saskatchewan	5,2 %	5,2 %	5,1 %
Alberta	6,6 %	6,7 %	6,9 %
Colombie-Britannique	6,4 %	6,7 %	7,0 %
Territoire du Yukon	9,3 %	10,5 %	10,1 %
Territoires du Nord-Ouest	—	7,7 %	8,3 %
Nunavut	—	4,1 %	3,8 %
Canada moins Québec	9,8 %	10,2 %	10,3 %

▲ **3.6 Le taux de bilinguisme (français/anglais) au Canada, en 1991, 1996 et 2001.**

C'est au Québec que le taux de bilinguisme est le plus élevé.

Source : Statistique Canada, recensement 2001.

1. En 2001, quel pourcentage de personnes ont déclaré être bilingues, par rapport aux données de 1996 et de 1991 ?

2. Indiquez le taux moyen de bilinguisme à l'extérieur du Québec. Ce taux a-t-il varié depuis 1991 ?

Énumérez les aspects positifs du bilinguisme (français / anglais) au Canada et au Québec.

Dans un contexte de mondialisation, l'anglais constitue la principale langue de communication. Pour plusieurs personnes, il exerce un attrait indéniable. Les données suivantes sur le transfert linguistique permettent d'indiquer vers quelle langue se tournent les **allophones** lorsqu'ils choisissent d'adopter une autre langue.

Allophone : Personne dont la langue maternelle n'est pas celle du pays où elle habite.

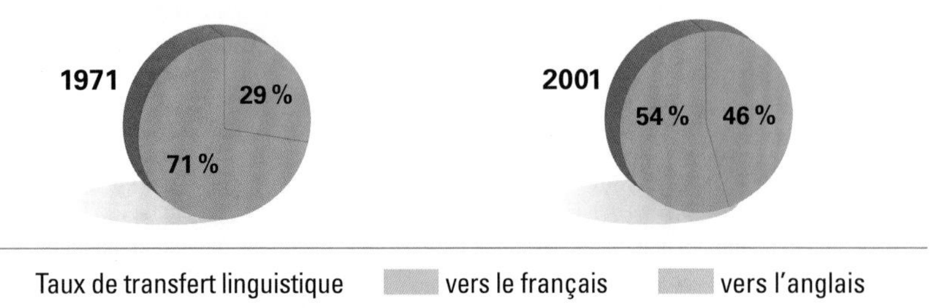

▲ **3.7 Le taux de transfert linguistique vers le français ou vers l'anglais des allophones.**

Comparativement au début des années 1970, plus d'allophones adoptent aujourd'hui la langue française.

Source : Secrétariat à la politique linguistique, Gouvernement du Québec, 2002.

1.2 L'exemple montréalais

La concurrence entre le français et l'anglais se fait particulièrement sentir dans la région métropolitaine. C'est en effet sur l'île de Montréal que vivent la majorité des anglophones et des allophones. Montréal constitue aussi la région canadienne où il existe le plus fort taux de multilinguisme. Cette grande ville accueille environ 85 % de la population immigrante du Québec.

Région	Langue maternelle	1971	2001
Ensemble du Québec	Français	80,7 %	81,4 %
	Anglais	13,1 %	8,3 %
	Autre	6,2 %	10,3 %
	Total	**6 028 000**	**7 126 000**
Région métropolitaine de Montréal	Français	66,3 %	68,1 %
	Anglais	21,7 %	12,8 %
	Autre	12 %	19,1 %
	Total	**2 743 000**	**3 381 000**
Île de Montréal	Français	61,2 %	53,2 %
	Anglais	23,7 %	17,7 %
	Autre	15,1 %	29,1 %
	Total	**1 959 000**	**1 783 000**

▲ **3.8 La population du Québec selon la langue maternelle.**

La langue maternelle est la première langue apprise à la maison durant l'enfance.

Source : Secrétariat à la politique linguistique, Gouvernement du Québec, 2002.

1. Nommez des municipalités québécoises où la population anglophone est nombreuse. Dans quelles régions se trouvent-elles ?

2. Observez le tableau ci-contre et formulez trois questions dont les réponses permettent de mieux comprendre les particularités linguistiques existant à Montréal.

▼ **3.9 Une vue du centre-ville de Montréal.**

Près de la moitié des Québécois habitent aujourd'hui la grande région métropolitaine de Montréal. En 2001, 53 % des Montréalais avaient le français comme langue maternelle.

1.3 L'éducation

La réalité linguistique au Québec entraîne une dualité linguistique dans le réseau scolaire québécois. Ainsi, il existe des institutions d'enseignement autant francophones qu'anglophones au primaire et au secondaire. L'enseignement collégial compte également des institutions francophones et anglophones. Certains de ces établissements dispensent un enseignement bilingue. D'autres institutions francophones offrent des cours destinés aux anglophones. Au niveau universitaire, les établissements sont soit francophones, soit anglophones.

En principe, tous les enfants québécois doivent être inscrits à une école française. Toutefois, l'enseignement public en anglais est possible si le père, la mère, un frère ou une sœur ont reçu un enseignement en anglais n'importe où au Canada. La majorité des enfants d'immigrants fréquentent l'école française au niveau primaire et secondaire.

Formulez une hypothèse qui explique l'augmentation du pourcentage d'allophones au Québec étudiant en français au primaire et au secondaire.

Aujourd'hui, les 72 commissions scolaires du Québec possèdent aussi un statut linguistique. Soixante d'entre elles sont francophones et neuf sont anglophones. Trois commissions scolaires détiennent un statut particulier : la commission scolaire du Littoral, qui dessert les élèves francophones et anglophones de la Côte-Nord ; la commission scolaire Crie et la commission scolaire Kativik, qui dispensent l'enseignement en français, en anglais et dans une langue autochtone.

Niveau d'enseignement	1971	1981	1991	2001
Primaire et secondaire	14,6 %	43,4 %	76,4 %	78,7 %
Collégial	N.D.[1]	15,6 %	41,3 %	41,2 %
Universitaire*	N.D.	N.D.	42,2 %	45,4 %

1. N.D. : non déterminé.

*Étudiants allophones de citoyenneté canadienne qui résident au Québec.

◄ **3.10 Le pourcentage de la population allophone étudiant en français au Québec.**

Au Québec, il existe quatre ordres d'enseignement : le primaire, le secondaire, le collégial et l'universitaire.

Source : Secrétariat à la politique linguistique, Gouvernement du Québec, 2002.

1.4 Le fait religieux

Après la Conquête, les autorités britanniques tentent de restreindre les droits de l'Église catholique même si, en principe, ils tolèrent la liberté religieuse. D'un autre côté, les autorités encouragent l'implantation de l'Église protestante. La force du nombre fait en sorte que la religion catholique demeure une institution importante dans la société québécoise, en particulier du 19e siècle jusqu'à la Révolution tranquille. Les autorités et le clergé catholique choisissent de collaborer.

Aujourd'hui, la société québécoise est laïque. Mais si la pratique religieuse a énormément diminué, les individus continuent de s'identifier à une religion particulière. Le christianisme, comme le catholicisme et le protestantisme, regroupe toujours une forte majorité de la population.

Religion	1991		2001	
Catholique romaine	5 855 980	86 %	5 930 385	83,2 %
Protestante	359 750	5,3 %	335 595	4,7 %
Chrétienne orthodoxe	89 285	1,3 %	100 370	1,4 %
Chrétienne (autres)	38 975	0,6 %	56 750	0,8 %
Musulmane	44 930	0,7 %	108 620	1,5 %
Juive	97 730	1,4 %	89 915	1,3 %
Bouddhiste	31 640	0,5 %	41 380	0,6 %
Hindoue	14 120	0,2 %	24 530	0,3 %
Sikhe	4 525	0,1 %	8 220	0,1 %
Aucune religion	257 270	3,8 %	400 325	5,6 %

▲ **3.11 Les principales confessions religieuses au Québec, en 1991 et 2001.**
Plus de 90 % de la population déclare appartenir à une confession religieuse chrétienne.

Source : Statistique Canada, recensement 2001.

Aujourd'hui, quels textes juridiques garantissent la liberté religieuse des minorités au Québec ?

1.5 La coexistence des lois

Après la conquête britannique, le droit français pratiqué selon la Coutume de Paris est aboli et les autorités imposent le droit anglais. Toutefois, le parlement britannique restaure le droit civil français en 1774 par l'Acte de Québec, sauf en ce qui concerne le droit criminel britannique. Depuis cette époque, il existe un double système juridique au Québec.

En quoi le droit civil et le droit criminel diffèrent-ils ? Faites une petite recherche pour le découvrir.

Lors du changement de régime, le régime seigneurial est maintenu, mais les autorités cessent d'attribuer des terres. Un nouveau mode de divisions des terres sera progressivement mis en place. Les « townships », ou cantons, s'implantent autour des seigneuries. Le premier territoire érigé en canton est celui de Dunham, dans les Cantons-de-l'Est, en 1796. Les systèmes français et britannique vont coexister jusqu'au milieu du 19e siècle.

3.12 Le village de Frelighsburg.
Les premiers habitants des Cantons-de-l'Est sont des colons des Treize colonies qui fuient la Révolution américaine. Par la suite, des Irlandais et des Britanniques viennent aussi s'y établir.

1 La Conquête et les débuts du Régime anglais

En septembre 1759, la ville de Québec tombe aux mains de l'armée britannique, dirigée par le général James Wolfe, à la suite de la bataille des plaines d'Abraham. Un an plus tard, Montréal est menacée par les troupes anglaises, commandées par le général Jeffrey Amherst, successeur de Wolfe. Jugeant toute résistance inutile, le gouverneur général de la Nouvelle-France, Pierre de Vaudreuil, signe la capitulation de Montréal le 8 septembre 1760.

Les clauses de la capitulation de Montréal garantissent certains droits aux habitants. Ainsi, l'article 36 permet à «tous les Français, Canadiens, Acadiens, commerçants et autres personnes» qui le souhaitent de retourner en France ou de s'y installer s'ils sont nés dans la colonie. Les habitants conservent la propriété de leurs biens. Les membres des communautés religieuses peuvent continuer à jouer leur rôle, et les prêtres à prélever la dîme pour assurer le fonctionnement des paroisses. Les marchands ont la possibilité de poursuivre leurs activités commerciales. La pratique de la religion catholique, la religion de presque tous les habitants de la colonie, est autorisée.

Au lendemain de la capitulation de Montréal, personne ne connaît encore le sort définitif de la Nouvelle-France. La guerre est terminée en Amérique, mais les combats se poursuivent dans les Antilles, aux Indes et en Europe entre les grandes puissances engagées dans la guerre de Sept Ans.

Concept

Conquête

Action de conquérir un lieu, de s'en emparer par les armes.

La guerre de Sept Ans oppose principalement la France à la Grande-Bretagne. En Amérique, cette guerre porte le nom de «guerre de la Conquête». Lors du traité de Paris, la France cède à la Grande-Bretagne ses possessions nord-américaines. La Nouvelle-France devient une colonie britannique. On assiste à un changement d'empire.

1. **D'après vous, dans quel état d'esprit se trouve la colonie au lendemain de la capitulation?**
2. **Croyez-vous que la population sera affectée par le changement d'empire? De quelle façon?**

3.13 Une partie de la ville de Québec après les bombardements de 1759.

La ville de Québec, capitale de la Nouvelle-France, doit être reconstruite après la Conquête, car plusieurs bâtiments ont été incendiés ou démolis par les bombardements.

3.14 Des Canadiens français réunis pour jouer aux cartes.

Lors de la Conquête, les cultivateurs constituent le groupe social le plus important.

Cornelius Krieghoff, *Habitants canadiens-français jouant aux cartes*, 1848.

Compétence 2

1.1 Le régime militaire

En attendant que le conflit s'achève en Europe, la colonie conquise est dirigée par des militaires anglais. Le gouvernement britannique met en place des **institutions** temporaires. Le général Amherst nomme James Murray au poste de gouverneur militaire provisoire de Québec. Depuis l'automne 1759, Murray occupait déjà le poste de gouverneur de Québec. Ralph Burton et Thomas Gage sont respectivement nommés gouverneurs de Trois-Rivières et de Montréal. Ils ont pour mandat de gérer les affaires publiques au quotidien et doivent s'abstenir de tout engagement à long terme. Le sort des habitants de la vallée du Saint-Laurent sera définitivement fixé à la fin des hostilités, au moment de la signature de traités internationaux entre les puissances européennes concernées.

Concept

Droit

Pouvoirs ou autorisations que détiennent les individus et les collectivités. Ensemble des principes et des règles de conduites qui déterminent les rapports des individus entre eux.

Après la Conquête, le traité de Paris de 1763 garantit certains droits à la population d'origine française, entre autres celui de pratiquer leur religion. D'un autre côté, une Proclamation royale établit bientôt de nouvelles institutions conformes aux lois britanniques.

Institutions : Ensemble des formes ou des structures sociales et politiques établies par la loi ou la coutume dans l'intérêt de la collectivité. Les tribunaux et le poste de gouverneur, par exemple, en font partie.

L'opinion de James Murray sur les habitants du Canada

« Ces gens se vêtent sans recherche, ils sont vertueux dans leurs mœurs et tempérants dans leur genre de vie. En général, ils sont excessivement ignorants ; le gouvernement d'autrefois n'a jamais permis l'établissement d'une presse dans la colonie et très peu savent lire et écrire. Tous ajoutent foi aux plus évidentes faussetés et aux plus atroces mensonges systématiquement semés par ceux qui avaient le pouvoir.

Ceux-ci se sont particulièrement appliqués à convaincre le peuple que les Anglais étaient pires que des brutes et que s'ils avaient le dessus, ils gouverneraient les Canadiens avec une verge de fer et leur feraient subir tous les outrages. [...]

Une fois le peuple convaincu qu'il n'a pas à craindre la déportation et qu'il jouira du libre exercice de sa religion, après la cession irrévocable du Canada par un traité de paix, les Canadiens deviendront de bons et fidèles sujets de Sa Majesté et le pays qu'ils habitent sera avant longtemps une riche et très utile colonie de la Grande-Bretagne. »

Source : Rapport du général Murray, 5 juin 1762, dans Adam SHORTT et Arthur G. DOUGHTY, *Documents relatifs à l'histoire constitutionnelle du Canada, 1759-1791*, Ottawa, Imprimeur du roi, 2e éd., 1921, p. 63-66.

1. Résumez en une phrase l'opinion de James Murray sur les habitants de la colonie conquise.

2. Selon Murray, quelles conditions doivent être réunies pour que les habitants acceptent favorablement le changement d'empire ?

La force du nombre

Environ 3500 soldats britanniques demeurent au Canada pour veiller sur près de 60 000 habitants de langue française et de religion catholique. En raison de la supériorité numérique de la population francophone, le gouvernement britannique évite de changer de façon trop catégorique l'organisation administrative et judiciaire de la colonie. Par exemple, les ordonnances et les actes notariés sont rédigés en français. De plus, on conserve de l'ancien régime les institutions administratives comme le poste de gouverneur particulier, la fonction de capitaine de milice et la Coutume de Paris en matière de justice.

La population française est affaiblie à cause de la Conquête. Elle subit un net recul en raison des décès dus aux combats, à la disette et aux maladies, ainsi que des départs. En effet, au lendemain de la capitulation, des centaines d'officiers, de fonctionnaires et de nobles français, ainsi que leur famille, choisissent de retourner en France. La grande majorité de la population qui vit de la terre, de même que les marchands et les seigneurs, déjà bien intégrés à la société coloniale, préfèrent rester. Les gens d'Église, notamment les communautés religieuses, ont aussi été très touchés par la guerre. Leur nombre chute de façon dramatique.

La situation économique préoccupe beaucoup ceux qui restent. La colonie doit être reconstruite, car un grand nombre de bâtiments ont été détruits, et les récoltes brûlées. Il est urgent de redresser l'agriculture et le commerce. Très tôt, les dirigeants anglais adoptent la livre sterling comme devise officielle. Les habitants désirent se faire rembourser leur ancienne monnaie.

Langue

Ensemble de signes oraux et écrits qui permettent aux individus de s'exprimer et de communiquer entre eux.

Au moment de la Conquête, la Grande-Bretagne se trouve aux prises avec une colonie dont la population ne parle que la langue française. Lors de la Proclamation royale, le gouverneur James Murray implante les lois et les institutions anglaises au Québec. La langue anglaise devient la langue de l'administration, mais les dirigeants continuent d'utiliser le français dans les affaires courantes du gouvernement.

Durant le gouvernement militaire, quelle est la situation économique des Canadiens ?

▲ **3.15 Une vue de l'est de Montréal.**

En 1760, Montréal compte une population d'environ 4000 habitants, en majorité francophones. Sous le régime britannique, Montréal est non seulement appelée à devenir un port important, mais aussi la plus grande ville du Canada.

Thomas Patten, *Vue de l'est de Montréal au Canada,* 1762.

1.2 Le traité de Paris

Le 10 février 1763, les représentants des souverains de Grande-Bretagne, de France et d'Espagne signent à Paris un traité de paix qui met fin à la guerre de Sept Ans : le traité de Paris. Par ce traité, la France cède officiellement ses colonies nord-américaines à la Grande-Bretagne. Aucune disposition ne garantit le droit à la langue française. Rien n'est mentionné non plus sur les lois, les coutumes ou les usages de l'ancienne colonie française.

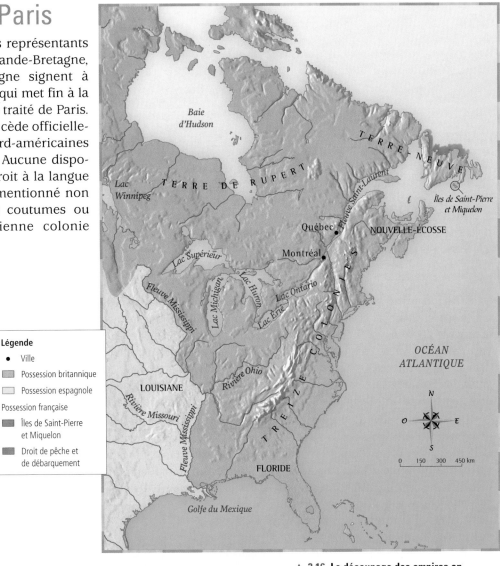

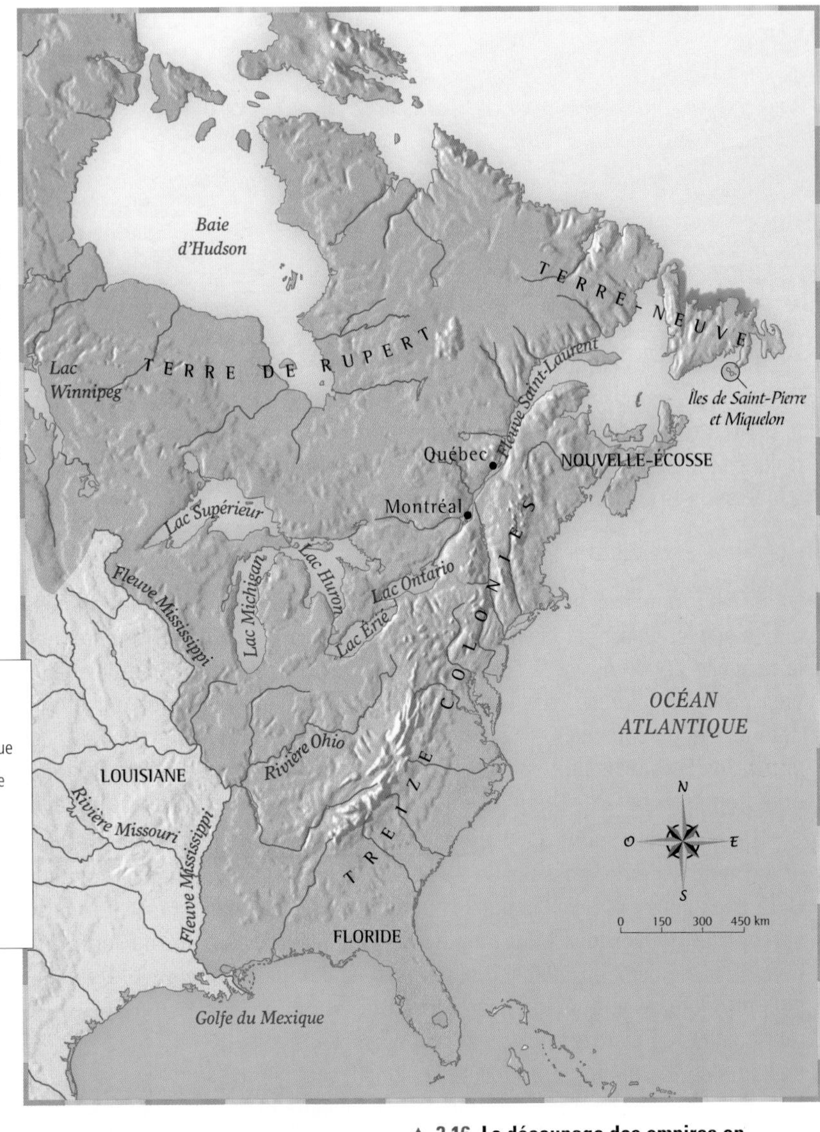

▲ **3.16 Le découpage des empires en Amérique du Nord après le traité de Paris, en 1763.**

Après la guerre de Sept Ans, la France cède la Nouvelle-France, mais conserve les îles de Saint-Pierre et Miquelon.

Numéro de l'article	Résumé de l'article
4	La France cède la Nouvelle-France à la Grande-Bretagne.
5	La France préserve des droits de pêche sur les bancs de Terre-Neuve et dans le golfe du Saint-Laurent.
6	La France conserve les petites îles de Saint-Pierre et Miquelon en Amérique du Nord.
7	Les territoires situés à l'est du fleuve Mississippi passent à la Grande-Bretagne.
20	Les territoires situés à l'ouest du fleuve Mississippi, dont la Louisiane qui avait été cédée secrètement aux Espagnols en 1762, reviennent à l'Espagne.

▲ **3.17 Quelques articles du traité de Paris.**

L'article 4 du traité de Paris décide du sort de la Nouvelle-France.

1. Qualifiez, en quelques mots, les avantages que la Grande-Bretagne a retiré du traité de Paris.

2. Pour quel usage la France conserve-t-elle les îles de Saint-Pierre-et-Miquelon ?

Pendant ce TEMPS...

La Louisiane

Les Royaumes de France et d'Espagne concluent en 1761 un pacte secret, le « pacte de Famille », par lequel la Louisiane devient espagnole. En 1762, la France cède donc la Louisiane occidentale à l'Espagne, tandis que par le traité de Paris, l'année suivante, elle cède sa partie située à l'est du Mississippi à la Grande-Bretagne, en même temps qu'elle lui donne la Nouvelle-France.

Dans les premières années, la colonie conserve son identité française, même si elle appartient maintenant à l'Empire espagnol. Lorsqu'ils apprennent la nouvelle de la cession à l'Espagne, les Louisianais envoient une délégation pour protester auprès du roi Louis XV. Mais la France n'a plus les moyens de défendre et de coloniser la Louisiane. Les Amérindiens, qui ont combattu aux côtés des Français, sont consternés par ce changement d'empire. Certains, dont Pontiac, chef des Outaouais, reprennent les armes contre les Anglais.

Ce n'est qu'en mars 1766 que le gouverneur espagnol, Antonio de Ulloa, prend officiellement possession de la Louisiane avec seulement 79 soldats. Durant les deux ans qu'il occupe le poste, l'administration demeure française. Lorsque le gouverneur Ulloa décide de refuser le paiement de lettres de change françaises en 1766, il provoque l'hostilité de la population. Deux ans plus tard, une révolte éclate, car un décret interdit à présent tout commerce avec les colonies françaises. La révolte prend de l'ampleur et, en octobre 1768, les colons français chassent le gouverneur, prennent le contrôle de la Louisiane et fondent une république. Le général O'Reilly écrase par la force la révolte dix mois plus tard. Après cette révolte, la Louisiane connaît une période de prospérité et de paix pendant une trentaine d'années.

Les gouverneurs qui se succèdent encouragent le maintien et le respect de la culture française. Ils ont vite compris qu'il serait difficile d'**assimiler** la population française, surtout avec l'arrivée de milliers d'Acadiens exilés après le « **Grand Dérangement** » amorcé en 1755. D'autant plus que des créoles blancs, venus des autres colonies françaises des Caraïbes, émigrent en Louisiane. Même les nouveaux colons espagnols adoptent la langue française.

Assimiler: Rendre semblable au groupe social et culturel dominant les membres d'un autre groupe.

Grand Dérangement: Expression utilisée pour désigner la déportation des Acadiens par les Britanniques dans les Treize colonies, en Grande-Bretagne et en France.

▶ 3.18 **Étienne-François de Choiseul, duc de Choiseul (1719-1785).**

Le duc de Choiseul, alors ministre de Louis XV, réussit à convaincre l'Espagne, alliée de la France durant la guerre de Sept Ans, de prendre possession de la Louisiane qu'il juge inutile pour la France.

Louis Michel van Loo, *Étienne-François, duc de Choiseul-Amboise, marquis de Stainville*, 1750.

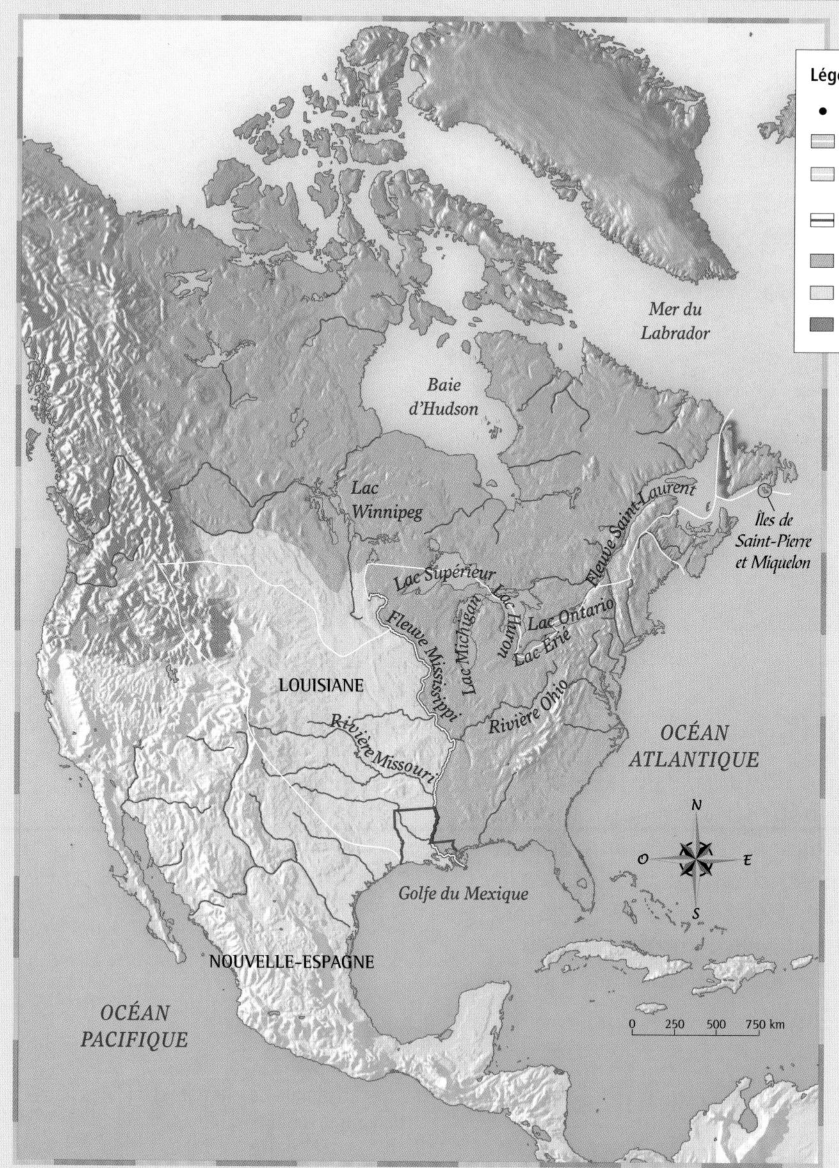

◄ **3.19 Le territoire de la Louisiane de 1763 à 1800.**

En 1763, la Louisiane couvre un territoire de 2,2 millions de kilomètres carrés et compte 8253 Louisianais.

Comment la position géographique de la Louisiane peut-elle nuire aux Américains après la guerre de l'Indépendance ?

Le commerce augmente, notamment avec les Anglais des colonies bordant le Mississippi. Les plantations se développent sur les rives du Mississippi. Dès ce moment, on appelle « créoles blancs » les membres des riches familles de colons français et espagnols, propriétaires de plantations le long du Mississippi, qui habitent la Louisiane.

Après la guerre de l'Indépendance, l'histoire de la colonie va être déterminée par l'expansion des États-Unis. La Louisiane représente un obstacle à la conquête des Prairies de l'Ouest et aussi parce que le transport maritime sur le Mississippi qui traverse le pays en sera facilité. Consciente qu'il lui sera difficile de conserver la Louisiane devant l'essor des États-Unis, l'Espagne rétrocède la colonie à la France en octobre 1800. Trois ans plus tard, la France vend finalement la Louisiane aux Américains pour quinze millions de dollars.

Compétence 2

▲ **3.20 Le Conseil du commerce, ou *Board of Trade*, vers 1807, à Londres.**

Le Conseil du commerce est un organisme constitué en 1621 pour s'occuper des questions commerciales de la Grande-Bretagne et, de ce fait, des colonies britanniques.

Thomas Rowlandson et Augustus Charles Pugin, *Board of Trade* [Le Conseil du commerce], vers 1808.

1.3 La Proclamation royale

Quelques mois après la signature du traité de Paris, la Grande-Bretagne procède à l'organisation du pouvoir dans son **empire**. Le gouvernement militaire tire à sa fin dans la nouvelle colonie britannique d'Amérique. À Londres, une première **constitution**, appelée la «**Proclamation royale**», est rédigée. Elle définit le découpage du territoire de la colonie et établit de nouvelles structures administratives. On souhaite que le gouvernement, les lois, la religion et la population de la colonie deviennent britanniques.

Le choix du nouveau mode de gouvernement

Le Conseil du commerce (*Board of Trade*) est un comité privé formé en Grande-Bretagne pour s'occuper, entre autres, des affaires coloniales. En mai 1763, le secrétaire d'État lui confie le soin d'analyser la situation et de déterminer le mode de gouvernement à instituer dans la *Province of Quebec*. C'est la nouvelle façon de désigner le territoire conquis.

Le Conseil doit tenir compte de divers aspects avant de prendre une décision. Sur le plan économique, il doit faire progresser les intérêts commerciaux de la métropole. La Grande-Bretagne tient à contrôler les pêcheries, la traite des fourrures et les échanges avec les Amérindiens. Du point de vue social, l'objectif du Conseil est de créer une colonie qui favorisera l'immigration massive de colons anglais et l'assimilation de la population française.

Empire: Ensemble de territoires dominés par une nation conquérante.

Constitution: Texte qui détermine la forme de gouvernement d'un pays, d'une colonie.

Proclamation royale: Première constitution s'appliquant au territoire nouvellement acquis par la Grande-Bretagne en Amérique du Nord. La Proclamation royale définit le territoire et la forme de gouvernement de la province de Québec. Elle est adoptée le 7 octobre 1763, mais n'entre en vigueur que le 10 août 1764.

■ **Saviez-vous que...** Sous le Régime français, le mot « Québec » est employé uniquement pour désigner la ville. Dans la Proclamation royale, les Britanniques adoptent ce nom pour désigner l'ensemble de la province. À cette époque, le terme anglais « province » est synonyme de « colonie ». ■

Le choix de la forme de gouvernement à adopter pose un dilemme aux autorités britanniques. D'une part, les lois anglaises interdisent aux catholiques de voter et d'occuper des postes d'officiers civils ou militaires. Si on calque le mode de gouvernement de la province de Québec sur celui des autres colonies d'Amérique du Nord, on privera la majorité des habitants de leurs droits politiques. Tout le pouvoir reviendra alors à quelques dizaines de marchands et de fonctionnaires britanniques. D'autre part, si on conserve une structure politique autoritaire, comme celle adoptée en Nouvelle-France, on privera les nouveaux immigrants de langue anglaise du droit de se faire représenter. Or, le plus souvent, les nouveaux venus proviennent de l'une des Treize colonies d'Amérique, qui sont dotées d'un **gouvernement représentatif**.

Concept

Territoire

La Proclamation royale redéfinit les frontières de la province de Québec. La vallée du Saint-Laurent constitue la limite du territoire québécois. Le bassin des Grands Lacs et la zone qui va des Treize colonies jusqu'au fleuve Mississippi sont réservés à l'usage des Autochtones.

Gouvernement représentatif: Gouvernement dont les membres, ou une partie des membres, sont élus par le peuple.

La Proclamation royale et les autochtones

La Proclamation royale contient des dispositions au sujet des peuples autochtones. La couronne britannique garantit leur protection. Les autochtones conservent leurs terres ancestrales. Seule la couronne peut leur acheter des terres. L'acquisition des terres doit être faite par voie de traité seulement. Ces dispositions importantes visent notamment à mettre un frein à une insurrection armée dirigée par le chef Pontiac.

Après la Conquête, quelle sera, selon vous, l'attitude des vainqueurs vis-à-vis de la population française ?

Les enjeux territoriaux

La Proclamation royale du 7 octobre 1763 redéfinit les frontières de la province de Québec. Le territoire de la Nouvelle-France s'étendait à l'échelle du continent. Désormais, le territoire du gouvernement colonial établi à Québec ne dépassera pas la vallée du Saint-Laurent. Les territoires de Terre-Neuve, d'Anticosti, du Labrador et des îles de la Madeleine forment le gouvernement de Terre-Neuve. La Nouvelle-Écosse, colonie britannique depuis la signature du traité d'Utrecht, en 1713, inclut l'île Saint-Jean et l'île du Cap-Breton. L'intérieur du continent devient un territoire amérindien. Le bassin des Grands Lacs et la zone qui s'étend des Treize colonies jusqu'au fleuve Mississippi sont réservés à l'usage des autochtones. Il est maintenant interdit aux particuliers d'acheter directement des terres aux autochtones. Toute transaction avec les peuples amérindiens doit se faire par l'entremise des représentants autorisés du roi.

S'ils conservent l'accès au territoire des Grands Lacs, territoire essentiel au commerce des fourrures, les marchands en perdent l'exclusivité. Tout sujet britannique qui détient une licence peut dorénavant commercer dans cette région. La concurrence pour l'approvisionnement en fourrures devient redoutable avec la venue des marchands britanniques des Treize colonies et des commerçants de la Compagnie de la baie d'Hudson. La colonie est alors condamnée à se replier sur l'agriculture et l'exportation des surplus.

▲ **3.21 Des marchands britanniques commercent avec des Amérindiens.**

Après 1763, les Britanniques peuvent faire du commerce avec les Amérindiens dans la région des Grands Lacs, mais à condition de détenir une licence.

Charles William Jefferys, *Frontier Trading Post, 18th Century* [Un comptoir de traite au 18e siècle], début du 20e siècle.

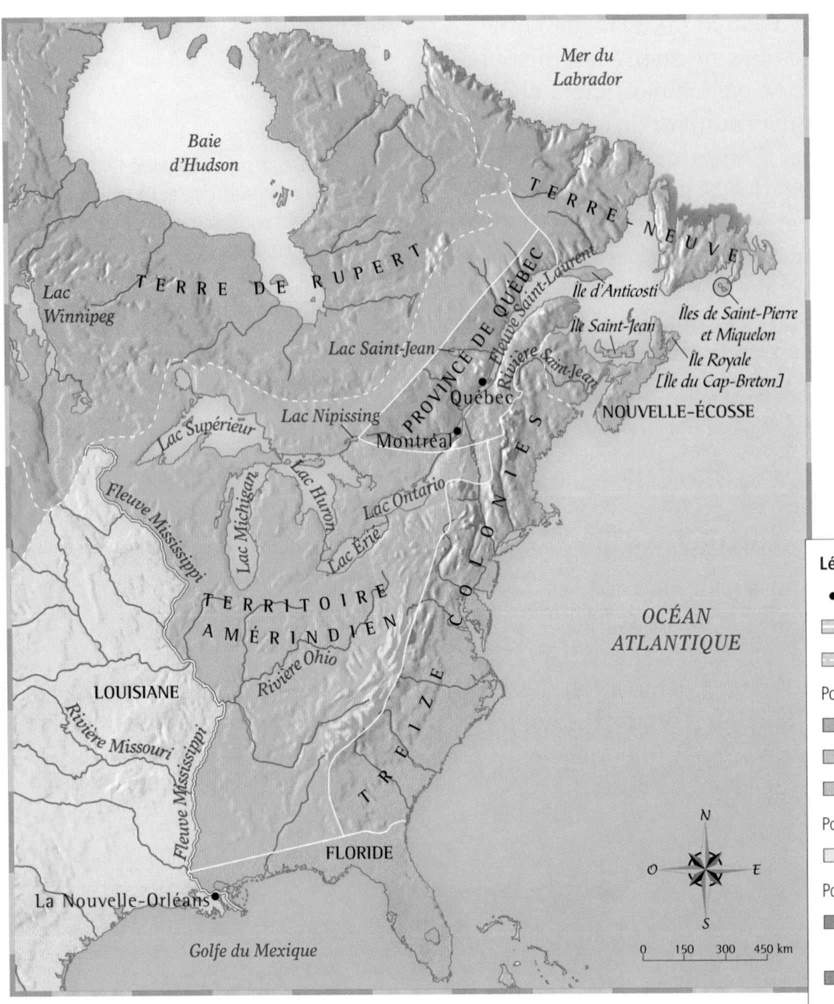

3.22 Les frontières établies par la Proclamation royale, en 1763.

Les frontières de la province de Québec sont modifiées en 1763.

1. La Proclamation royale est-elle avantageuse pour les peuples autochtones ? Justifiez votre réponse.

2. Selon vous, la Proclamation royale satisfait-elle les colons américains ? Pourquoi ?

Témoins de L'HISTOIRE

Pontiac

Dès le début de la colonisation européenne, les nations autochtones de la région des Grands Lacs avaient formé des alliances avec les Français. Tous les ans, les autorités leur remettaient des présents pour consolider ces alliances et pouvoir maintenir des forts sur leur territoire.

En 1760, tous les forts de la région des Grands Lacs passent aux mains des Britanniques. Comme la concurrence entre la Grande-Bretagne et la France n'existe plus, ils ont toute liberté de s'établir dans la région. Les autochtones voient la situation d'un mauvais œil.

Au printemps 1763, le chef amérindien Pontiac exhorte les nations amérindiennes de la région des Grands Lacs à attaquer les établissements britanniques. Plusieurs nations répondent à l'appel de Pontiac et font front commun. Elles réussissent à s'emparer de la plupart des forts de la région.

En 1764, les Britanniques mobilisent une armée de 1200 hommes pour combattre les insurgés. Ils reprennent les forts perdus l'année précédente. Pontiac est contraint de signer une entente de paix en 1766. Trois ans plus tard, il est assassiné par d'anciens alliés amérindiens.

3.23 Le chef amérindien Pontiac (1714-1769) parlementant avec le gouverneur Haldimand.

Pontiac et d'autres chefs amérindiens signent une entente de paix avec les Britanniques en 1766.

Charles William Jefferys, *Rencontre entre le chef des Ottawas Pontiac et le gouverneur Haldimand*, vers 1925.

L'administration du gouvernement

Le nouveau gouvernement adopte, dans un premier temps, le modèle autoritaire. La Proclamation royale prévoit la nomination d'un gouverneur général détenant des pouvoirs considérables. En novembre 1763, James Murray, gouverneur militaire depuis la Conquête, devient capitaine général et gouverneur en chef de la province de Québec. Dans ses fonctions, il est assisté d'un Conseil législatif. Celui-ci peut adopter des lois et des règlements pour l'administration de la colonie.

La nouvelle constitution autorise le gouverneur à former une assemblée législative une fois que la population d'origine britannique sera assez nombreuse, mais cette assemblée ne verra jamais le jour. Murray opte plutôt pour la création d'un conseil formé de quelques hommes qui l'assisteront dans l'administration de la province. Ce gouvernement civil durera 10 ans, soit de 1764 à 1774.

Concept

Pouvoir

Autorité établie, gouvernement d'un pays.

Après la Conquête, la Grande-Bretagne procède à l'organisation du pouvoir dans sa nouvelle colonie. Le gouverneur, nommé par Londres, est assisté d'un Conseil législatif qui adopte des lois et des règlements pour l'administration de la colonie.

Territoire	• La province de Québec se limite à la vallée du Saint-Laurent, de Gaspé à la rivière des Outaouais.
Politique	• Nomination d'un gouverneur nommé par Londres. • Formation d'une Chambre d'assemblée.
Justice	• Mise en vigueur des lois anglaises.
Religion	• Libre exercice de la religion catholique. • Obligation de prêter le serment du Test pour occuper des postes administratifs. • Refus de l'autorité du pape. • Établissement d'églises protestantes.
Instruction	• Création d'écoles protestantes.
Peuplement	• Immigration de colons britanniques.

▲ **3.24 Des dispositions qui font suite à la Proclamation royale.**

Le gouverneur Murray reçoit des instructions complémentaires en décembre 1763. La Proclamation royale prend effet le 10 août 1764 dans la province.

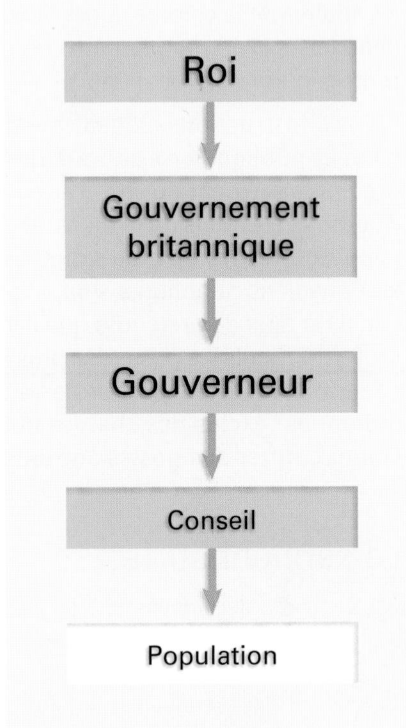

▲ **3.25 La structure politique prévue dans la Proclamation royale.**

La Proclamation royale prévoit la formation d'un Conseil, mais celui-ci ne sera jamais formé.

◀ **3.26 La chapelle des Cuthbert.**

Cette chapelle, située à Berthierville, est le premier temple protestant construit dans la province de Québec. Elle est érigée en 1786 par James Cuthbert, un des premiers colons britanniques à venir s'installer dans la province.

Les instructions au gouverneur Murray

En décembre 1763, en complément de la Proclamation royale, Londres envoie au gouverneur James Murray un document contenant des instructions détaillées sur la façon d'administrer la colonie. Le gouvernement britannique demande, entre autres, la mise en vigueur des lois anglaises. Il presse également le gouverneur d'encourager l'établissement de l'Église protestante. En matière d'éducation, Londres souhaite créer des écoles protestantes afin de favoriser l'assimilation graduelle des catholiques.

La Proclamation royale accorde aux catholiques le libre exercice de leur religion. Cependant, les curés ne sont plus autorisés à percevoir la dîme auprès de leurs paroissiens. Les instructions sont claires : aucune intervention de l'Église de Rome n'est permise dans les affaires de la colonie. Ainsi, l'évêque de Québec, Mgr de Pontbriand, décédé en 1760, ne peut être remplacé. L'**ordination** de nouveaux prêtres n'est désormais plus possible.

Les instructions exigent aussi que tous ceux qui occupent des charges publiques, c'est-à-dire des postes clés dans l'administration, prêtent le serment du Test. Par ce serment, une personne rejette des **dogmes** essentiels de la foi catholique et nie l'autorité spirituelle du pape. Comme les membres du Conseil doivent être assermentés, tous les Canadiens catholiques sont en principe exclus de cette fonction. En fait, il est faux de prétendre que l'accès à tous les emplois publics leur est fermé. Seuls les postes les plus importants exigent la prestation de ce serment. Quant aux protestants français, appelés **huguenots**, qui ont été exclus des charges publiques en Nouvelle-France, ils se voient confier des postes administratifs de premier plan.

Concept

Éducation

Action d'éduquer, d'instruire, de former l'esprit et de développer des aptitudes intellectuelles et physiques. Ensemble des services chargés de l'organisation de tous les établissements d'enseignement.

Des instructions au général Murray, envoyées de Londres en complément de la Proclamation royale, pressent le gouverneur de créer des écoles protestantes.

Ordination : Célébration au cours de laquelle un fidèle baptisé reçoit de l'évêque le sacrement de l'ordre, c'est-à-dire qu'il est consacré prêtre.

Dogme : Croyance ou principe considéré comme fondamental et incontestable dans une religion.

Huguenot : Nom donné aux protestants français.

Le serment du Test

« Je, A. B., déclare que je crois qu'il n'y a dans le sacrement de la Sainte Cène de notre Seigneur Jésus-Christ aucune transsubstantiation des éléments de pain et de vin, ni dans le moment de leur consécration, ni après leur consécration, par quelque personne que ce soit [...]. Ainsi, que Dieu me soit en aide. »

Source : Cité dans Michel BRUNET, Guy FRÉGAULT et Marcel TRUDEL, *Histoire du Canada par les textes*, Montréal, Fides, 1952, p. 109.

1. Selon vous, qu'espère le gouvernement de Londres en refusant l'ingérence de l'Église de Rome dans les affaires de la colonie ?
2. Dans la société actuelle, nommez des fonctions, des emplois ou des situations qui exigent de prêter serment.

▶ **3.27 La maison de Pierre Du Calvet (1735-1786), dans le Vieux-Montréal.**

Pierre Du Calvet arrive en Nouvelle-France en 1758 et s'installe à Montréal en 1762 comme commerçant. En 1766, il est nommé juge de paix. Il soumet un projet de réforme pour l'administration de la justice au Québec dans un pamphlet intitulé *Appel à la justice de l'État*.

1.4 La politique de conciliation des gouverneurs Murray et Carleton

Dans les instructions qu'il reçoit lors de sa nomination au poste de gouverneur, James Murray est invité à former un conseil qui l'assistera dans l'administration des affaires publiques. Son successeur, Guy Carleton, et lui, se montrent conciliants envers les Canadiens, malgré l'indignation que cette politique suscite chez les sujets britanniques établis dans la colonie. Ces deux gouverneurs sont d'ailleurs convaincus que la population de langue française et catholique demeurera longtemps majoritaire.

▲ **3.28 James Murray (1720-1794).**

En 1760, Murray est nommé gouverneur militaire provisoire de Québec. Il devient le capitaine général et gouverneur en chef de la province de Québec en 1763.

Artiste inconnu, *James Murray*, vers 1770.

Le français

À cette époque, plusieurs personnes faisant partie des élites sociales et intellectuelles non francophones, comme Murray ou Carleton, sont plutôt **francophiles**. Le français, alors utilisé comme langue d'écriture, s'impose de plus en plus comme langue diplomatique.

Francophile : Qui est bien disposé envers les Français et la France.

La création de tribunaux

Londres avait demandé au gouverneur de créer des tribunaux qui permettraient autant que possible d'entendre les causes criminelles et civiles d'après les lois anglaises. En septembre 1764, Murray organise les cours de justice, mais il est conscient qu'il n'est pas réaliste d'appliquer à la lettre les lois civiles anglaises. Il opte alors pour un compromis provisoire et crée deux niveaux de tribunaux. Les causes civiles dont l'enjeu est modeste et qui concernent seulement des Canadiens sont jugées selon les lois françaises. Dans ce cas, les procès ont lieu à la cour inférieure, appelée « cour des plaids communs » (*Court of Common Pleas*). Si l'enjeu est important ou que les parties en présence sont de langue anglaise, la cause est jugée selon les lois britanniques. Elle est alors entendue à la cour supérieure, appelée « cour du banc du roi » (*Court of the King's Bench*). Elle ne siège que deux fois par année.

Le nouveau système de justice ne satisfait personne. Les sujets de langue anglaise, en particulier les marchands britanniques, s'opposent à l'idée d'utiliser des lois et des coutumes françaises devant les tribunaux. Ils réclament l'usage exclusif des lois anglaises. Pour leur part, les Canadiens se plaignent de la lenteur des structures judiciaires. Sous le Régime français, l'accessibilité aux tribunaux était répandue. Les litiges se réglaient grâce aux cours seigneuriales, désormais abolies, ou aux interventions des capitaines de milice. La lenteur des règlements est maintenant telle que beaucoup de Canadiens se rebutent et finissent par ne plus recourir aux tribunaux lorsqu'ils ont des litiges à résoudre.

▼ **3.29 La Cour du banc du roi.**

La Cour du banc du roi est établie dans la province de Québec en 1764. Seules les lois anglaises s'y appliquent.

Thomas Rowlandson et Augustus Charles Pugin, *Court of King's Bench* [La cour du banc du roi], vers 1808.

À la défense de l'Église catholique

Le 8 juin 1760, Mgr de Pontbriand meurt. La mort de l'évêque laisse l'Église canadienne sans chef. Sous le Régime français, les évêques étaient nommés par le roi de France. Les Canadiens exercent des pressions pour que l'évêque soit remplacé. Murray se porte alors à la défense de l'Église catholique. Il finit par obtenir de Londres l'autorisation qu'un nouvel évêque soit sacré en France. En 1766, Jean-Olivier Briand devient le nouvel évêque de Québec. Ce dernier se dit prêt à collaborer avec le gouverneur. Murray fait appel à la collaboration du nouvel évêque pour gagner la sympathie des Canadiens, les « nouveaux sujets du roi ». D'ailleurs, certains d'entre eux choisiront de s'appeler ainsi pour s'attirer la protection du roi.

Concept

Religion

Ensemble de pratiques et de rites qui se rapportent à chaque croyance religieuse.

Lors de la Conquête, presque tous les habitants de la Nouvelle-France sont de fervents catholiques. La religion catholique est demeurée longtemps une caractéristique fondamentale de la société québécoise.

Les oppositions au gouverneur

Les marchands français ont subi de lourdes pertes financières au cours de la guerre de la Conquête. Avec l'instauration de la liberté de commerce, ils croient avoir une chance de se reprendre après le départ des dirigeants français. Mais ils sont progressivement supplantés par les marchands britanniques qui viennent s'établir dans la colonie.

Les marchands britanniques réclament la convocation d'une assemblée législative. Murray et, après lui, Guy Carleton, refusent de céder à leur volonté. En 1764, les marchands mécontents envoient une pétition à Londres pour protester contre l'approche conciliante de Murray et demander sa démission. Ils souhaitent l'établissement d'une assemblée législative élue parmi les sujets britanniques protestants. La grogne monte et les pétitions contre le gouverneur s'accumulent. La situation est telle que Murray est remplacé par Carleton.

Les autorités britanniques, de leur côté, jugent qu'il serait indigne de la part d'une nation civilisée d'imposer aux Canadiens une forme de gouvernement et des lois qui ne leur sont pas familières. Aussi, elles n'imposent pas la formation d'une chambre d'assemblée tant que le nombre de sujets britanniques n'est pas suffisant dans la colonie. Londres avait surestimé les possibilités du peuplement britannique. Finalement, les immigrants préfèrent s'établir en Nouvelle-Écosse ou dans les colonies britanniques dont ils connaissent la culture et les institutions.

▲ **3.30 Mgr Jean-Olivier Briand (1715-1794).**

Mgr Briand a été évêque de Québec de 1766 à 1784. Il a succédé à Mgr de Pontbriand, dernier évêque de la Nouvelle-France, en fonction de 1741 à 1760.

Gerrit Schipper, *Portrait de Mgr Jean-Olivier Briand*, vers 1780.

1. Quel groupe de personnes s'oppose au gouverneur ?

2. Pour quelle raison ces personnes sont-elles mécontentes ?

Saviez-vous que... La Nouvelle-Écosse est la première province du Canada à obtenir un gouvernement représentatif, c'est-à-dire un gouvernement constitué d'une assemblée élue. La première assemblée de cette province s'est tenue en 1758. Comme en Grande-Bretagne, les catholiques en sont exclus. Jusqu'en 1810, les Acadiens qui vivent dans cette province ou qui y sont revenus sont privés du droit de vote à cause de leur religion. En 1830, on leur accorde toutefois le droit d'être élus à l'Assemblée législative. ■

◄ **3.31 Un timbre canadien.**

Ce timbre a été émis le 2 octobre 1958 pour commémorer la date à laquelle la première assemblée élue de la Nouvelle-Écosse s'est tenue.

Gerald Mathew Trottier et Carl Dair.

Les seigneurs et la population

Les nouvelles lois britanniques respectent les droits de propriété des seigneurs. Sous le Régime français, les propriétaires de seigneuries et les nobles devaient leur prestige et leur prospérité au roi de France. En effet, c'est le souverain qui leur octroyait leurs terres et leurs postes d'officier. Sous le Régime britannique, pour obtenir des privilèges du gouvernement, il faut être conciliant. À cet égard, la noblesse fait peu de gains, car les faveurs et les sièges au conseil sont systématiquement attribués à des protestants britanniques. Il en sera ainsi jusqu'en 1774, date de la signature de l'**Acte de Québec**.

Le retour à la paix représente pour la population, composée surtout d'agriculteurs et d'artisans français, une nette amélioration de sa condition après des années de souffrance. Aussi, le changement d'empire se fait-il dans une paix relative. Au sein du monde rural, il n'y a pas de rupture radicale. La vie se poursuit sans changements majeurs. La nouvelle constitution, qui abolit les obligations seigneuriales comme la corvée et la dîme, procure un léger soulagement aux habitants.

Société

Les Canadiens d'origine française forment 95 % de la population. La majorité des habitants sont des agriculteurs de religion catholique. Au lendemain de la Conquête, la langue anglaise devient la langue de l'administration et les lois britanniques entrent en vigueur. La religion catholique est cependant tolérée. L'immigration britannique commence progressivement, entre autres par l'établissement de marchands britanniques et de leur famille dans la colonie.

Acte de Québec : Deuxième constitution s'appliquant au territoire de la province de Québec. Proclamé en 1774, l'Acte de Québec étend les frontières de la province de Québec et édicte certaines mesures favorables aux Canadiens.

En quoi le paysage rural représenté par cette aquarelle est-il typique de la province vers 1785 ?

▲ **3.32 Une vue de Château-Richer, près de Québec.**

Cette aquarelle représente un village typique de la province de Québec dans les années 1780.

Thomas Davies, *Vue de Château-Richer, du cap Tourmente et de la pointe orientale de l'île d'Orléans, près de Québec*, 1787.

Nommez trois effets de la Conquête sur la société canadienne.

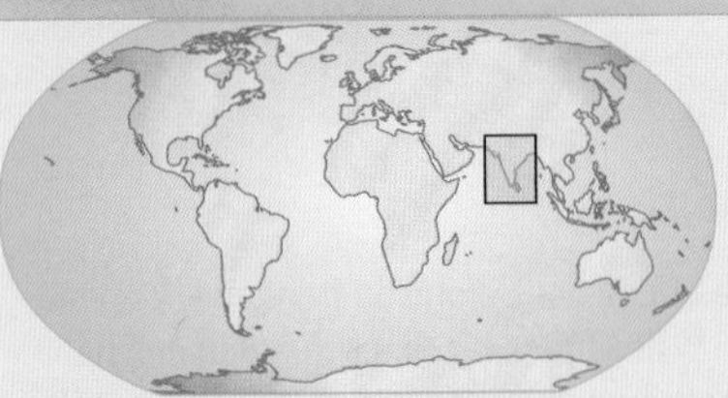

L'Inde

Au 18e siècle, l'Inde est loin d'être un État unifié. Elle est divisée en plusieurs royaumes, dont la confédération des Marathes, le Mysore et le Bengale. Plusieurs pays européens viennent y faire du commerce, mais ce sont surtout les Français et les Anglais qui s'en disputent le contrôle. Comme pour la Nouvelle-France, le traité de Paris (1763) met officiellement fin à la présence française en Inde, à l'exception cependant de cinq comptoirs.

Avant 1763, les Français détiennent plusieurs comptoirs de commerce sur le littoral indien et leur influence grandit dans la région du Dekkan, enclavée dans les montagnes des Ghâts orientaux, un massif montagneux. La Compagnie anglaise des Indes orientales possède pour sa part des comptoirs à Surat, Madras, Bombay et Calcutta.

Durant plusieurs dizaines d'années, des conflits éclatent entre Français et Anglais pour le contrôle du commerce européen en Inde. Mais c'est au cours de la guerre de Sept Ans (1756-1763) que Robert Clive défait finalement les Français lors de la bataille de Plassey. Sous la direction de Clive, la Compagnie anglaise des Indes orientales prend le contrôle de la province du Bengale, qui est alors la plus riche et la plus peuplée. À la suite du traité de Paris, les cinq comptoirs que la France possède en Inde sont rendus à la Compagnie.

▲ 3.33 **Warren Hastings (1732-1818).**

Hastings est nommé gouverneur du Bengale en 1772.

Sir William Beechey, *Portrait of Warren Hastings (1732-1818) at his Desk* [Portrait de Warren Hastings (1732-1818) à son bureau], vers 1806.

▼ 3.34 **Les montagnes des Ghâts.**

Cette chaîne de montagnes borde quatre fleuves importants de l'Inde.

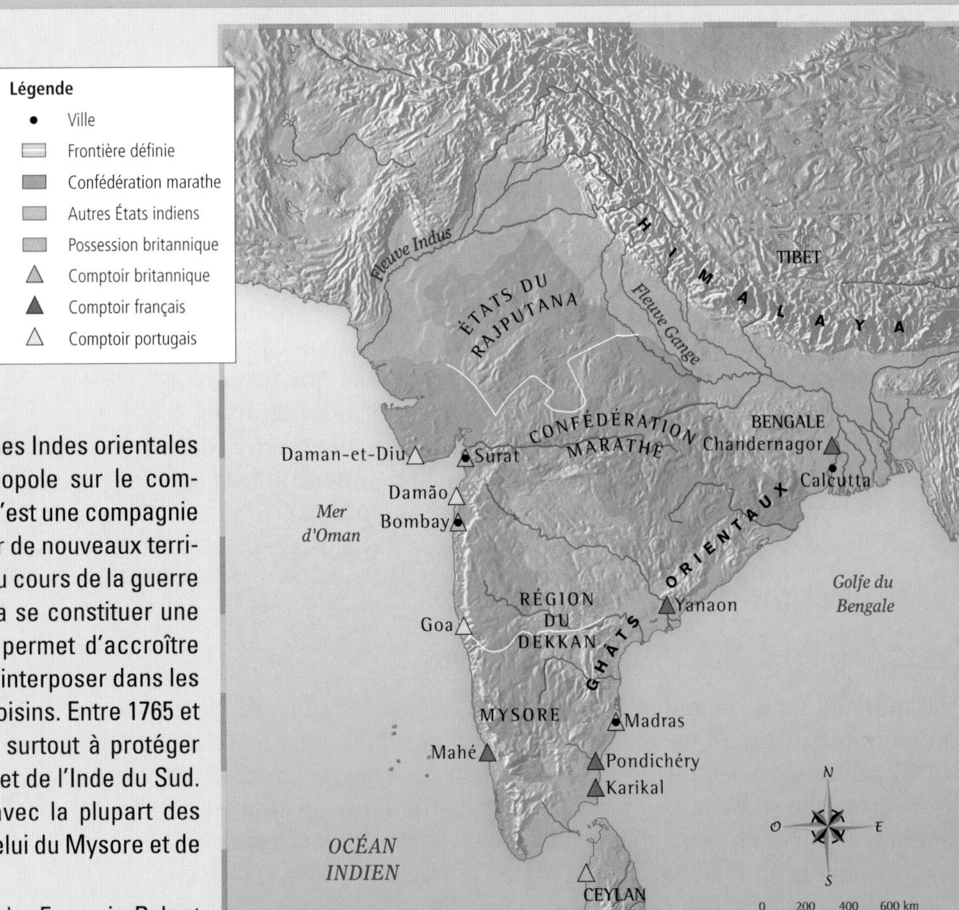

La Compagnie anglaise des Indes orientales acquiert ainsi un quasi-monopole sur le commerce en Inde au 18e siècle. C'est une compagnie privée qui a le droit d'acquérir de nouveaux territoires et de les diriger. C'est au cours de la guerre contre les Français qu'elle va se constituer une véritable armée. Celle-ci lui permet d'accroître son influence en Inde et de s'interposer dans les conflits entre les royaumes voisins. Entre 1765 et 1790, la Compagnie cherche surtout à protéger ses possessions du Bengale et de l'Inde du Sud. Elle négocie des alliances avec la plupart des royaumes, à l'exception de celui du Mysore et de l'Empire marathe.

Après ses victoires contre les Français, Robert Clive devient en 1765 le gouverneur du Bengale. Il ramène l'ordre dans cette province ruinée par des années d'anarchie. Il met en place le contrôle de la Compagnie sur le commerce, l'administration et la perception des impôts du Bengale. Toutefois, les impôts et les mesures commerciales, désavantageuses pour les Indiens, ont de graves conséquences sur l'industrie indienne, ce qui provoque une profonde crise économique et sociale. Cette crise est l'une des causes de la famine de 1769-1770 durant laquelle environ 7 à 10 millions de Bengalis sont morts.

▲ **3.35 L'Inde vers 1785.**

Durant le 18e siècle, la Compagnie anglaise des Indes orientales détient le quasi-monopole du commerce et dirige les territoires qu'elle possède.

Pourquoi les Britanniques engagent-ils des batailles contre l'Empire marathe et contre les autres royaumes présents en Inde ?

En 1772, Warren Hastings succède à Robert Clive et devient gouverneur général des Indes britanniques de 1774 à 1784. Il continue d'étendre le pouvoir de la Compagnie sur ses possessions indiennes. La Compagnie intervient alors dans plusieurs conflits et entre en guerre contre l'Empire marathe et le Mysore. Ces interventions de la Compagnie dans les affaires politiques forcent Hastings à démissionner. En 1784, le parlement britannique vote l'*India Act* qui réorganise l'Inde britannique. Désormais, la couronne britannique gouverne directement ses possessions tandis que le commerce reste sous le monopole de la Compagnie. Toutefois, cette réorganisation n'empêche pas la Compagnie de faire de nouvelles conquêtes et d'annexer d'autres territoires au cours des décennies suivantes.

Ce n'est qu'au 19e siècle que la Grande-Bretagne étend son contrôle sur la majeure partie de l'Inde et que la Compagnie des Indes orientales est dissoute au profit de la couronne britannique.

1.5 L'agitation dans les Treize colonies britanniques

Les vainqueurs de la guerre de Sept Ans ont des institutions assez différentes de celles de la France de l'Ancien Régime. Aussi, les immigrants britanniques qui s'établissent dans la province de Québec aimeraient y retrouver une forme de gouvernement qui leur est familière.

En vertu de la Constitution, les sujets britanniques participent au gouvernement par l'intermédiaire de représentants élus par le peuple et siégeant dans une assemblée. Ce système politique ne correspond qu'à une forme embryonnaire de la démocratie. En effet, le droit de vote est alors limité et les élus sont étroitement encadrés dans l'exercice de leurs pouvoirs. Mais l'idée de la démocratie fera son chemin tant en Grande-Bretagne que dans ses colonies.

Les institutions représentatives des Treize colonies britanniques

Au moment de la Conquête de la Nouvelle-France, les Treize colonies britanniques d'Amérique du Nord comptent plus d'un million et demi d'habitants. Au milieu du 18e siècle, les Treize colonies sont dotées de gouvernements assez semblables. Habituellement, un gouvernement a à sa tête un gouverneur nommé par le roi. Trois colonies font exception à cette règle : le Maryland, la Pennsylvanie et le Delaware. Ces colonies sont la propriété de familles qui se les transmettent de génération en génération. Cette exception prendra fin avec la Révolution. Dans la majorité des colonies, le gouverneur est assisté d'un conseil dont il nomme les membres. Chaque colonie possède une assemblée élue. Dans le sud, cette institution est dirigée par quelques grandes familles de planteurs ; au nord, où la représentation est un peu plus étendue, seuls les hommes blancs propriétaires ont le droit de vote. Les élus peuvent prélever des taxes et voter des lois pour l'administration de la colonie. Toutefois, les mesures adoptées par les assemblées coloniales sont assujetties à la sanction royale. Elles ne sont appliquées qu'avec l'approbation du gouvernement de la métropole.

Dans toutes les colonies, la soumission de l'Assemblée aux volontés du gouvernement de la métropole suscite des affrontements. Les élus réclament un réel exercice du pouvoir. Les représentants du roi préfèrent conserver l'autorité du gouvernement métropolitain sur les colonies.

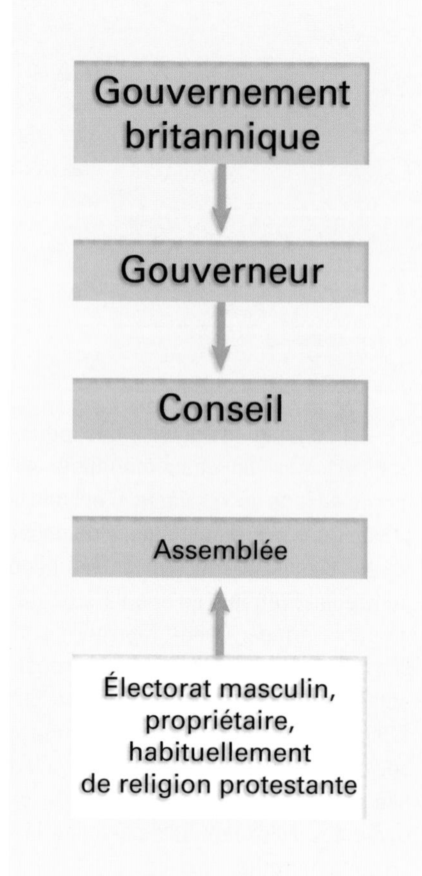

▲ **3.36 L'organisation politique des colonies anglaises.**

Selon l'organisation politique en vigueur, le roi nomme le gouverneur et le Conseil. Cette disposition s'applique dans 10 des 13 colonies.

▼ **3.37 La ville de Philadelphie, en Pennsylvanie (États-Unis), vers 1767.**

La ville de Philadelphie est fondée par William Penn en 1682. À partir de 1774, elle devient le siège des Congrès où se planifie la Révolution américaine. La déclaration d'Indépendance est signée dans cette ville en 1776.

Artiste inconnu, *View of Philadelphia, 1767* [Une vue de Philadelphie en 1767], vers 1767.

▲ **3.38 Le Vieux Capitole, vers 1780.**

La partie centrale du bâtiment servait aux réunions de l'Assemblée.

James B. Marston, *Old State House* [Le Vieux Capitole], 1801.

▲ **3.39 Le Vieux Capitole, aujourd'hui.**

Aujourd'hui encore, on peut visiter à Boston le Vieux Capitole (*Old State House*), construit en 1713.

Compétence 2

Une série de mesures impopulaires

Les élus des diverses assemblées coloniales tolèrent mal leur assujettissement à la métropole. Ils s'opposent à ce que la Grande-Bretagne intervienne dans leurs affaires intérieures sans que les habitants des colonies soient représentés au Parlement de Londres. Au lendemain de la Conquête, la métropole déclenche davantage leur colère.

Comparez le *Old State House* représenté à deux périodes différentes. A-t-il beaucoup changé ?

La Proclamation royale interdit aux colonies de s'étendre au vaste territoire des autochtones. Or, les colons britanniques ont participé à la guerre contre la Nouvelle-France pour pouvoir justement s'établir dans les régions situées plus à l'ouest, une fois levée la menace française.

Nommez deux mesures prises par la Grande-Bretagne qui mécontentent une grande partie de la population des Treize colonies.

En 1764, le gouvernement de Londres impose un impôt sur le sucre. Comme l'administration et la défense de l'Empire coûtent cher, la métropole estime normal que les colonies participent aux dépenses.

En 1765, la Loi du timbre rend obligatoire l'utilisation d'un timbre fiscal sur les livres, les documents juridiques ou commerciaux, ainsi que sur les journaux. Plusieurs coloniaux protestent contre cette loi en clamant le principe : « Pas de taxation sans représentation » (*No taxation without representation*). Comme les colons de l'Amérique ne sont pas représentés au gouvernement de Londres, celui-ci ne peut leur imposer d'impôts. La même année, des délégués venus de neuf colonies se réunissent à New York pour réclamer l'**abrogation** de la Loi du timbre.

Abrogation : Annulation d'un décret ou d'une loi.

Le désir de rompre avec la métropole a déjà gagné une grande partie des colons britanniques. Des associations de **patriotes** proposent la formation d'une nation indépendante.

Patriote : Personne qui aime sa patrie et qui est prête à la servir.

Le gouvernement de Londres abroge la Loi du timbre et revient sur sa décision d'imposer une taxe sur le sucre. Toutefois, au début des années 1770, de nouvelles mesures fiscales sont adoptées et ravivent les protestations. La métropole augmente la présence militaire dans ses colonies afin de maintenir l'ordre. En 1770, trois personnes sont tuées à Boston au cours d'un affrontement opposant des civils et des soldats. Le gouvernement britannique recule alors une nouvelle fois, abrogeant toutes les taxes, sauf celle sur le thé.

À partir de 1773, la Compagnie anglaise des Indes orientales est très endettée et a d'importants stocks de thé qu'elle n'arrive pas à écouler à cause de la contrebande. Pour lui venir en aide, Londres fait passer la Loi sur le thé (*Tea Act*), qui dispense la Compagnie de payer la taxe sur le thé et lui permet de vendre son produit à un prix ridiculement bas. Cette mesure compromet la survie des entreprises des marchands de thé américains.

Observez les personnages représentés dans l'illustration ci-dessous. Que pouvez-vous déduire sur l'état d'esprit de la population qui assiste à cet événement ?

Les « lois intolérables »

À la suite de l'affrontement de Boston, le gouvernement britannique adopte, en 1774, une série de mesures législatives appelées les « lois intolérables » (*Coercive Laws*).

► **3.40 Le *Boston Tea Party*.**

Dans la nuit du 16 décembre 1773, un groupe de patriotes bostoniens, dont certains déguisés en Amérindiens, jettent à la mer une cargaison de plus de 340 caisses de thé appartenant à la Compagnie des Indes orientales.

Nathaniel Currier, *The Destruction of Tea at Boston Harbor* [La destruction d'une cargaison de thé au port de Boston], 1846.

« Lois intolérables »	Description
Loi sur le cantonnement	Dès 1765, le gouvernement de la Grande-Bretagne décrétait que les colonies devaient loger les troupes en stationnement en Amérique. En 1774, les habitants sont contraints d'accepter des soldats chez eux.
Loi sur l'administration de la justice	À compter de mai 1774, les fonctionnaires britanniques coupables de crimes graves sont désormais poursuivis devant les tribunaux de la métropole.
Loi sur le gouvernement du Massachusetts	En mai 1774, la charte de la colonie est annulée, ce qui donne au gouverneur le plein pouvoir sur les nominations et le fonctionnement des diverses institutions coloniales.
Loi sur le port de Boston	En juin 1774, les autorités britanniques ferment le port de Boston jusqu'à ce que les coloniaux aient remboursé les dommages causés par la révolte du *Boston Tea Party*.
Loi de Québec ou Acte de Québec	En mai 1774, une partie du territoire des Indiens est annexée à la province de Québec.

▲ **3.41 Les « lois intolérables » et leur description.**

2 La province de Québec et la Révolution américaine

Compétence 2

Concept

Économie

Ensemble des activités de production, de distribution et de consommation des richesses et des biens dans une société.

Après la Conquête, les échanges économiques se font avec la Grande-Bretagne. Le commerce des fourrures demeure toujours une activité économique importante. Ce commerce passe toutefois aux mains des marchands britanniques. L'agriculture constitue la principale occupation de la majorité de la population canadienne.

Entre 1763 et 1774, la société de la province de Québec connaît des changements importants. L'économie passe sous la domination d'un groupe de marchands britanniques. Comme ces commerçants ont des contacts dans la métropole et connaissent les pratiques commerciales anglaises, ils prennent en main les trois quarts des échanges dès 1770. Ils réclament l'application des lois britanniques et l'établissement d'une assemblée législative. Ces partisans de la manière forte créent le *British Party*, qui vise à faire de la colonie un territoire résolument britannique et anglophone. Il ne s'agit cependant pas d'un parti au sens de parti politique actuel, mais plutôt d'un groupe d'individus partageant des intérêts communs.

Murray et son successeur, Carleton, s'opposent aux revendications des marchands. Ils se trouvent à la tête du *French Party*, composé d'administrateurs et de fonctionnaires. Ils refusent de constituer une assemblée où, à cause du serment du Test, seuls quelques centaines d'individus pourraient voter et se faire élire. Des francophones, des seigneurs, le clergé et certains officiers de milice appuient leur position.

Alors que croît l'agitation dans les Treize colonies, Murray et Carleton décident de faire des concessions aux francophones pour gagner leur fidélité. Ainsi, tous deux demandent à Londres que soit confirmé le recours au droit civil français et que l'on permette aux catholiques d'occuper des emplois importants dans la fonction publique.

Bien que les Canadiens et les marchands britanniques soient en désaccord à bien des égards, une idée les rallie. Dans les deux camps, on souhaite obtenir que la région des Grands Lacs soit placée sous la compétence de la province de Québec.

L'insatisfaction se généralise. Les changements qui surviennent dans la société remettent en cause le rôle et les décisions des représentants du gouvernement britannique. À Londres, on est conscient que la façon d'administrer la province ne satisfait personne. La Proclamation royale crée des tensions et ne permet pas à la colonie de résoudre ses problèmes, en plus de laisser en suspens les questions linguistique, religieuse et juridique.

▲ **3.42 Le fleuve Saint-Laurent au large de Québec, vers 1760.**

Après la Conquête, les marchands britanniques et français souhaitent que la région des Grands Lacs soit désormais sous la juridiction du gouvernement colonial à Québec.

Hervey Smyth, *Vue de Québec depuis le bassin*, vers 1760.

2.1 Les concessions de l'Acte de Québec

En juin 1774, le Parlement britannique adopte l'Acte de Québec. Celui-ci apporte de nombreux changements à l'organisation de la province sur les plans territorial, administratif, juridique et religieux.

Le territoire de la province de Québec après l'Acte de Québec

L'Acte de Québec étend les frontières de la province au bassin des Grands Lacs et à la région délimitée par le Haut-Mississippi et la rivière Ohio. Une large étendue du continent, le territoire des Indiens, demeure réservée aux autochtones. Les rêves d'expansion des habitants des Treize colonies britanniques sont compromis.

▲ **3.43 Les frontières établies selon l'Acte de Québec en 1774.**

La province de Québec est considérablement agrandie. L'annexion de territoires riches en fourrures satisfait les Canadiens et les marchands britanniques de la province.

Selon vous, pourquoi les marchands de fourrure de New York et d'Albany et les habitants des Treize colonies sont-ils insatisfaits de ces nouvelles frontières établies par l'Acte de Québec ?

La liberté religieuse et l'administration

L'Acte de Québec confère à la vallée du Saint-Laurent un statut de colonie «distincte», c'est-à-dire une reconnaissance de la société française. Les autorités espèrent ainsi gagner la fidélité des francophones au moment où la situation devient explosive dans les Treize colonies. L'Acte de Québec abolit aussi l'obligation de prêter le serment du Test pour accéder à un poste dans la fonction publique ou pour siéger à l'Assemblée. Le serment d'allégeance au roi suffira désormais.

Le serment d'allégeance

« Je, A.B., promets et jure sincèrement que je serai fidèle et porterai vraie allégeance à Sa Majesté le roi [...], que je le défendrai de tout mon pouvoir contre toutes conspirations perfides et tous attentats quelconques, dirigés contre sa personne, sa couronne ou sa dignité; et que je ferai tous mes efforts pour découvrir et faire connaître à Sa Majesté, ses héritiers et successeurs, toutes trahisons et conspirations perfides et tous attentats que je saurai dirigés contre lui ou chacun d'eux; et tout ceci, je le jure sans aucune équivoque, subterfuge mental ou restriction secrète, renonçant pour m'en relever à tous pardons et dispenses de personnes ou pouvoir quelconque. Ainsi que Dieu me soit en aide. »

Source : Cité dans Michel BRUNET, Guy FRÉGAULT et Marcel TRUDEL, *Histoire du Canada par les textes*, Montréal, Fides, 1952, p. 102.

1. Relisez le serment du Test à la page 168 et indiquez en quoi il diffère du serment d'allégeance.

2. Personnellement, auriez-vous prononcé ce serment ? Justifiez votre opinion.

La nouvelle constitution garantit aux Canadiens le libre exercice de la religion catholique. Ils peuvent donc devenir fonctionnaires, juges ou officiers militaires sans renoncer à leur foi. La dîme est rétablie. L'évêque catholique recevra du gouvernement les mêmes revenus que l'évêque anglican et il siégera à ses côtés au Conseil législatif. Le régime seigneurial est également maintenu. Le droit de fréquenter l'école catholique est aussi garanti.

3.44 La place Royale, à Québec.

La place publique qui fait face à l'église de Notre-Dame-des-Victoires est souvent très animée.

James Pattison Cockburn, *Lower Town Church & Market Place Quebec* [L'église et la place du marché de la basse-ville de Québec], vers 1831.

▲ **3.45 La ville de Québec en 1778.**

Dans cette peinture, on aperçoit, en haut de la falaise, le château Saint-Louis, la résidence du gouverneur. Du 17e siècle et jusqu'à ce qu'il soit détruit par un incendie en 1834, ce château est la résidence des gouverneurs français, puis britanniques. Il représente le siège du pouvoir politique dans la colonie.

James Hunter, *La basse-ville de Québec,* 1778.

L'administration du gouvernement

Le Conseil législatif regroupe quelques notables qui assistent le gouverneur dans l'administration du territoire. Ses membres peuvent être de religion catholique ou protestante. Ils sont nommés par le roi sur la recommandation du gouverneur. Les lois et les règlements préparés par le Conseil doivent recevoir la sanction royale, c'est-à-dire l'approbation du gouvernement de la métropole, avant d'être mis en application.

L'Acte de Québec exclut l'idée d'une assemblée élue et forme plutôt un Conseil législatif composé de 17 à 23 membres. Douze Britanniques et huit Canadiens en font partie. Le Conseil ne détient pas le pouvoir d'imposer des taxes, sauf celles qui concernent l'entretien des routes et des édifices publics.

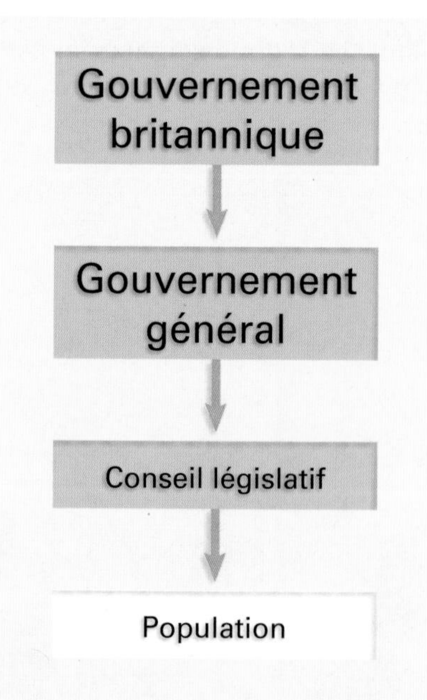

▲ **3.46 La structure administrative de la province de Québec en 1774.**

La nouvelle structure politique ne comporte pas d'assemblée élue.

L'administration de la justice

En matière de justice, l'Acte de Québec conserve les lois britanniques en droit criminel et reconnaît les lois françaises en droit civil. Le maintien du droit civil français, c'est-à-dire de la Coutume de Paris, connue désormais sous le nom de «Lois du Canada», confirme le statut du système seigneurial et les «privilèges» des seigneurs. La confirmation du système seigneurial, en 1774, est bien accueillie par les seigneurs et la population canadienne en général.

Ces changements comblent les attentes des élites de langue française et sont bien reçus par la population canadienne en général. Mais la nouvelle constitution déplaît aux marchands britanniques et à certains administrateurs coloniaux opposés au gouverneur Carleton. Ils acceptent mal le refus de constituer une assemblée élue et l'imposition des lois civiles françaises. Dans les Treize colonies, les concessions faites aux anciens ennemis, catholiques de surcroît, accentuent la colère de leurs habitants.

La coexistence des lois

Le rétablissement des lois civiles françaises explique qu'aujourd'hui encore le Québec est soumis au Code civil d'inspiration française et que les autres provinces observent la **common law**, la loi britannique.

Common law : Droit britannique qui évolue à partir des décisions des tribunaux. La common law établit des «précédents» dans des causes de nature similaire. De nouvelles lois, adoptées par le gouvernement approprié, peuvent annuler les précédents.

▲ **3.47 Une caricature intitulée «Le menuet des Mitrés».**

Cette caricature, parue dans le *London Magazine* de Londres en 1774, traduit les états d'âme des patriotes américains. Elle représente des évêques catholiques portant la mitre (coiffure de l'évêque) en train de danser autour de l'Acte de Québec. La présence du diable montre que les législateurs britanniques ont créé une mauvaise loi.

Artiste inconnu, *The Mitred Minuet* [Le menuet des Mitrés], 1774.

Quel but l'auteur recherchait-il en faisant cette caricature ? Selon vous, est-ce réussi ?

Carrefour DANSE

La danse après la Conquête

▲ **3.48 Une soirée dansante dans la résidence du gouverneur, au début du 19e siècle.**

La danse était l'un des passe-temps favoris de la petite noblesse coloniale.

George Heriot, *Danse au Château Saint-Louis,* 1801.

Après la Conquête, les Canadiens dansent beaucoup dans les soirées. Le menuet, danse de bal très en vogue en France, est à l'honneur.

« Bonjour cher fils. Je crois que toute la ville est plus endormie que moi, car on est sorti du bal que ce matin à six heures et demie. Mater est revenue de fort mauvaise humeur, ne voyant point d'endroit [...] pour se coucher. Elle est sur le canapé, le derrière en l'air, qui ronfle comme je ne l'ai jamais vu ronfler. »

Source : Élisabeth BÉGON, *Lettres au cher fils. Correspondance d'Élisabeth Bégon avec son gendre (1748-1753).* Établi par Nicole DESCHAMPS, Montréal, Les Éditions du Boréal, 1994, lettre du 10 février 1749, p. 109.

Selon vous, quel style de danse cette illustration présente-t-elle ? Quels indices permettent de la reconnaître ?

La danse est un sujet de controverse parmi les gens d'Église, qui y voient une incitation à la débauche. La mode française impose aux dames de porter des « robes décolletées ». Cette tenue provoque la colère des prêtres, qui vont jusqu'à interdire la danse sous peine de péché mortel.

Dans les campagnes, les mariages et les jours de fête sont autant de prétextes aux célébrations de toutes sortes. À partir du 19e siècle, on y danse des « gigues et des reels » au cours des fêtes populaires. Ces danses, issues des campagnes anglaises et irlandaises, sont adaptées aux airs que jouent les « violoneux ».

Au fur et à mesure que les mœurs évoluent, la danse est de plus en plus tolérée. Cependant, le clergé veille à encadrer les fêtes populaires et les noces par des directives strictes. La première règle s'adresse aux parents : ce sont eux qui ont la responsabilité de surveiller les bonnes mœurs de leurs enfants.

2.2 La Révolution américaine et les loyalistes

Les «lois intolérables» de 1774, notamment la fermeture du port de Boston, poussent les patriotes des Treize colonies à la révolte. Des élus de la Virginie invitent les représentants élus de toutes les colonies à se réunir à Philadelphie le 5 septembre 1774. C'est le début du premier Congrès continental. Toutes les colonies y sont représentées, sauf la Géorgie. À l'issue de cette assemblée, une déclaration des droits et des griefs des habitants des colonies est envoyée au souverain de la Grande-Bretagne.

Le gouvernement britannique entend imposer le respect de ses lois et de son autorité. Le général Thomas Gage envoie un contingent de soldats dans la ville de Concord, près de Boston, pour saisir les dépôts d'armes des patriotes. Informés de cette incursion, les Américains attendent les soldats britanniques à Lexington. Le 18 avril 1775, un affrontement éclate. Le coup d'envoi de la Révolution américaine est donné. Les autorités britanniques sont déterminées à réprimer le mouvement de rébellion. À maintes reprises, les forces révolutionnaires subiront la défaite aux mains des troupes britanniques, composées de soldats de métier.

Pourquoi l'Acte de Québec provoque-t-il autant d'indignation dans les Treize colonies ?

▼ 3.49 La bataille de Bunker Hill, près de Boston.

La bataille de Bunker Hill, qui a lieu en juin 1775, est un des premiers affrontements de la guerre de l'Indépendance américaine. Elle se solde par la défaite des Américains.

Howard Pyle, *The Battle of Bunker Hill* [La bataille de Bunker Hill], 1898.

Compétence 2

L'appel du Congrès américain aux Canadiens

Au cours du Congrès de Philadelphie, en octobre 1774, les députés des colonies britanniques adressent une lettre officielle aux Canadiens, les invitant à faire cause commune avec eux contre Londres.

La *Lettre adressée aux habitants de la Province de Québec* a été traduite et imprimée à Philadelphie par l'imprimeur Fleury Mesplet. Elle a ensuite été distribuée en de nombreux exemplaires aux Canadiens.

« Nous, les délégués des colonies [...] ayant été chargés par les habitants des dites colonies de les représenter dans un congrès général à Philadelphie [...] et de se consulter sur les meilleurs moyens de nous délivrer de nos oppressions accablantes, nous étant en conséquence assemblés et ayant considéré très sérieusement l'état des affaires publiques de ce continent, nous avons jugé à propos de nous adresser à votre province comme à une de ses parties qui y est des plus intéressée. [...]

Est-ce que l'on vous assure pour vous et votre prospérité, la certitude et la douceur de la loi criminelle d'Angleterre avec toutes ses utilités et avantages [...]? Non, ces lois sont aussi sujettes aux «changements» **arbitraires** du gouverneur et du Conseil. On se réserve, en outre, très expressément, le pouvoir d'ériger «telles cours de justice criminelle, civile et ecclésiastique que l'on jugera nécessaires.» [...]

Avez-vous une assemblée composée d'honnêtes gens de votre propre choix sur lesquels vous puissiez vous reposer pour former vos lois, veiller à votre bien-être et ordonner de quelle manière et en quelle proportion vous devez contribuer de vos biens pour les usages publics? Non, c'est du gouverneur et du Conseil que doivent émaner vos lois, et ils ne sont eux-mêmes que les créatures du ministre, qu'il peut déplacer selon son bon plaisir [...]

Nous ne requérons pas de vous dans cette adresse d'en venir à des voies de fait contre le gouvernement de notre Souverain, nous vous engageons seulement à consulter votre gloire et votre bien-être et à ne pas souffrir que des ministres infâmes vous persuadent et vous intimident jusqu'au point de devenir les instruments de leur cruauté et de leur despotisme. Nous vous engageons aussi à vous unir à nous par un pacte social, fondé sur le principe libéral d'une liberté égale et entretenu par une suite de bons offices réciproques, qui puissent le rendre perpétuel. »

Source: Michel BRUNET, Guy FRÉGAULT et Marcel TRUDEL, *Histoire du Canada par les textes*, Montréal, Fides, 1952.

▲ **3.50 Fleury Mesplet (1734-1794).**

Fleury Mesplet fonde le premier journal exclusivement francophone de la province de Québec. Il crée aussi l'Académie de Montréal, en 1778, avant d'être jeté en prison sans procès pour trois ans.

François Beaucourt, *Portrait présumé de Fleury Mesplet*, 1794.

Arbitraire: Qui dépend du bon vouloir d'une seule personne.

Note

Pour faciliter la lecture de cet extrait, nous avons remplacé l'orthographe ancienne de certains mots par leur orthographe actuelle.

La naissance des journaux

Fleury Mesplet fonde à Montréal, en 1778, le premier journal de langue exclusivement française: *La Gazette du commerce et littéraire, pour la ville et le district de Montréal* (qui deviendra plus tard *La Gazette littéraire*). Avant la publication de ce journal, il n'existait que des journaux anglais ou bilingues, comme la *Gazette de Québec*, le premier journal canadien bilingue, fondée en juin 1764.

Les Canadiens face à la Révolution américaine

Les Canadiens, pour la plupart satisfaits des gains obtenus par l'Acte de Québec, choisissent de demeurer neutres devant la menace américaine. L'administration britannique les encourage pourtant à lutter contre les insurgés. De nombreux seigneurs s'enrôlent dans la milice britannique. De leur côté, les marchands britanniques sont plutôt d'accord avec les Américains, mais leurs intérêts commerciaux les incitent à ne pas se retourner contre la métropole. Pour sa part, le clergé est catégorique dans ses positions. Mgr Briand, chef de l'Église catholique, dans une lettre datant de mai 1775, exhorte ses fidèles à soutenir les intérêts de la Grande-Bretagne.

« Une troupe de sujets révoltés contre leur légitime Souverain, qui est en même temps le nôtre, vient de faire une irruption dans cette province, moins dans l'espérance de s'y pouvoir soutenir que dans la vue de vous entraîner dans leur révolte, ou au moins de vous engager à ne pas vous opposer à leur pernicieux dessein. La bonté singulière et la douceur avec laquelle nous avons été gouvernés de la part de Sa très gracieuse Majesté le Roi George III, depuis que, par le sort des armes, nous avons été soumis à son Empire ; les faveurs récentes dont il vient de nous combler, en nous rendant l'usage de nos lois, le libre exercice de notre religion, et en nous faisant participer à tous les privilèges et avantages des sujets britanniques, suffiraient sans doute pour exciter votre reconnaissance et votre zèle à soutenir les intérêts de la couronne de la Grande-Bretagne. Mais des motifs encore plus pressants doivent parler à votre cœur dans le moment présent. Vos serments, votre religion, vous imposent une obligation indispensable de défendre de tout votre pouvoir votre patrie et votre Roi. Fermez donc, chers Canadiens, les oreilles, et n'écoutez pas les séditieux qui cherchent à vous rendre malheureux, et à étouffer dans vos cœurs les sentiments de soumission à vos légitimes supérieurs, que l'éducation et la religion y avaient gravés. Portez-vous avec joie à tout ce qui vous sera commandé de la part d'un gouverneur bienfaisant, qui n'a d'autres vues que vos intérêts et votre bonheur. Il ne s'agit pas de porter la guerre dans les provinces éloignées : on vous demande seulement un coup de main pour repousser l'ennemi, et empêcher l'invasion dont cette province est menacée. La voix de la religion et celle de vos intérêts se trouvent ici réunies, et nous assurent de votre zèle à défendre nos frontières et nos possessions. »

Source : Mandement de Mgr Briand, reproduit dans Michel ALLARD et autres, *Les Deux-Canadas, 1760-1810*, Montréal, Guérin, 1978.

Résumez en une ou deux phrases la position de Mgr Briand par rapport à l'invasion américaine.

Témoins de L'HISTOIRE

René-Amable Boucher de Boucherville

René-Amable Boucher de Boucherville est né le 12 février 1735 au fort Frontenac (aujourd'hui Kingston, en Ontario). Officier dans les troupes de la marine, il choisit une carrière dans les armes. En 1759, il est blessé au cours de la bataille des plaines d'Abraham. Fait prisonnier par les Britanniques, il est emmené en Grande-Bretagne. Il revient dans la province de Québec à la suite d'un échange de prisonniers, après la signature du traité de Paris. À la mort de son père, il devient le seigneur de Boucherville. Lors de l'invasion américaine, il s'enrôle dans l'armée britannique. En guise de récompense, le gouverneur Haldimand lui confie diverses fonctions au sein de l'administration, dont un siège au Conseil exécutif. René-Amable Boucher a été un vif défenseur de l'Acte de Québec et s'est opposé aux réformes constitutionnelles réclamées par la bourgeoisie et les marchands.

▲ **3.51 René-Amable Boucher de Boucherville (1735-1812).**

René-Amable Boucher de Boucherville est l'arrière-petit-fils de Pierre Boucher, fondateur et seigneur de Boucherville.

Artiste inconnu, *Portrait présumé de René-Amable Boucher de Boucherville*, 1789.

L'invasion de la province de Québec

La population de la province de Québec refuse de donner suite à la demande des Treize colonies britanniques. Au cours des années 1775-1776, les insurgés américains décident de s'emparer de la province de Québec par la force. Ils comptent ainsi protéger le nord contre toute intervention britannique. Les Américains mettent sur pied deux armées. L'une, commandée par le général Richard Montgomery, s'avance vers Montréal par le couloir du fleuve Hudson et de la rivière Richelieu. L'autre, placée sous les ordres du général Benedict Arnold, se dirige vers Québec en passant par les rivières Kennebec et Chaudière. Le 31 décembre 1775, alors que les rebelles tentent de s'emparer de Québec, le général Montgomery, qui a rejoint l'armée d'Arnold, est tué. Malgré tout, les Américains maintiennent leur siège. Les soldats souffrent de la faim, du froid et de la maladie. Au début du mois de mai 1776 arrivent des renforts britanniques devant Québec. Les Américains battent en retraite durant l'été.

▲ **3.52 L'attaque de Québec par le général Montgomery en 1775.**

Si la cause américaine rallie un certain nombre de Canadiens, la grande majorité de la population préfère jouer la prudence en restant neutre.

John Trumbull, *The Death of General Montgomery in the Attack on Quebec, December 31st*, 1775 [La mort du général Montgomery lors de l'attaque de Québec, le 31 décembre 1775], 1788.

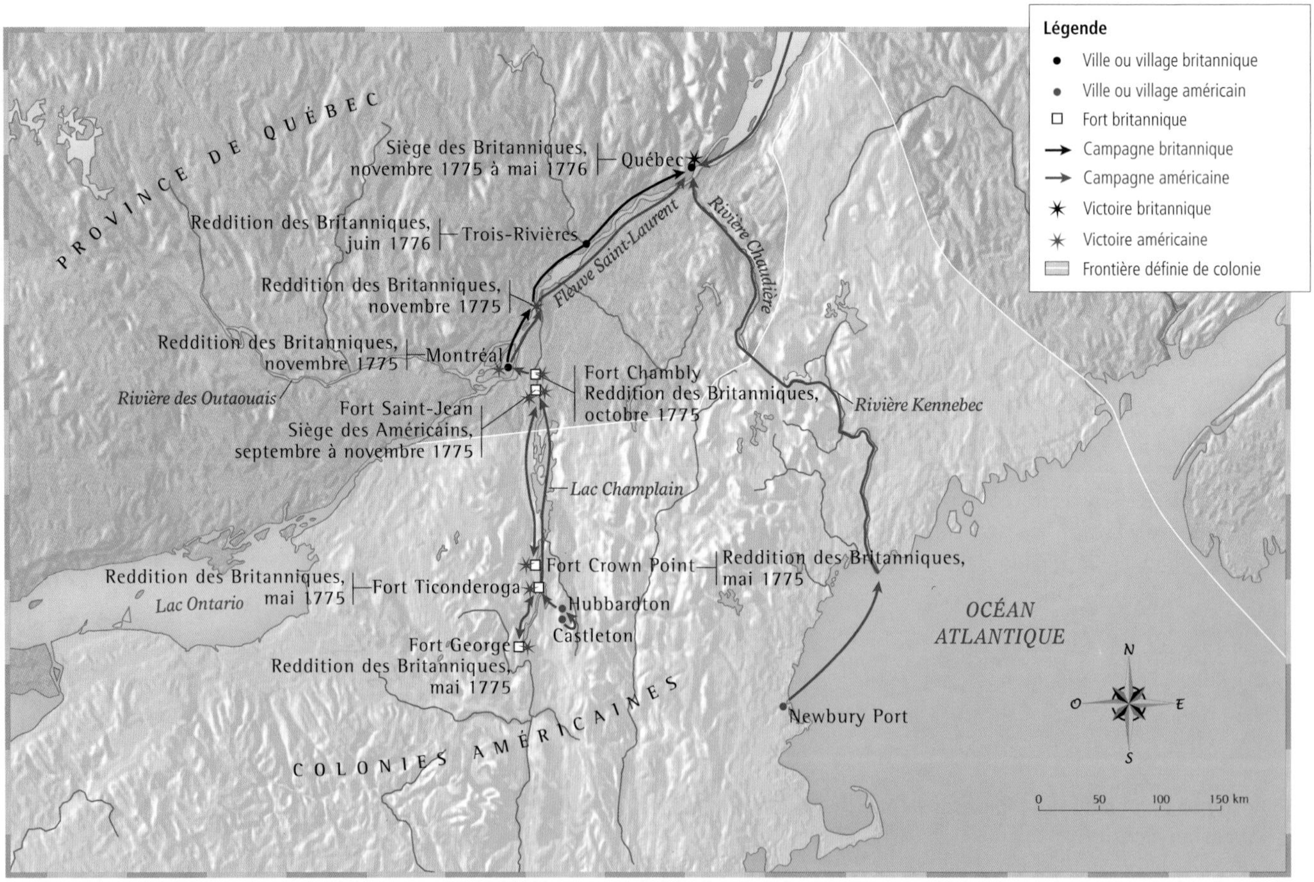

▲ **3.53 L'invasion du Québec de 1775 à 1776.**

Même si les Américains réussissent à occuper Montréal et Trois-Rivières, leur tentative d'invasion de la province de Québec se solde par un échec retentissant.

Quelle stratégie militaire les Américains ont-ils adoptée lors de l'invasion de la province de Québec ?

La famille Baby, un exemple d'adaptation

La famille Baby, très active sur le plan économique et politique, présente un bon exemple d'adaptation au changement d'empire.

Le premier ancêtre de la famille, Jacques Baby (né Babie), arrive en Nouvelle-France en 1665 comme sergent dans le régiment de Carignan-Salières. Tant le commerce des fourrures que l'agriculture l'intéressent; aussi, il exerce l'un et l'autre. Dès 1668, il commerce avec les Amérindiens et devient l'un des marchands accrédités par l'État qui participe, à Montréal, au grand marché annuel des fourrures. Jacques Baby et sa femme ont 11 enfants. Le plus jeune, Raymond, suit les traces de son père et devient marchand de fourrures.

Avant la Conquête, les fils de Raymond Baby font le commerce des fourrures avec la France. Dans les années qui suivent la Conquête, Jacques, François et Antoine Baby forment une association commerciale appelée « Baby Frères ».

En loyaux sujets de la France, les frères s'illustrent en se battant contre les britanniques durant le siège de Québec, en 1760. La guerre n'empêche toutefois pas les frères Baby de poursuivre leurs activités commerciales et de surveiller leurs intérêts futurs.

Une fois que le changement d'empire est définitif, les frères Baby reprennent de plus belle leurs activités commerciales avec Londres. Ils y vendent leurs fourrures et importent des marchandises de traite de Grande-Bretagne. De la France, François assure l'approvisionnement de ses frères en marchandises de traite.

Jacques poursuit le commerce des fourrures dans la région de Detroit avec deux de ses frères, Louis et Antoine. Il est nommé capitaine et interprète au département des Affaires indiennes. Au cours de sa vie, il occupe diverses fonctions, dont la plus importante est celle d'inspecteur général.

En plus de ses activités commerciales, François devient un des représentants les plus actifs de la nouvelle bourgeoisie canadienne. En 1773, les marchands et les seigneurs canadiens, avec François à leur tête, présentent à Londres une pétition qui demande le maintien des lois traditionnelles, des privilèges et des coutumes, ainsi que la révision des limites territoriales de la Nouvelle-France afin d'inclure dans la province le Labrador et la région de la traite des fourrures à l'ouest.

Au cours de l'invasion américaine, les activités commerciales des frères Baby sont perturbées. Au mois d'août 1775, François est nommé capitaine dans la milice de Québec. Un an plus tard, il devient commissaire des transports militaires. Il est ensuite chargé par le gouverneur Carleton d'enquêter sur la déloyauté des Canadiens envers la couronne britannique durant l'invasion américaine. Cette mission lui vaut d'être nommé au Conseil législatif et, plus tard, au Conseil exécutif.

Très proche du gouverneur Haldimand, nommé gouverneur de la province de Québec à la démission du gouverneur Carleton, François est un des membres les plus influents du *French Party*, qui veut préserver les acquis de l'Acte de Québec. En 1777, il devient adjudant général, commande la milice et est chargé d'en faire appliquer la première loi. Les descendants de la famille Baby continuent à jouer un rôle économique et politique important durant les 18e et 19e siècles.

▲ 3.54 **François Baby (1733-1820).**

François Baby appuie les autorités britanniques. Chargé d'enquêter sur la déloyauté des Canadiens lors de l'invasion américaine.

Charles Gill, *Portrait du Colonel François Baby, (1733-1820) adjudant général des milices du Canada*, 19e siècle.

Le *French Party*

Le *French Party* désigne un regroupement d'individus qui a vu le jour lorsque James Murray était gouverneur général de la province de Québec. Ce regroupement parle au nom de la majorité des Canadiens et prend la défense de ses droits contre les marchands britanniques.

Pourquoi dit-on que la famille Baby présente un bon exemple d'adaptation au changement d'empire ?

▲ **3.55 La signature de la déclaration d'Indépendance des États-Unis.**

Les auteurs de la déclaration d'Indépendance présentent le document au président du Congrès, John Hancock.

John Trumbull, *Declaration of Independence, 4 July, 1776* [La signature de la déclaration de l'Indépendance, le 4 juillet 1776], 1786-1797.

La déclaration d'Indépendance

Au second Congrès continental, tenu à Philadelphie en mai 1775, George Washington est nommé à la tête de l'armée révolutionnaire. La parution de l'ouvrage *Common Sense*, écrit par Thomas Paine, établit la légitimité de la révolte contre le roi. Moins de deux ans plus tard, le 4 juillet 1776, la déclaration d'Indépendance est adoptée par le Congrès continental.

La naissance des États-Unis d'Amérique

Les combats sont loin d'être terminés. Les rebelles obtiennent un premier succès important à Saratoga, en octobre 1777. Cette victoire persuade le gouvernement français de s'engager aux côtés des révolutionnaires. La France monarchique n'a aucune sympathie pour ce mouvement **républicain**. Elle est avant tout motivée par l'idée d'affaiblir son ennemi héréditaire, la Grande-Bretagne. Une armée de 6000 militaires français se déploie en Amérique. La marine française empêche les navires britanniques de ravitailler leurs troupes. La victoire des rebelles à Yorktown, en 1781, force la Grande-Bretagne à négocier la paix avec les Treize colonies. Une entente, désignée sous le nom de «traité de Versailles», est signée à Paris par la France, l'Espagne et la Grande-Bretagne le 3 septembre 1783. Les États-Unis d'Amérique sont nés.

Le nouvel État prendra la forme d'une **république** organisée en une **fédération**. En 1791, dix amendements sont apportés à la Constitution américaine afin de mieux protéger les individus. Les droits du citoyen dans ses rapports avec l'État et le système judiciaire y sont énumérés.

Selon vous, quelles conséquences l'Indépendance américaine entraîne-t-elle dans la province de Québec ?

Républicain : Qui est favorable ou rattaché à la république.

République : Forme d'organisation politique où l'exercice du pouvoir, non héréditaire, est partagé entre les représentants d'une partie ou de la totalité de la population.

Fédération : Union de plusieurs États qui, en se regroupant, abandonnent leur souveraineté pour la confier à une organisation fédérale. On parle de «confédération» quand les États conservent leur souveraineté et confient certaines responsabilités à un gouvernement commun, dont ils peuvent se retirer s'ils le souhaitent.

Les modifications territoriales apportées par le traité de Versailles

Avec le traité de Versailles, la province de Québec est amputée d'une partie du territoire concédé par l'Acte de Québec. Le Canada se voit privé de sa source d'approvisionnement en fourrures dans le sud des Grands Lacs et dans la vallée de l'Ohio. Les activités de la traite se déplacent alors vers le nord-ouest. Des commerçants d'origine écossaise, établis à Montréal, décident de relancer le réseau de traite des fourrures, autrefois développé par les Français à l'ouest des Grands Lacs grâce aux explorations de la famille La Vérendrye. Ces commerçants fondent la Compagnie du Nord-Ouest en 1783. Cette compagnie profite de l'expérience des Français de Montréal pour rivaliser avec la Compagnie de la Baie d'Hudson, établie à Londres. La Compagnie du Nord-Ouest s'empresse de pousser toujours plus loin ses explorations, tandis que la Compagnie de la Baie d'Hudson étend lentement son réseau de traite à l'intérieur des terres.

En 1821, la situation tourne à l'avantage de la Compagnie de la Baie d'Hudson, puisque ses postes de traite, situés sur la rive ouest de la Baie d'Hudson, sont plus près des zones de traite. Il lui en coûte donc beaucoup moins cher qu'à sa rivale de Montréal pour transporter les fourrures et les marchandises de l'ouest du Canada actuel jusqu'à leur point de vente en Grande-Bretagne. La Compagnie de la Baie d'Hudson absorbe finalement la Compagnie du Nord-Ouest en 1821. Le commerce se retrouve sous le contrôle de la Compagnie de la Baie d'Hudson.

1. Quels changements les territoires amérindiens ont-ils subi à la suite du traité de Versailles ?

2. Quelle conséquence le traité de Versailles a-t-il sur le peuplement de la province de Québec et sur le commerce des fourrures ?

Observez attentivement la carte ci-dessous. Comparez le territoire de la province de Québec en 1783 avec celui de 1774 présenté dans la carte de la page 178.

▼ **3.56 Le territoire des États-Unis en 1783 et les principales routes du commerce des fourrures.**

Le territoire des États-Unis d'Amérique s'étend de l'océan Atlantique jusqu'au fleuve Mississippi. Il intégrera la Floride en 1791 et la Louisiane, à l'ouest du Mississippi, en 1803.

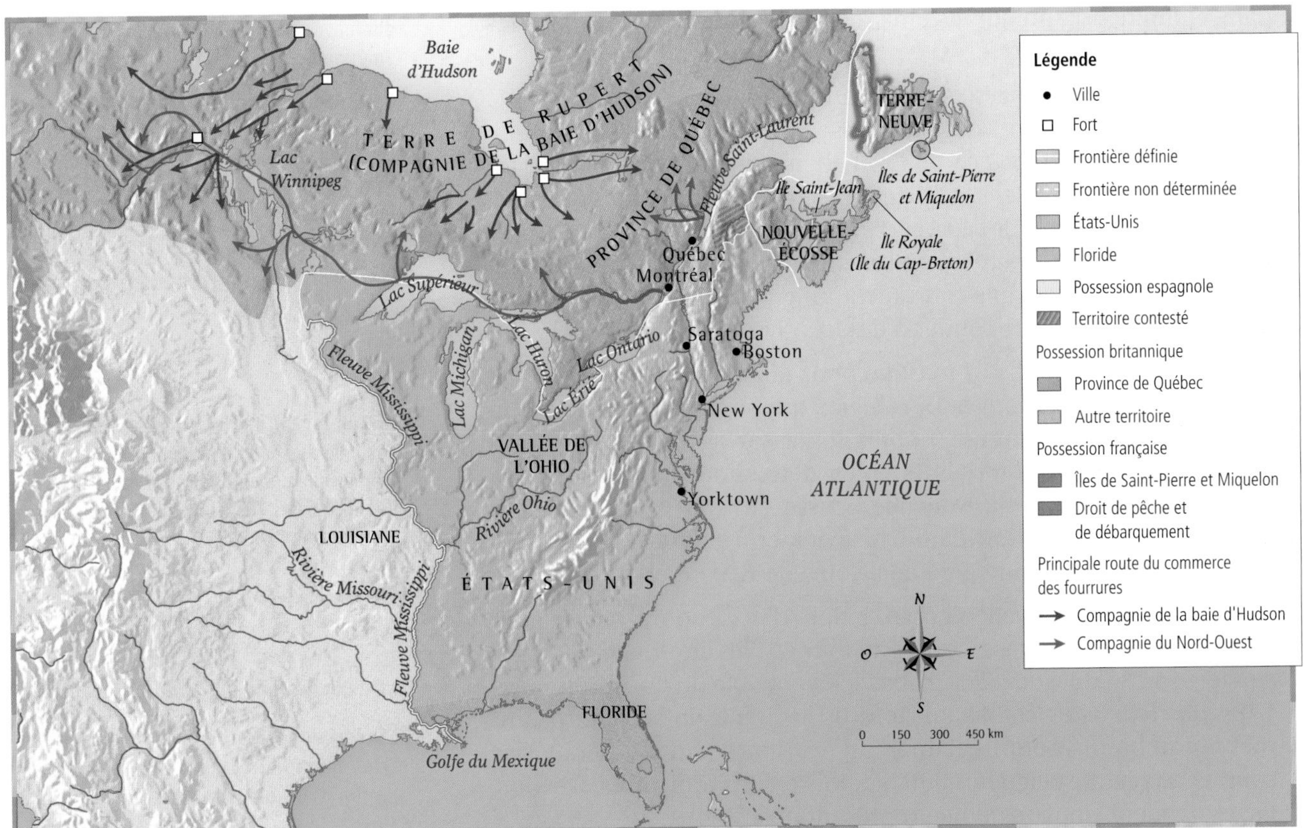

3.57 Des loyalistes quittant les États-Unis pour émigrer au Canada.

Après la Révolution américaine, des milliers de personnes « loyales » à la Couronne britannique trouvent refuge dans les autres colonies de l'Empire britannique. On les appelle les « loyalistes ».

Charles William Jefferys, *Loyalists on their Way to Upper Canada after the American Revolution* [Des loyalistes en route vers le Haut-Canada après la Révolution américaine], début du 20e siècle.

Les loyalistes

La Révolution américaine ne fait pas l'unanimité dans les Treize colonies. Une grande partie de la population américaine sympathise avec les révolutionnaires, mais une proportion appréciable de celle-ci demeure loyale à la métropole. Ce sont les loyalistes. Certains d'entre eux combattent dans les rangs des troupes britanniques. Après la guerre, ils sont constamment victimes de harcèlement de la part des indépendantistes, et leur vie aux États-Unis devient très difficile. Près de 100 000 loyalistes préfèrent chercher refuge ailleurs dans l'Empire britannique. Ils émigrent en Grande-Bretagne, dans les Caraïbes et en **Amérique du Nord britannique**.

Près de 40 000 loyalistes provenant de toutes les couches de la société s'établissent en Nouvelle-Écosse. Plus de 10 000 d'entre eux s'installent dans la province de Québec, notamment au nord du lac Ontario et du lac Érié, dans la vallée du Saint-Laurent, dans les Cantons-de-l'Est, dans le Bas-Saint-Laurent et en Gaspésie. Pour les récompenser de leur loyauté, le gouvernement britannique leur donne des terres et des vivres. Ces immigrants constituent un groupe anglophone important qui tolère mal d'être soumis à des lois civiles françaises.

L'arrivée des loyalistes marque pour ainsi dire la naissance du Canada anglais. Les nouveaux réfugiés qui ont élu domicile sur la côte atlantique forment une population assez nombreuse. Ce peuplement incite les autorités à créer deux nouvelles colonies à même le territoire de la Nouvelle-Écosse en 1784. Cette division donne naissance au Nouveau-Brunswick et à l'île du Cap-Breton. Cette dernière sera réintégrée à la Nouvelle-Écosse en 1820.

Dès 1758, la Nouvelle-Écosse se dote d'institutions représentatives. Quinze ans plus tard, ce sera au tour de l'Île-du-Prince-Édouard, suivie en 1784 du Nouveau-Brunswick et de l'île du Cap-Breton. En 1784, les loyalistes établis au nord du lac Ontario sont suffisamment nombreux pour réclamer un territoire qui ne serait pas soumis au régime seigneurial ni aux lois civiles françaises. De plus, ils demandent une assemblée représentative.

Concept

Loyalistes

Américains d'origines diverses (colons britanniques, esclaves noirs en fuite ou affranchis, Amérindiens, soldats étrangers) qui se sont exilés parce qu'ils soutenaient la Grande-Bretagne. Certains d'entre eux ont fui vers le Canada après la Révolution américaine.

Près de 40 000 loyalistes s'établissent en Nouvelle-Écosse. Ce nouveau peuplement entraîne la création de deux nouvelles colonies au sein du territoire de la Nouvelle-Écosse, en 1784 : le Nouveau-Brunswick et l'île du Cap-Breton.

Amérique du Nord britannique : Nom des colonies et territoires britanniques d'Amérique du Nord après le traité de Versailles, en 1783, et ce, jusqu'à la Confédération, en 1867.

1. De quelles origines sont les loyalistes ?

2. Selon vous, quelle a été la réaction des Canadiens de souche française à l'arrivée des loyalistes ?

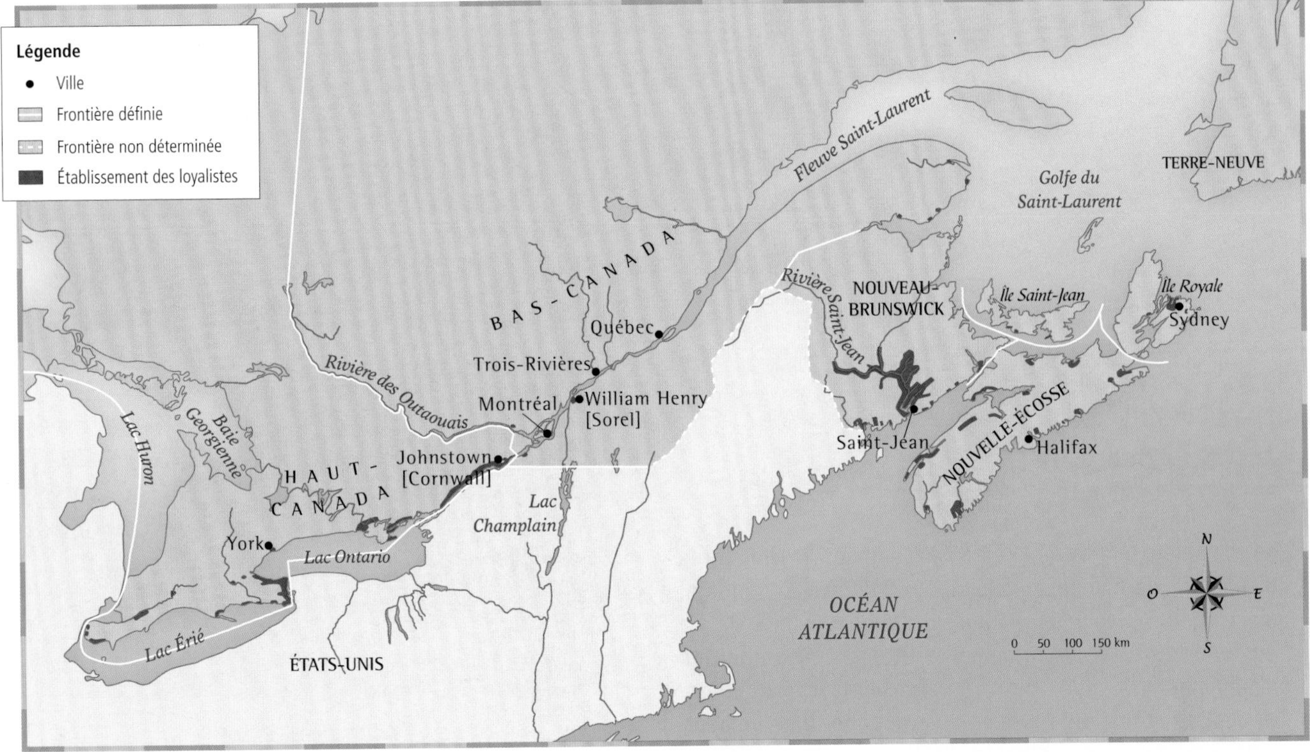

▲ **3.58 Les établissements loyalistes vers 1790.**

Environ 50 000 loyalistes se sont établis en Nouvelle-Écosse et dans la province de Québec. Avant cette vague d'immigration, la Nouvelle-Écosse comptait environ 12 000 colons britanniques tandis que la province de Québec en comptait environ 10 000.

■ **Saviez-vous que...** Au cours de la Révolution américaine, la Couronne loue les services de mercenaires allemands. Près de 30 000 de ces mercenaires se joignent ainsi aux troupes britanniques. Ils viennent prêter main-forte à la Grande-Bretagne contre les insurgés «américains». Un grand nombre d'entre eux choisissent de demeurer en Amérique et plusieurs épousent des Canadiennes. Environ 2000 rejoignent la population québécoise et certains francisent leurs noms, tels les Payeur, Bessette, Jacobi, Caux et Besré. ■

1. **Où les loyalistes se sont-ils principalement établis ?**
2. **Expliquez comment l'arrivée des loyalistes a changé la composition démographique de l'Amérique du Nord britannique.**

◄ **3.59 Des mercenaires allemands.**

Des mercenaires allemands ont combattu aux côtés des troupes britanniques au cours de la guerre de l'Indépendance américaine. Après le traité de Versailles, un certain nombre d'entre eux choisissent de rester en Amérique.

Artiste inconnu, *The Conscription of Hessians for Service alongside the British Forces during the American Revolutionary War* [La conscription pour le service des forces britanniques pendant la Révolution américaine], 19e siècle.

Pendant ce TEMPS...

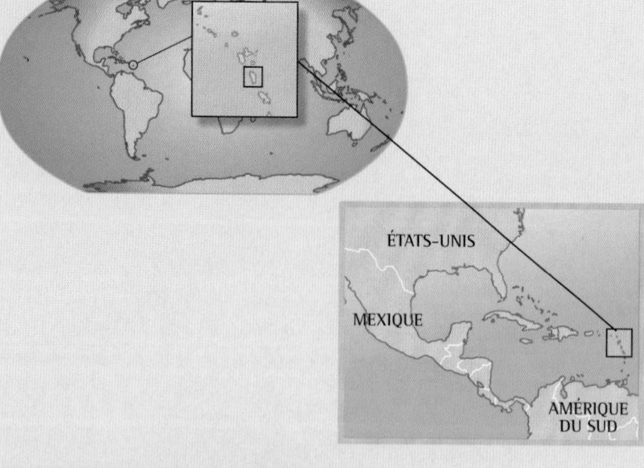

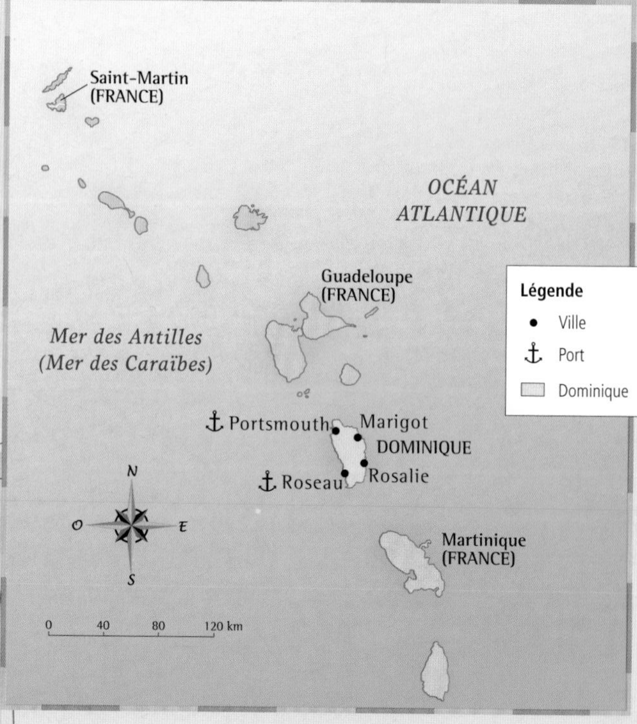

▲ **3.60 La Dominique aujourd'hui.**

En 1759, la Dominique devient une colonie française. Les Britanniques en reprennent le contrôle en 1763.

La Dominique

La Dominique, une île des Petites Antilles de 751 kilomètres carrés de superficie, est située au nord de la Martinique et au sud de la Guadeloupe. À cause de son accès difficile, de l'absence de ressources minières et de l'opposition des autochtones, les Caribes, l'île n'intéresse guère les Européens. Cependant, comme la Dominique occupe une position stratégique pour la protection et le développement des autres parties de la mer des Caraïbes, les Britanniques et les Français s'en disputent le contrôle au cours du 18e siècle.

Les **Caribes** empêchent pendant deux siècles une véritable colonisation de la Dominique. Ainsi, en 1730, l'île ne compte que 776 colons. À cette époque, les Caribes cessent toutefois d'être une menace constante puisque leur population chute de 5000 à 400 en l'espace de quelques décennies. La plupart d'entre eux succombent de maladies introduites par les Espagnols.

En 1740, la France conclut un accord avec les Caribes. Cet accord permet l'établissement de colons français sur l'île. Toutefois, le traité d'Aix-la-Chapelle (1748) reconnaît la neutralité de l'île qui est laissée aux Caribes. En 1759, la Dominique devient une colonie française, mais les Britanniques vont bientôt se l'approprier.

Les Britanniques souhaitent contrôler la Dominique pour faire échec à la présence française dans la mer des Caraïbes. Ils veulent aussi produire du sucre et soutenir le commerce des Caraïbes. Les Britanniques prennent officiellement possession de l'île lors du traité de Paris (1763). Il y a dans la colonie, à cette époque, 1718 colons blancs (pour la plupart français), 500 affranchis et 5872 esclaves.

Afin de contrer la menace française, les Britanniques s'efforcent d'attirer dans l'île des colons britanniques en leur vendant des terres pour la culture de la canne à sucre, qui est censée assurer la prospérité de la Dominique. Mais cette politique échoue, car très peu de colons britanniques veulent véritablement s'établir dans l'île. La solution consiste alors à encourager les colons français à rester en leur accordant le droit de posséder des terres.

Caribe : Famille linguistique autochtone du nord de l'Amérique latine.

1. **Pour quelle raison les Français et les Britanniques se disputent-ils la Dominique ?**
2. **Lorsque les Britanniques prennent le contrôle de la Dominique en 1763, quelle forme de gouvernement instaurent-ils ?**
3. **Cette forme d'organisation est-elle favorable aux habitants de la colonie ? Justifiez votre réponse.**

▲ **3.61 Un groupe de travailleurs et leur famille.**

Le nombre d'esclaves qui travaillent dans les plantations augmente lorsque l'île devient productrice de sucre. L'esclavage est aboli en 1833.

Agostino Brunias, *A Dance on the Island of Dominica* [Une danse sur l'île de la Dominique], vers le 18e siècle.

Dès les premières années, les Britanniques mettent sur pied un régime colonial dirigé par un gouverneur et une assemblée législative composée de marchands, de planteurs et de professionnels britanniques. Bien que les colons français aient le droit de posséder une terre, ils sont exclus de la vie politique et civile. Cette situation provoque une opposition entre Français et Britanniques et devient une source de problèmes pour l'administration de la colonie.

Alors que les Français cultivent principalement le café et le coton, les Britanniques vont transformer la Dominique en productrice de sucre, ce qui sera réalisé en une dizaine d'années. Cette conversion de l'île a pour effet de faire tripler la population des esclaves africains. En 1766, le port de Roseau et celui de Portsmouth s'ouvrent au commerce avec les puissances étrangères. L'île participe ainsi au commerce du sucre et des esclaves avec les colonies françaises des Caraïbes. Mais sa prospérité, à cette époque, provient bien plus des profits de ce commerce que de la production du sucre.

Les Français reprennent possession de la Dominique le 7 septembre 1778. Cependant, en avril 1782, ils perdent la bataille de la Dominique dans le combat entre la flotte britannique de l'amiral Rodney et la flotte française de l'amiral de Grasse. La victoire des Britanniques met fin à la présence navale française dans la mer des Caraïbes et à l'occupation française de la Dominique.

Quels groupes de personnes peuplent l'île durant la seconde moitié du 18e siècle ?

Compétence 2

ACTIVITÉ SYNTHÈSE

La Proclamation royale et l'Acte de Québec : les conséquences

Vous avez étudié les conséquences de la Conquête sur l'organisation du territoire et sur la société de 1760 à 1791. Durant cette période, deux constitutions sont adoptées par le gouvernement britannique : la Proclamation royale en 1763, et l'Acte de Québec en 1774.

Pour faire le point sur ce que vous avez appris, construisez un tableau en deux colonnes montrant le bilan des deux périodes qui ont suivi l'adoption de la Proclamation royale (1763 à 1774) et de l'Acte de Québec (1774 à 1791).

1. Énoncez pour chacune des deux périodes les conséquences se rapportant aux particularités suivantes :
   - territoire ;
   - société (seigneurs, clergé, population, marchands britanniques, etc.) ;
   - pouvoir (organisation administrative de la colonie) ;
   - langue ;
   - économie ;
   - droit ;
   - éducation ;
   - religion.
2. Précisez les raisons qui amènent la Grande-Bretagne à accorder des concessions aux francophones dans l'Acte de Québec. Formulez une hypothèse sur cette question.

Pour aller plus loin

Une pétition à Londres

À la fin des années 1780, vous êtes soit un membre de l'élite française, soit un membre de l'élite britannique. Vous occupez l'un des postes suivants : marchand, seigneur, juge, membre du clergé, administrateur, etc. En tant que témoin des conséquences du traité de Versailles et de l'Indépendance américaine dans la province de Québec, vous décidez, avec d'autres personnes, de vous rassembler en groupes d'intérêts et d'envoyer une pétition au gouvernement britannique. Selon les intérêts que vous représentez, faites valoir clairement votre source de mécontentement, vos droits, vos revendications, dans les termes de la pétition.

1 Le Québec multiculturel

Tout comme les loyalistes venus trouver refuge au Québec, des milliers d'immigrants se sont joints à la société québécoise. Sa population de plus de 7 600 000 habitants, dont 700 000 immigrants, forme une collectivité où cohabitent différents groupes. La diversité culturelle amenée par l'immigration enrichit la société québécoise sur le plan social et économique. En partageant ses connaissances et ses traditions, la population immigrante du Québec participe à la construction d'une société multiculturelle.

▲ **3.62 La diversité de la population québécoise.**

L'apport de différentes cultures et traditions contribue à donner à la société québécoise le visage qu'on lui connaît aujourd'hui.

1.1 L'immigration au Québec

Le Québec est une terre d'accueil pour des milliers d'immigrants. Chaque année, la société québécoise accueille de nouveaux arrivants qui contribuent au développement du Québec. De la Nouvelle-France à aujourd'hui, le Québec s'est construit grâce à l'immigration. Quoique la majorité de sa population soit de descendance française, le Québec a toujours compté des citoyens aux origines ethniques et linguistiques diverses. Depuis une trentaine d'années, la population québécoise connaît une importante croissance grâce à l'immigration. Sans cette contribution, le Québec, en raison de son faible taux de natalité, n'arriverait pas à freiner le déclin de sa population, prévu entre les années 2020 et 2030.

1. Trouvez, dans votre vie quotidienne, des influences culturelles associées à l'immigration.

2. Selon vous, pourquoi l'immigration est-elle devenue un enjeu démographique majeur pour le Québec ?

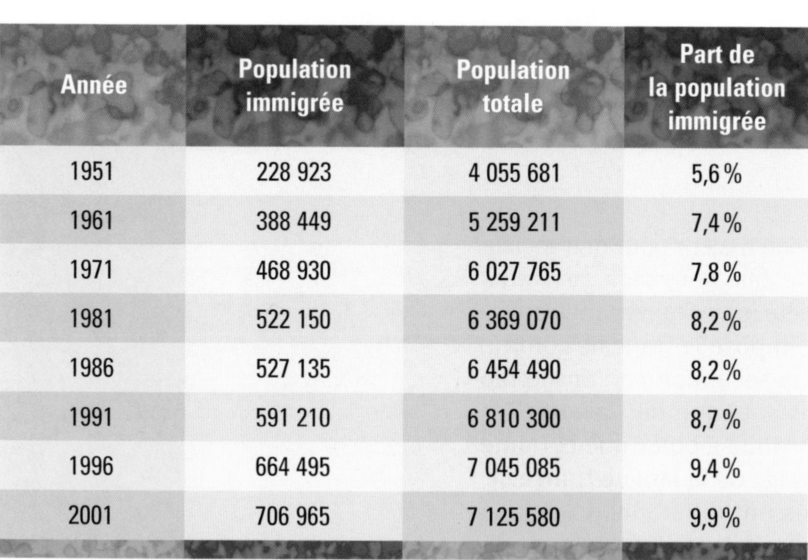

Année	Population immigrée	Population totale	Part de la population immigrée
1951	228 923	4 055 681	5,6 %
1961	388 449	5 259 211	7,4 %
1971	468 930	6 027 765	7,8 %
1981	522 150	6 369 070	8,2 %
1986	527 135	6 454 490	8,2 %
1991	591 210	6 810 300	8,7 %
1996	664 495	7 045 085	9,4 %
2001	706 965	7 125 580	9,9 %

◄ **3.63 L'importance de la population immigrée dans la population totale du Québec (1951 à 2001).**

En 2001, la population immigrée représentait 9,9 % de la population totale du Québec. Cette augmentation va se poursuivre dans le futur en raison du faible taux de natalité de la population native du Québec.

Source : Statistique Canada, recensement 2001.

La population immigrée

La population immigrée du Québec s'accroît d'année en année. Pour les immigrants, intégrer la société québécoise est souvent synonyme de meilleures conditions de vie. De même, il est avantageux pour le Québec d'accueillir des immigrants, car en plus d'enrichir le paysage culturel du Québec, ils permettent à la société québécoise de combler des besoins importants de son économie.

De nombreux secteurs économiques en développement, tels que la fabrication industrielle, les soins de santé ainsi que les services aux entreprises, ont un urgent besoin de travailleurs. Le manque de main-d'œuvre, lié à la diminution de la **population active** du Québec, fait de l'immigration un enjeu déterminant pour l'avenir de la société québécoise. Chaque année, près de 40 000 immigrants venus d'une centaine de pays se joignent à la collectivité québécoise.

Population active: Ensemble des personnes en âge de travailler. La population active comprend généralement les personnes entre 15 et 64 ans qui occupent un emploi ou en cherchent un.

◄ **3.64 Le monde du travail au Québec.**

Le manque de main-d'œuvre fait de l'immigration un enjeu capital pour l'avenir du Québec.

1. Donnez deux raisons qui expliquent pourquoi l'immigration augmentera dans les années à venir.

2. Selon vous, quelles seraient les conséquences économiques d'une diminution de la population du Québec ?

L'intégration des immigrants à une société francophone

L'intégration des immigrants constitue un défi majeur pour une société d'accueil comme le Québec. Afin que les nouveaux arrivants puissent s'intégrer pleinement à une société majoritairement francophone, la Charte de la langue française impose le français comme langue d'enseignement au primaire et au secondaire à l'ensemble des citoyens. L'école est une institution publique qui favorise les rapprochements interculturels. Elle contribue à créer une certaine unité dans la société grâce à l'apprentissage de la langue française. Toutefois, les lois québécoises reconnaissent différents droits à la communauté anglophone du Québec en matière d'éducation.

D'où viennent les immigrants du Québec ?

Le renouvellement de la population active du Québec par l'immigration attire des milliers de personnes venant des quatre coins du monde. Aujourd'hui encore, la majorité des immigrants accueillis au Québec proviennent d'Europe. Mais depuis la fin des années 1980, cette réalité change. En effet, le nombre d'immigrants augmente et leur provenance se diversifie. Outre les immigrants en provenance d'Europe, les personnes récemment admises au Québec proviennent majoritairement des pays du Moyen-Orient, d'Afrique du Nord, d'Asie, des Antilles et d'Amérique centrale. La diversité des lieux d'origine des immigrants contribue à la diversification de la population québécoise. Ce phénomène est particulier à la région montréalaise, où sont représentées plus de 125 communautés culturelles différentes.

▲ **3.65 Le quartier chinois de Montréal.**

Ce quartier témoigne de la contribution de la communauté chinoise à la diversité culturelle de Montréal.

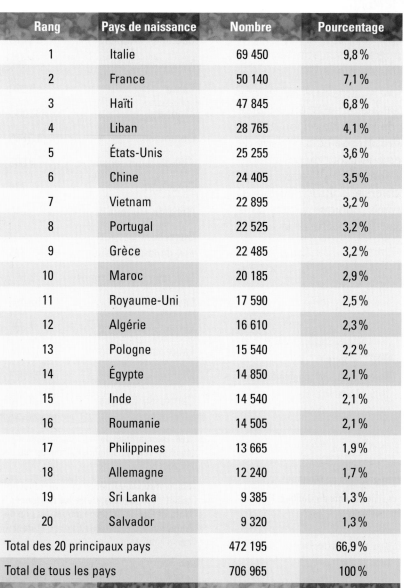

1. **Qu'est-ce qui distingue le quartier chinois des autres quartiers de Montréal ?**
2. **Selon vous, quel rôle joue le quartier chinois pour la communauté chinoise de Montréal ?**

Rang	Pays de naissance	Nombre	Pourcentage
1	Italie	69 450	9,8 %
2	France	50 140	7,1 %
3	Haïti	47 845	6,8 %
4	Liban	28 765	4,1 %
5	États-Unis	25 255	3,6 %
6	Chine	24 405	3,5 %
7	Vietnam	22 895	3,2 %
8	Portugal	22 525	3,2 %
9	Grèce	22 485	3,2 %
10	Maroc	20 185	2,9 %
11	Royaume-Uni	17 590	2,5 %
12	Algérie	16 610	2,3 %
13	Pologne	15 540	2,2 %
14	Égypte	14 850	2,1 %
15	Inde	14 540	2,1 %
16	Roumanie	14 505	2,1 %
17	Philippines	13 665	1,9 %
18	Allemagne	12 240	1,7 %
19	Sri Lanka	9 385	1,3 %
20	Salvador	9 320	1,3 %
Total des 20 principaux pays		472 195	66,9 %
Total de tous les pays		706 965	100 %

◄ **3.66 La population immigrée selon les 20 principaux pays de naissance en 2001.**

Les immigrants du Québec en provenance d'Europe comptent parmi les plus nombreux, mais leur nombre est en diminution. Le pourcentage d'immigrants venus d'Asie et d'Afrique augmente de manière importante.

Source : Statistique Canada, Recensement de 1996 et 2001.

▲ **3.67 Le quartier Parc-Extension à Montréal.**

Le quartier Parc-Extension compte environ 32000 personnes d'une centaine d'ethnies différentes. Plus de 62 % de la population de ce quartier est née hors du Canada. Parc-Extension témoigne bien du multiculturalisme de l'île de Montréal.

Déclin démographique: Diminution de la population. Le déclin démographique survient lorsqu'une population compte plus de décès que de naissances. On dit alors que la population décline.

Où vivent les immigrants ?

Près de 70 % de la population immigrante vit sur l'île de Montréal. La vie multiculturelle au Québec est avant tout un phénomène montréalais. La Montérégie et Laval accueillent également un nombre important d'immigrants. On considère que ces deux régions font partie de la grande région métropolitaine de Montréal. Les immigrants forment 28 % de la population montréalaise. La région de Montréal, avec ses 1 800 000 habitants, représente près 25 % de la population québécoise. La forte présence des immigrants sur son territoire donne à Montréal un caractère multiculturel unique.

La population immigrée est inégalement répartie dans les régions administratives du Québec. Afin de remédier à cette situation, on tente d'encourager l'immigration à l'extérieur de la grande région métropolitaine de Montréal. Le **déclin démographique** et la pénurie de main-d'œuvre font de l'immigration un enjeu majeur du développement des régions. Les populations, ainsi que les employeurs régionaux, sont plus sensibles au rôle de la diversité dans le développement du Québec. Les échanges interculturels, quoique limités dans plusieurs régions, contribuent également au dynamisme de la société québécoise.

Région	Nombre
Bas-Saint-Laurent	1 230
Saguenay–Lac-Saint-Jean	1 980
Capitale-Nationale	18 670
Mauricie	3 065
Estrie	9 970
Montréal	492 235
Outaouais	17 885
Abitibi-Témiscamingue	1 595
Côte-Nord	780
Nord-du-Québec	315
Gaspésie–Îles-de-la-Madeleine	475
Chaudière-Appalaches	3 850
Laval	52 495
Lanaudière	7 890
Laurentides	15 765
Montérégie	74 965
Centre-du-Québec	3 810

▲ **3.68 La répartition de la population immigrée dans les régions administratives du Québec en 2001.**

L'immigration au Québec est avant tout une réalité montréalaise. Outre les couronnes Nord et Sud de la région métropolitaine de Montréal, les régions du Québec attirent peu d'immigrants.

Source : Statistique Canada, Recensement de 2001.

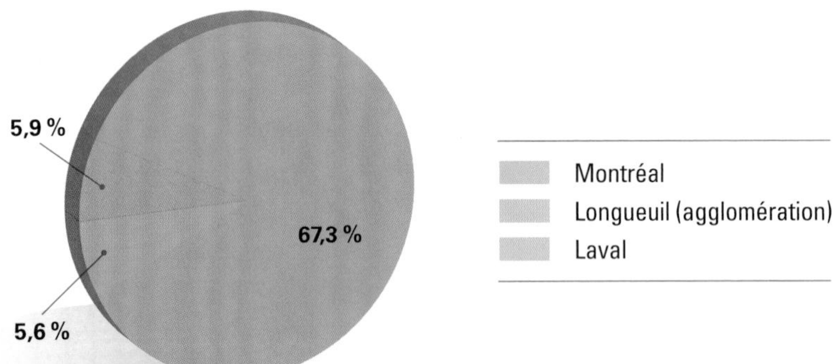

▲ **3.69 La répartition des immigrants dans la région métropolitaine de Montréal.**

L'île de Montréal accueille à elle seule près de 70 % des immigrants du Québec. Peu d'immigrants s'établissent à l'extérieur de la région métropolitaine.

Source : Ministère de l'Immigration et des Communautés culturelles, Direction de la recherche et de l'analyse prospective, 2006.

1.2 L'État et les citoyens

L'État joue un rôle déterminant dans une société multiculturelle. Il encadre la conduite des citoyens afin d'aider des groupes aux traditions et aux cultures parfois fort différentes à coexister sur son territoire. Pour que tous les citoyens soient égaux devant la loi, l'État ne doit pas avoir de parti pris. Les droits et libertés des individus sont garantis dans la mesure où tous partagent les mêmes lois et devoirs. L'État et ses institutions publiques, dans des domaines tels que la santé, l'éducation et la justice, ont donc la responsabilité d'appliquer et de faire respecter les lois. Il est dans l'intérêt de tous les citoyens que l'État joue son rôle d'arbitre. Malgré les différences culturelles, l'existence d'un cadre de vie commun permet l'intégration de tous, au sein d'une société démocratique.

Un État se dit laïque lorsqu'il sépare la religion de la politique. Au Québec, la religion relève de la vie privée des citoyens. Loin de brimer la liberté de religion, cette séparation est fondamentale afin que l'ensemble de la population du Québec se reconnaisse dans ses institutions. Les trente dernières années, marquées par l'arrivée plus importante d'immigrants au Québec, font place au défi de l'intégration. La société québécoise mise sur ses institutions publiques et laïques pour répondre le plus adéquatement possible aux besoins de l'ensemble de sa population.

Concept

Enjeu

Chaque année, la société québécoise accueille 40 000 immigrants venus de tous les continents. En raison du faible taux de natalité au Québec, l'immigration constitue un enjeu incontournable pour les années à venir. L'État et ses institutions veillent à ce que tous les citoyens soient traités équitablement, quelles que soient leurs origines et leurs différences culturelles. Le rôle des Chartes des droits et libertés du Québec et du Canada est de s'assurer que tous cohabitent harmonieusement.

Compétence 3

La justice

La justice représente une valeur démocratique fondamentale. Peut-on s'imaginer ce que serait notre société sans l'existence de lois et de règles? Pour que l'harmonie soit assurée et la paix préservée, tous doivent se soumettre à des lois. Le Québec en compte des milliers qui définissent la conduite des citoyens. Une société démocratique doit donc établir des normes et des règles communes à l'ensemble de sa population. C'est ce que traduisent les lois et les règlements en vigueur au Québec.

Depuis la Conquête, il existe un double système juridique au Québec. Deux traditions juridiques différentes, l'une française et l'autre britannique, influencent toujours le déroulement de la justice au Québec. C'est ce qui explique la distinction entre le droit civil et le droit criminel. Le Québec dispose également d'une Charte des droits et libertés afin de garantir l'égalité entre tous ses citoyens. Il s'agit d'une loi fondamentale qui doit être respectée par tous.

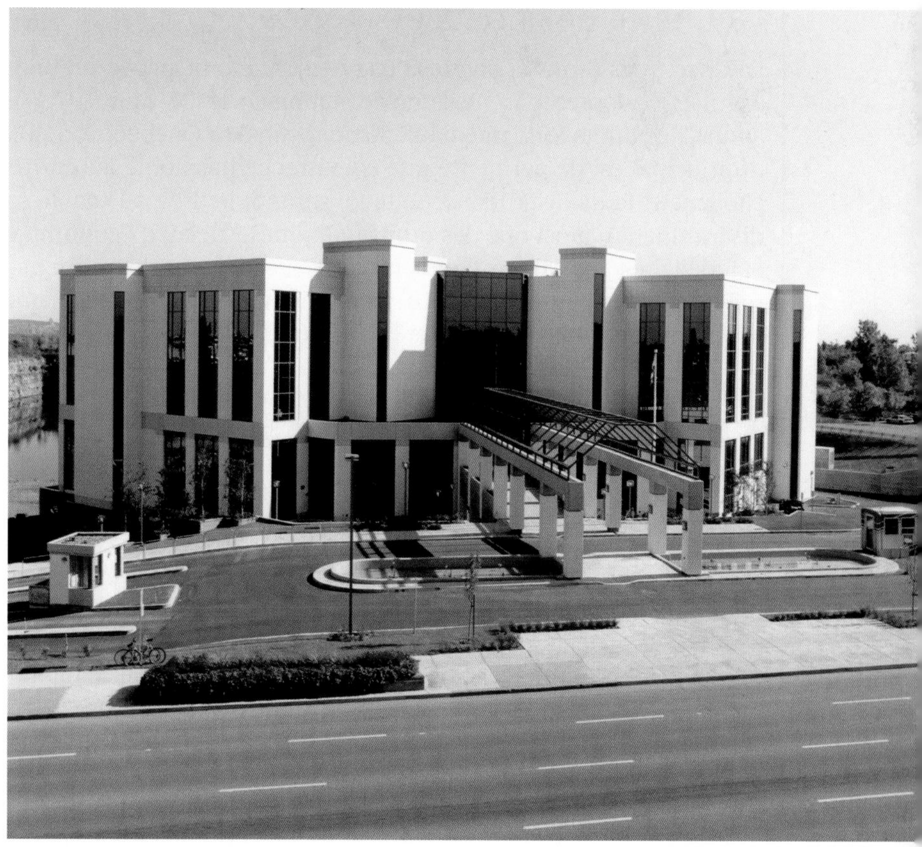

▼ **3.70 Le palais de justice de Laval.**

La justice est une valeur démocratique fondamentale. Elle garantit le respect des droits et des libertés de tous les citoyens.

Le droit civil

Grâce aux concessions de l'Acte de Québec, le droit civil français est toujours en vigueur au Québec. Il s'agit de la seule province canadienne qui s'inspire de deux traditions juridiques. Partout ailleurs au Canada, c'est le droit de tradition britannique qui est pratiqué. Le Québec est encore aujourd'hui régi par un Code civil de tradition française et par un Code criminel britannique. Cette coexistence entre deux codes de lois est un bon exemple de conciliation. Comme la réalité québécoise a beaucoup changé depuis l'Acte de Québec, le Code civil a connu quelques modifications en 1866 et en 1966. La dernière version corrigée de ce Code est en application depuis 1994.

Le Code civil est un ensemble de règles qui définit les rapports entre les individus. Il contient plus de 3168 articles traitant, entre autres, de la personne, de la famille, des successions, des biens et des obligations des citoyens du Québec. Le Code civil doit être appliqué en accord avec la Charte des droits et libertés de la personne.

Identifiez certains aspects de la vie quotidienne qui, selon vous, relèvent du droit civil.

Le droit criminel

Le droit criminel est de tradition juridique britannique. Le Québec, comme l'ensemble des provinces canadiennes, applique le Code criminel qui se trouve sous la juridiction du gouvernement fédéral. Le droit criminel joue un rôle essentiel dans le maintien de la paix et de l'harmonie dans une société. Pour y arriver, un ensemble de règles dicte la conduite des citoyens et prévoit des sanctions pour ceux qui ne les respectent pas.

La Charte des droits et libertés

La Charte des droits et libertés de la personne du Québec est une loi qui a été adoptée par l'Assemblée nationale le 27 juin 1975. Elle assure des droits fondamentaux aux citoyens du Québec. Son objectif principal est de permettre une coexistence harmonieuse entre les citoyens et leurs institutions. Cette loi garantit le droit à l'égalité sans discrimination ainsi que des droits politiques, sociaux, économiques et judiciaires. Les valeurs démocratiques et égalitaires du Québec sont reflétées dans cette Charte. Le gouvernement fédéral a également adopté une Charte des droits et libertés en 1982.

1. La Charte des droits et libertés de la personne du Québec s'inspire d'un célèbre document de l'histoire. De quel document s'agit-il et pourquoi cette charte s'en inspire-t-elle ?

2. Selon vous, quel est le droit le plus fondamental énoncé dans la Charte ?

« Considérant que tout être humain possède des droits et libertés intrinsèques, destinés à assurer sa protection et son épanouissement;

Considérant que tous les êtres humains sont égaux en valeur et en dignité et ont droit à une égale protection de la Loi;

Considérant que le respect de la dignité de l'être humain et la reconnaissance des droits et libertés dont il est titulaire constituent le fondement de la justice et de la paix;

Considérant que les droits et libertés de la personne humaine sont inséparables des droits et libertés d'autrui et du bien-être général;

[...] »

Charte des droits et libertés de la personne du Québec, adoptée le 27 juin 1975.

ACTIVITÉ DÉBAT

Le choix de la langue d'enseignement

Depuis l'adoption de la Charte de la langue française, en 1977, le français est reconnu comme la langue officielle du Québec. Cette loi vise à favoriser l'intégration des immigrants à la majorité francophone du Québec. Ainsi, la loi prévoit que tous les nouveaux arrivants doivent s'instruire en français. Le Québec doit également respecter les garanties constitutionnelles accordées à la communauté anglophone. Depuis son adoption, la Charte, mieux connue sous le nom de « loi 101 », a alimenté bon nombre de débats. Devrait-on donner le choix de la langue d'instruction aux nouveaux arrivants plutôt que d'imposer le français ? Quel choix la société québécoise fait-elle en imposant le français comme langue d'enseignement ?

▶ **3.71 Des écoliers à Montréal.**

La Charte de la langue française prévoit que les nouveaux arrivants doivent s'instruire en français.

pour

- Le Québec est une société où le citoyen doit être parfaitement libre de faire les choix qui lui conviennent. Le gouvernement devrait permettre le choix de la langue d'enseignement aux nouveaux arrivants.
- Les immigrants peuvent très bien participer au développement du Québec sans être obligés d'étudier en français.
- Puisque la grande majorité des immigrants vivent dans la région de Montréal, ils peuvent faire le choix d'étudier et de vivre en anglais.
- Si un immigrant croit qu'il est dans son intérêt d'apprendre l'anglais plutôt que le français, le gouvernement n'a pas à lui imposer son choix.

contre

- Afin de permettre une meilleure intégration des immigrants à la majorité francophone du Québec, il est tout à fait juste d'imposer le français comme langue d'enseignement.
- Si les immigrants avaient le choix de la langue d'enseignement, ils ne seraient plus en mesure de s'intégrer à la majorité de la population québécoise.
- Le Québec est la seule société officiellement francophone d'Amérique. Il est tout à fait logique que l'on demande aux nouveaux arrivants d'étudier en français.
- Afin d'assurer la survie du français au Québec, il est essentiel que les immigrants apprennent la langue dès l'école primaire.

En tant que citoyen ou citoyenne, quelle est votre position par rapport à l'imposition de la langue d'enseignement ? Expliquez votre point de vue.

ACTIVITÉ MÉTHO

La recherche documentaire

Une grande partie du travail de l'historien consiste à faire une recherche de documentation pouvant servir de preuves à son hypothèse de travail. Les principaux documents utilisés pour reconstituer le passé sont les documents écrits qui proviennent des acteurs ou témoins du passé ainsi que les nombreux ouvrages publiés par d'autres historiens ou par divers spécialistes.

Bien entendu, les historiens ont aussi recours à l'étude des documents objets (outils ou autres) et à des documents audiovisuels (cassettes, films, etc.). Toutefois, la première source d'information, notamment pour un élève au secondaire, demeure sans contredit les documents imprimés, comme les livres, les périodiques, les journaux ou les documents numériques (sites Internet, documents d'époque, etc.). Comment s'effectue une recherche documentaire? Quels documents écrits doit-on principalement utiliser?

En premier lieu, il faut planifier le sujet de votre recherche en formulant une problématique et une hypothèse (voir le dossier 1, à la page 63). Cette hypothèse permet de bien délimiter votre sujet par rapport à la période, à l'espace et aux personnes ou groupes sociaux concernés. Par la suite, vous devez procéder aux étapes suivantes:

- déterminer les mots-clés de votre recherche;
- repérer les meilleures sources documentaires avant de les utiliser pour votre travail en histoire.

Identification des mots-clés de votre recherche

Les mots-clés sont des mots ou des suites de mots qui permettent de repérer des documents, notamment dans le catalogue de la bibliothèque, dans les bases de données ainsi que dans les moteurs de recherche sur Internet. Vous devez utiliser les mots exacts de votre hypothèse et des synonymes ou des termes associés à votre sujet.

Si votre hypothèse cherche à démontrer les conséquences de la Conquête britannique sur la population d'origine française, vous pouvez, par exemple, choisir les mots-clés suivants pour effectuer votre recherche:

Conquête/Grande-Bretagne/britannique/Nouvelle-France/conséquences/population/société/institution française/français/canadienne-française.

Le choix des meilleures sources documentaires

La bibliothèque de votre école ou de votre ville constitue un lieu privilégié pour trouver les documents écrits dont vous aurez besoin.

Vous pourrez consulter à la bibliothèque divers types de documents écrits, regroupés selon les catégories suivantes:

- les documents de la collection générale regroupent tous les documents imprimés et reliés, comme les ouvrages d'historiens, les romans, les biographies, les rapports et divers imprimés. Ils sont repérables à l'aide des mots-clés dans le catalogue de la bibliothèque, sauf les petites unités comme les chapitres de livres, par exemple. Ce catalogue est souvent informatisé;
- les documents de référence comprennent des dictionnaires, des encyclopédies, des atlas, des annuaires, des almanachs, des bibliographies et des statistiques. La plupart ne sont pas disponibles pour le prêt et doivent être consultés sur place;
- les périodiques sont des publications qui paraissent habituellement à un rythme continu (quotidien, hebdomadaire, mensuel, etc.). La bibliothèque est abonnée à un grand nombre de périodiques. Pour trouver un article dans un périodique, il faut consulter un ou plusieurs index de périodiques, puis consulter le catalogue de la bibliothèque afin de vérifier si elle possède le titre et le numéro où se trouve l'article repéré. Dans une bibliothèque publique et scolaire, la plupart des périodiques peuvent être empruntés.

Un bon travail en histoire doit combiner plusieurs types de documents.

Effectuez maintenant votre propre recherche documentaire.

1. Formulez une problématique et une hypothèse sur le thème suivant: la diversité culturelle au Québec.
2. Déterminez les mots-clés pouvant être utiles à votre recherche de documents écrits dans le catalogue et dans divers index ou bases de données de la bibliothèque.
3. Trouvez au moins une référence pour chaque type de document parmi les trois types présentés: un ouvrage de la collection générale, un document de référence et un périodique.

PROJET ORDI

La recherche documentaire dans Internet

Internet abonde en informations diverses, mais encore faut-il être sûr que ces informations sont exactes et fiables. Pour effectuer une recherche documentaire dans Internet, on doit tout d'abord savoir où et comment chercher des informations. Il faut non seulement connaître les outils de recherche disponibles, mais aussi savoir utiliser efficacement des mots-clés afin de trouver rapidement ce que l'on cherche. Il faut également pouvoir évaluer la pertinence d'une source, c'est-à-dire son utilité, sa fiabilité et son exactitude.

Les moteurs de recherche

Les moteurs de recherche servent à faciliter la recherche dans Internet. Ce sont des programmes qui, grâce à des mots-clés, permettent d'accéder à des ressources Web contenant la référence demandée.

Ils fournissent une multitude de sources d'information. Par contre, même les plus puissants et les plus utilisés offrent à peine 15 % des sources disponibles dans Internet. Donc, l'utilisation d'un seul moteur de recherche est insuffisante et risque de vous faire perdre l'information pertinente que vous cherchez. De plus, certains moteurs de recherche donnent parfois de l'information périmée.

Pour éviter ce problème, on peut utiliser un « métamoteur » qui active plusieurs moteurs de recherche à la fois. Le métamoteur permet d'accéder à plusieurs sources d'information. Certains répertoires (ou annuaires) proposent aussi des listes de sites Web pertinents sur des sujets précis.

La recherche par mots-clés

Une fois qu'on dispose des bons mots-clés à utiliser dans un moteur de recherche ou dans un répertoire, il faut apprendre comment écrire plusieurs mots-clés pour améliorer sa recherche. Habituellement, les mots-clés sont écrits les uns à la suite des autres. Cette méthode équivaut à écrire « ou » entre les mots-clés, ce qui élargit considérablement les résultats d'une recherche. Il faut donc recourir à ce qu'on appelle une syntaxe de recherche ou une recherche avec des opérateurs booléens :

- ET (ou le signe « + »), pour obtenir les pages Web qui contiennent les deux mots-clés liés par le « ET » ou le signe « + » ;
- OU (ou un espace), pour obtenir les pages Web qui contiennent l'un ou l'autre des mots-clés ;
- SAUF (ou le signe « - »), pour obtenir les pages Web qui ne contiennent pas le ou les mots-clés précédés du mot SAUF ou du signe « - ».

Valider l'information dans Internet

Il faut toujours vérifier si l'information est véridique et la comparer à d'autres sources, soit dans Internet, soit dans des livres. On peut s'assurer que l'information d'un site Web est fiable lorsque :

- le site affiche les sources et les références de l'information fournie ;
- le site provient d'une institution reconnue ;
- le site est recommandé par un répertoire ou par d'autres sources fiables.

À l'aide d'Internet, poursuivez votre recherche documentaire sur le thème de la diversité culturelle au Québec, commencée à la page 95 de votre manuel, en vous servant de mots-clés et des opérateurs booléens précédemment cités.

1. Trouvez trois sources (documents) différentes qui portent sur votre sujet.
2. Pour chaque source, relevez le nom de la personne qui en est l'auteur ; indiquez l'organisme auquel cette personne est affiliée, la date de création de la page et sa dernière mise à jour.
3. Faites ensuite un bilan. La source est-elle crédible et fiable ? Quelles compétences la personne a-t-elle ? L'information est-elle à jour ? Cette personne semble-t-elle s'appuyer sur d'autres sources crédibles ?

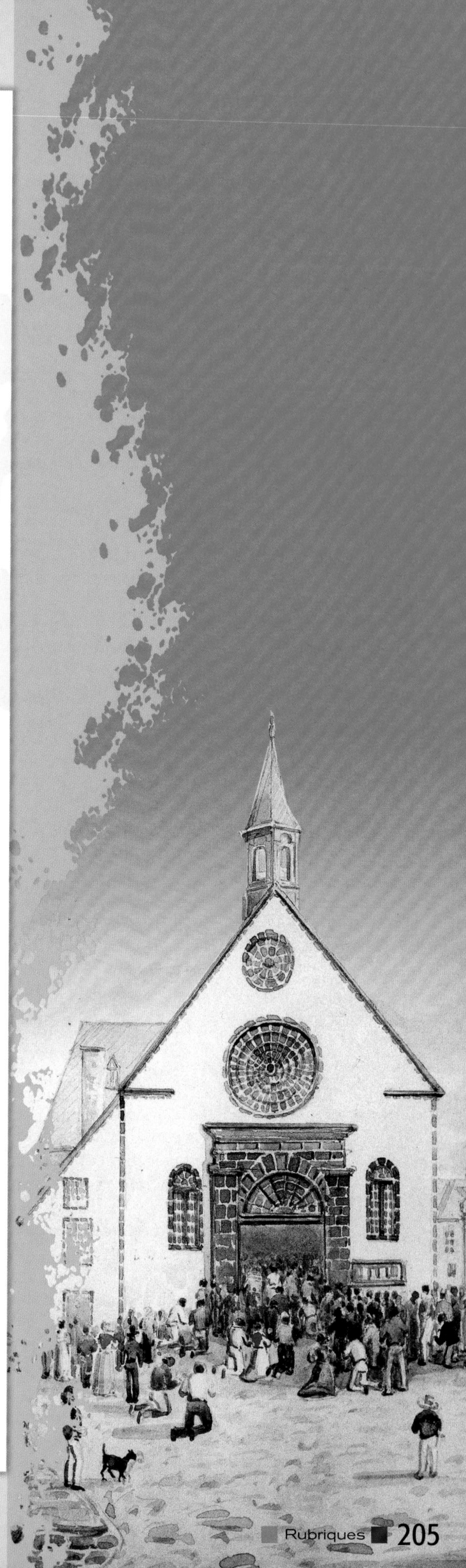

Mots-clés

Abrogation : Annulation d'un décret ou d'une loi. P. 175

Acte de Québec : Deuxième constitution s'appliquant au territoire de la province de Québec. Proclamé en 1774, l'Acte de Québec étend les frontières de la province de Québec et édicte certaines mesures favorables aux Canadiens. P. 171

Allophone : Personne dont la langue maternelle n'est pas celle du pays où elle habite. P. 154

Amérique du Nord britannique : Nom des colonies et territoires britanniques d'Amérique du Nord après le traité de Versailles, en 1783, et ce, jusqu'à la Confédération, en 1867. P. 190

Arbitraire : Qui dépend du bon vouloir d'une seule personne. P. 184

Assimiler : Rendre semblable au groupe social et culturel dominant les membres d'un autre groupe. P. 162

Bande : Regroupement de plusieurs familles nucléaires. P. 39

Blocus : Encerclement d'un littoral, d'un port ou d'un pays tout entier pour empêcher toute communication avec l'extérieur. P. 132

Brûlis : Partie de terrain qu'on brûle afin de préparer le sol à la culture. P. 34

Caribe : Famille linguistique autochtone du nord de l'Amérique latine. P. 192

Cens : Impôt que verse chaque année le censitaire au seigneur. Il s'agit d'une somme fixe déterminée au moment de l'attribution de la terre. P. 92

Censitaire : Habitant qui a reçu une terre dans une seigneurie et qui est tenu de l'exploiter. P. 89

Censive : Terre concédée par le seigneur à un habitant qui en fait la demande. P. 89

Chaman : Prêtre-sorcier, à la fois devin et guérisseur, qui sert d'intermédiaire entre le monde des humains et celui des esprits. P. 38

Cinq-Nations : Regroupement de cinq nations iroquoises dans une confédération. D'est en ouest, ces nations sont les Agniers, les Onneiouts, les Onontagués, les Goyogouins et les Tsonnontouans. P. 88

Clan : Regroupement formé des descendants d'un même ancêtre féminin. P. 41

Colonisation : Peuplement et exploitation d'un territoire dominé et administré par une puissance étrangère. P. 76

Common law : Droit britannique qui évolue à partir des décisions des tribunaux. La common law établit des « précédents » dans des causes de nature similaire. De nouvelles lois, adoptées par le gouvernement approprié, peuvent annuler les précédents. P. 181

Conquistador : Aventurier espagnol parti à la conquête de l'Amérique. P. 50

Constitution : Texte qui détermine la forme de gouvernement d'un pays, d'une colonie. P. 164

Contrefort : Montagne moins élevée bordant la chaîne de montagnes principale. P. 123

Convertir : Amener quelqu'un à changer de croyance, de religion ou d'opinion. P. 93

Corvée : Travail fourni gratuitement et imposé par les autorités ou par le seigneur. P. 91

Coutume de Paris : Ensemble des lois et des usages qui régissent le droit civil en France et qui ont été introduits en Nouvelle-France. P. 128

Déclin démographique : Diminution de la population. Le déclin démographique survient lorsqu'une population compte plus de décès que de naissances. On dit alors que la population décline. P. 198

Densité de la population : Nombre de personnes habitant un territoire au kilomètre carré. P. 73

Dîme : Partie des récoltes, à la campagne, ou somme d'argent, à la ville, versée à l'Église pour en assurer le fonctionnement. P. 107

Dogme : Croyance ou principe considéré comme fondamental et incontestable dans une religion. P. 168

Droit civil : Droit concernant les relations entre les individus : les contrats, la propriété, le mariage et la famille. P. 106

Droit criminel : Droit concernant les délits comme les vols, les agressions et les meurtres. P. 106

Écosystème : Ensemble constitué d'un milieu physique (sol, eau, etc.) et de tous les organismes qui y vivent (animaux, végétaux, micro-organismes). P. 13

Emblème : Figure symbolique (animal ou objet) destinée à représenter un groupe ou une collectivité. P. 48

Empire : Ensemble de territoires dominés par une nation conquérante. P. 164

Engagé : Personne qui « s'engage » par contrat à venir travailler en Nouvelle-France pour une période d'au moins trois ans. P. 111

Famille nucléaire : Famille composée du père, de la mère et de leurs enfants. P. 39

Fédération : Union de plusieurs États qui, en se regroupant, abandonnent leur souveraineté pour la confier à une organisation fédérale. On parle de « confédération » quand les États conservent leur souveraineté et confient certaines responsabilités à un gouvernement commun, dont ils peuvent se retirer s'ils le souhaitent. P. 188

Francophile : Qui est bien disposé envers les Français et la France. P. 169

Gouvernement représentatif : Gouvernement dont les membres, ou une partie des membres, sont élus par le peuple. P. 165

Grand Dérangement : Expression utilisée pour désigner la déportation des Acadiens par les Britanniques dans les Treize colonies, en Grande-Bretagne et en France. P. 162

Grande-Bretagne : Nom désignant, à partir de 1707, l'union entre l'Angleterre et l'Écosse. P. 129

Huguenot : Nom donné aux protestants français. P. 168

Institutions : Ensemble des formes ou des structures sociales et politiques établies par la loi ou la coutume dans l'intérêt de la collectivité. Les tribunaux et le poste de gouverneur, par exemple, en font partie. P. 159

Interdépendant : Se dit des choses ou des personnes dépendantes les unes des autres. P. 20

Jésuite : Membre de la Compagnie de Jésus, un ordre religieux fondé par Ignace de Loyola en 1540. Cet ordre a créé de nombreuses missions d'évangélisation, notamment en Amérique. P. 22

Matrilinéaire : Se dit d'un type d'organisation sociale où le lien de parenté est transmis exclusivement par la mère. P. 36

Mer de Champlain : Mer qui a inondé la vallée du Saint-Laurent après la fonte des glaces qui recouvraient l'Amérique du Nord il y a environ 11 000 ans. P. 12

Métropole : Pays qui possède des colonies. P. 104

Milice : Groupe d'habitants chargés de défendre la population. P. 105

Monopole : Privilège exclusif accordé à une compagnie de vendre et d'exploiter une ressource. P. 77

Nappe glaciaire : Vaste étendue de glace qui recouvre une grande surface continentale sur plusieurs milliers de kilomètres. P. 12

Ordination : Célébration au cours de laquelle un fidèle baptisé reçoit de l'évêque le sacrement de l'ordre, c'est-à-dire qu'il est consacré prêtre. P. 168

Paroisse : Territoire sur lequel un curé exerce ses fonctions. La paroisse est quelquefois désignée par le mot « cure ». P. 93

Patriote : Personne qui aime sa patrie et qui est prête à la servir. P. 176

Population active : Ensemble des personnes en âge de travailler. La population active comprend généralement les personnes entre 15 et 64 ans qui occupent un emploi ou en cherchent un. P. 196

Proclamation royale : Première constitution s'appliquant au territoire nouvellement acquis par la Grande-Bretagne en Amérique du Nord. La Proclamation royale définit le territoire et la forme de gouvernement de la province de Québec. Elle est adoptée le 7 octobre 1763, mais n'entre en vigueur que le 10 août 1764. P. 164

Propriété privée : Objet, bien matériel qui appartient en propre, de façon exclusive, à un individu. P. 38

Républicain : Qui est favorable ou rattaché à la république. P. 188

République : Forme d'organisation politique où l'exercice du pouvoir, non héréditaire, est partagé entre les représentants d'une partie ou de la totalité de la population. P. 188

Réserve : Territoire officiellement attribué aux Amérindiens. P. 9

Rite : Acte, cérémonie ou fête à caractère sacré en usage dans une communauté. P. 45

Scorbut : Maladie des gencives due à une déficience alimentaire en vitamine C, caractérisée, entre autres, par de graves hémorragies et pouvant occasionner la mort. P. 54

Seigneurie : Terre concédée par le roi de France à un seigneur. P. 89

Traité : Convention écrite passée entre deux ou plusieurs États pour établir des règles ou des décisions. P. 158

Traité de Tordesillas : Traité signé en 1494 à Tordesillas (Valladolid) entre l'Espagne et le Portugal. Il trace une ligne de démarcation qui partage entre ces deux puissances les nouveaux territoires qu'elles découvriront. Tout ce qui est à l'ouest de la ligne (Amérique moins le Brésil) appartient à l'Espagne et tout ce qui est à l'est (Brésil et Afrique) appartient au Portugal. P. 50

Trésor public : Ensemble des ressources financières d'un État. P. 105

Tutélaire : Qui tient sous sa protection. P. 47

Village : Regroupement de quelques clans. P. 41

Index des concepts

Pour en savoir plus

Les premiers occupants

Des livres

ASSINIWI, Bernard *et al.*, *Nionatta : une histoire des autochtones du Québec*, Mont-Royal, Modulo, 2002.

BEAULIEU, Alain, *Les autochtones du Québec*, Montréal, Musée de la civilisation et éditions Fides, 1997.

McGHEE, Robert, *Le Canada au temps des aventuriers*, Hull, Musée canadien des civilisations et Libre expression, 1991.

TREMBLAY, Roland. *Les Iroquoiens du Saint-Laurent. Le peuple du maïs*, Montréal, Musée de la Pointe-à-Callière et Éditions de l'Homme, 2006.

TRIGGER, Bruce G. *Les Enfants d'Aataentsic : L'histoire du peuple huron*, Montréal, Libre Expression, 1991.

Un film

Kanata : l'héritage des enfants d'Aataentsic (documentaire), Canada, 1998.

La Nouvelle-France

Des livres

BERTHIAUME, Pierre. *Cavelier de La Salle. Une épopée aux Amériques*, Paris, Cosmopole, 2007.

CAPPELLA, Émilie. *Champlain, le fondateur de Québec*, Paris, Magellan et cie, 2004.

FYFE-MARTEL, Nicole. *Hélène de Champlain, tome I* (roman), Montréal, Hurtubise HMH, 2003.

FYFE-MARTEL, Nicole. *Hélène de Champlain, tome II* (roman), Montréal, Hurtubise HMH, 2005.

LACOURSIÈRE, Jacques. *Histoire populaire du Québec, tome 1. Des origines à 1791*, Sillery, Septentrion, 1995.

LAHAISE, Robert. *Nouvelle-France. English Colonies*, Sillery, Septentrion, 2006.

MOORE, Brian. *Robe noire* (roman), Paris, Payot, 1986.

MYRE, Marcel. *Madeleine Matou, la femme du meurtrier de Boucherville 1665-1699* (roman), Sillery, Septentrion, 2006.

VAUGEOIS, Denis. *Champlain. La naissance de l'Amérique française*, Sillery, Septentrion, 2004.

Des films

Nouvelle-France (fiction), Canada/France/Grande-Bretagne, 2004.

Robe noire [Black robe] (fiction), Canada/Australie, 1991.

Shehaweh (fiction), Canada, 1992.

Le changement d'empire

Des livres

BRUNET, Michel. *Les Canadiens après la conquête 1759-1775: de la révolution canadienne à la révolution américaine*, Montréal, Fides, 1980.

GILBERT-DUMAS, Mylène. *Les dames de Beauchêne, tome I* (roman), Montréal, VLB, 2002.

GILBERT-DUMAS, Mylène. *Les dames de Beauchêne, tome II* (roman), Montréal, VLB, 2004.

GILBERT-DUMAS, Mylène. *Les dames de Beauchêne, tome III* (roman), Montréal, VLB, 2005.

GASPÉ, Philippe Aubert de. *Les Anciens Canadiens* (roman), Montréal, Fides, 2005 (1863).

LACOURSIÈRE, Jacques. *Histoire populaire du Québec, tome 1. Des origines à 1791*, Sillery, Septentrion, 1995.

LEGAULT, Roch. *Une élite en déroute. Les militaires canadiens après la Conquête*, Montréal, Athéna éditions, coll. «Histoire militaire», 2002.

Des films

Le sort de l'Amérique (documentaire), Canada, 1996.

Marguerite Volant (fiction), Canada, 1996.

Nouvelle-France (fiction), Canada/France/Grande-Bretagne, 2004.

Sources des photographies

Note : Les sources sont indiquées par leur numéro de document ou leur position, sauf dans le cas où l'on trouvera le numéro de la page.

AKG Images
p. 84 (doc. 2.21)
p. 88 (doc. 2.27)
p. 104 (doc. 2.51) et p. 139 (doc. 2.100) : Joseph Martin
p. 117 (doc. 2.70)
p. 162 (doc. 3.18)

American Museum of Natural History
p. 35 (doc. 1.55)

Art Resource
p. 53 (doc. 1.85)

Bibliothèque et archives nationales du Canada
p. IV (bg) et p. 148-149 (doc. 3.1)
p. 4 (eg), p. 6 (doc. 1.4) et p. 19 (doc. 1.31)
p. 42 (doc. 1.64)
p. 54 (doc. 1.87)
p. 82 (doc. 2.19)
p. 91 (doc. 2.31)
p. 105 (doc. 2.53)
p. 116 (doc. 2.69)
p. 118 (doc. 2.72)
p. 129 (doc. 2.87)
p. 135 (doc. 2.96)
p. 136 (doc. 2.97)
p. 137 (doc. 2.98)
p. 150 (g), p. 152 (doc. 3.4) et p. 158 (doc. 3.13)
p. 159 (doc. 3.14)
p. 160 (doc. 3.15)
p. 166 (doc. 3.23)
p. 169 (doc. 3.28)
p. 170 (doc. 3.31) : © Canada Post Corporation
p. 180 (doc. 3.45)
p. 181 (doc. 3.47)
p. 182 (doc. 3.48)

Bibliothèque et archives nationales du Québec
p. 82 (doc. 2.19)
p. 168 (doc. 3.27) : Henri Rémillard

Bryan & Cherry Alexander Photography
p. 4 (g) et p. 9 (doc. 1.7)
p. 33 (doc. 1.51)
p. 40 (doc. 1.62)
p. 59 (doc. 1.93)

CP Images
p. 59 (doc. 1.94)
p. 150 (eg) et p. 153 (doc. 3.5)

Collection de l'Assemblée nationale
p. 139 (doc. 2.101) : Luc-Antoine Couturier

Collection des Hospitalières de Saint-Joseph de l'Hôtel-Dieu de Montréal
p. 117 (doc. 2.71)

Collection du Musée du Château Ramezay, Montréal
p. 187 (doc. 3.54)

Collection du Musée régional de Vaudreuil-Soulanges
p. 116 (doc. 2.68)

Collection du Séminaire des Ursulines, Québec
p. 94 (doc. 2.36)
p. 99 (doc. 2.43)

Corbis
p. 5 (eg) et p. 10 (doc. 1.8) : Kennan Ward
p. 24 (doc. 1.37) : Roger Ressmeyer
p. 30 (doc. 1.45) : John Conrad
p. 47 (doc. 1.74) : Werner Forman
p. 52 (doc. 1.84) : Danny Lehman
p. 69 (eg) et p. 95 (doc. 2.37) : Robert Holmes
p. 71 (doc. 2.5) : Ron Watts
p. 102 (doc. 2.49) : Buddy Mays
p. 119 (doc. 2.75) : Christophe Boisvieux
p. 140 (doc. 2.102) : Stuart Westmorland
p. 150 (cg), p. 164 (doc. 3.20) et p. 194 : Historical Picture Archive
p. 151 (eg) et p. 175 (doc. 3.38) : Burstein Collection
p. 151 (d) et p. 186 : Historical Picture Archive
p. 151 (ed) et p. 188 (doc. 3.55) : Francis G. Mayer
p. 169 (doc. 3.29) : Historical Picture Archive

Corbis/epa
p. 20 (doc. 1.33) : S. Sirkka

David Wall
p. 26 (doc. 1.40)

Dorling Kindersley
p. 22 (doc. 1.35) et p. 65 (hd) : Silver Burdett Ginn
p. 24 (doc. 1.38) et p. 63 : Nilesh Mistry
p. 48 (doc. 1.77) : Peter Wilson

Eddy Tardif
p. 96 (doc. 2.39)

Ernest Dominique
p. 21 (doc. 1.34) et p. 65 (bd)
p. 5 (g) et p. 45 (doc. 1.71)

Fondation du patrimoine religieux du Québec
p. 100 (doc. 2.45)
p. 108 (doc. 2.58)

Francis Back
p. 5 (cd), p. 18 (doc. 1.29) et p. 36-37 (doc. 1.57)
p. 34 (doc. 1.52)
p. 68 (eg) et p. 78 (doc. 2.12)
p. 109 (doc. 2.59)
p. 118 (doc. 2.73)
p. 122 (doc. 2.78)
p. 126 (doc. 2.83)

Fred Cattroll
p. 46 (doc. 1.73)
p. 62 (doc. 1.97)

Historica
p. 29 (doc. 1.43) : Gordon Miller

Hôtel-Dieu de Montréal / CHUM
p. 98 (doc. 2.42)

Ingram Publishing/Superstocks
p. 123 (doc. 2.79)

Istockphoto
p. 5 (g) et p. 16 (doc. 1.20) : S. Caldwell

Jupiter Images
p. 196 (doc. 3.64)

Lewis Parker
p. IV (cg), p. 66-67 (doc. 2.1), p. 92 (doc. 2.33) et p. 128 (doc. 2.85)

Maison Saint-Gabriel
p. 127 (doc. 2.84)

Mary Evans Picture Library
p. 77 (doc. 2.11)

Megapress
p. 58 (doc. 1.91) : Lépine
p. 146 (doc. 2.111) : Pharand
p. 195 (doc. 3.62) : Pharand
p. 201 (doc. 3.71) : Pharand

Mine Raglan
p. 58 (doc. 1.92)

Ministère de la Culture et de la Communication, Direction des Archives de France, Centre des Archives d'Outre-Mer
p. 57 (doc. 1.90)

Ministère de la Culture et des Communications du Québec
p. 69 (cd) et p. 99 (doc. 2.44) : Pierre Lahoud
p. 75 (doc. 2.9) : Marie-Claude Côté

Musée canadien des civilisations
p. 16 (doc. 1.18)
p. 16 (doc. 1.19)
p. 16 (doc. 1.21)
p. 17 (doc. 1.23)
p. 17 (doc. 1.24) : R. McGhee
p. 17 (doc. 1.25) : R. Taylor
p. 19 (doc. 1.32)
p. 23 (doc. 1.36)
p. 33 (doc. 1.49)
p. 35 (doc. 1.53)
p. 35 (doc. 1.56)
p. 37 (doc. 1.58)
p. 46 (doc. 1.72)
p. 48 (doc. 1.76)
p. 125 (doc. 2.82)

Musée de la civilisation, collection du Séminaire de Québec
p. 84 (doc. 2.22)
p. 108 (doc. 2.57) : Pierre Soulard
p. 151 (cg), p. 179 (doc. 3.44) et p. 205 : Robert Derome
p. 170 (doc. 3.30)
p. 184 (doc. 2.22)

Musée de la civilisation du Québec
p. 35 (doc. 1.54) : Pierre Soulard

Musée des Abénakis
p. 28 (doc. 1.42) : Christine Sioui

Musée des Augustines de l'Hôtel-Dieu de Québec
p. 106 (doc. 2.54)

Musée des Augustines de l'Hôtel-Dieu de Québec / The Bridgeman Art Library
p. 95 (doc. 2.38)

Musée des beaux-arts du Canada
p. 171 (doc. 3.32)

Musée Marguerite-Bourgeoys
p. 100 (doc. 2.46 et 2.47) : Bernard Dubois

Musée McCord
p. 5 (ed) et p. 32 (doc. 1.48)
p. 19 (doc. 1.30)
p. 33 (doc. 1.50)
p. 69 (d) et p. 124 (doc. 2.81)
p. 97 (doc. 2.40)
p. 177 (doc. 3.42) et p. 204

Musée national des beaux-arts du Québec
p. 106 (doc. 2.55)
p. 184 (doc. 3.50)
p. 185 (doc. 3.51) : Jean-Guy Kérouac

National Maritime Museum, London
p. 115 (doc. 2.67)

North Wind Picture Archives
p. 4 (d) et p. 18 (doc. 1.28)
p. 64
p. 68 (g) et p. 85 (doc. 2.23)
p. 68 (cg) et p. 80 (doc. 2.16)
p. 131 (doc. 2.89)
p. 151 (cd) et p. 183 (doc. 3.49)

Nuance Photo
p. 98 (doc. 2.41) : © Françoise Lemoyne
p. 112 (doc. 2.63) : © Françoise Lemoyne

Nunavut Tourism
p. 145 (doc. 2.109)

Parcs Canada
p. 110 (doc. 2.61) : Francis Back

Patrice Halley
p. 30 (doc. 1.44)

Pierre Arpin
p. 198 (doc. 3.67)

Pierre Lahoud
p. 13 (doc. 1.12)
p. 13 (doc. 1.14)
p. 155 (doc. 3.9)

Publiphoto
p. 4 (cg) et p. 13 (doc. 1.13) : D. Levesque
p. 69 (g) et p. 89 (doc. 2.29) : Y. Marcoux
p. 107 (doc. 2.56) : Y. Derome
p. 132 (doc. 2.91) : Y. Derome
p. 145 (doc. 2.110) : E. Clusiau
p. 157 (doc. 3.12) : Paul G. Adam
p. 197 (doc. 3.65) : Paul G. Adam

Québec en images, CCDMD
p. 143 (doc. 2.107) : Gilbert Fontaine
p. 150 (ed) et p. 167 (doc. 3.26) : Denis Chabot
p. 199 (doc. 3.70)

Robert Harding
p. 151 (g) et p. 175 (doc. 3.39) : Roy Rainford

Rochester Museum & Science Center, NY
p. 25 (doc. 1.39)

Sépaq
p. 7 (doc. 1.5)

Site historique de la marine, Vincennes
p. 70 (doc. 2.4)

Succession Marcelle Ferron / SODRAC (2007)
p. 104 (doc. 2.108)

Superstock, © Digital Vision Ltd.
p. 172 (doc. 3.34)

The Bridgeman Art Library
p. 5 (cg), p. 18 (doc. 1.27), p. 38 (doc. 1.59) et p. 56 : The Art Gallery of Ontario
p. 5 (d) et p. 31 (doc. 1.46) : British Museum, London
p. 32 (doc. 1.47) : Peter Neward, Western Americana
p. 44 (doc. 1.69) : Bibliothèque nationale, Paris
p. 45 (doc. 1.70)
p. 51 (doc. 1.81) : Real Academia de Bellas Artes de San Fernando, Madrid
p. 51 (doc. 1.82) : British Embassy, Mexico
p. 55 (doc. 1.89) : Musée Condé, Chantilly, France
p. 68 (ed) et p. 87 (doc. 2.25) : Peter Newark American Pictures, Private Collection
p. 172 (doc. 3.33) : Private Collection © Bonhams, London
p. 193 (doc. 3.61) : Private Collection, Photo © Christie's Images

The Granger Collection
p. 15 (doc. 1.16)
p. 44 (doc. 1.68)
p. 120 (doc. 2.76)
p. 132 (doc. 2.90)
p. 137 (doc. 2.99)
p. 165 (doc. 3.21)
p. 174 (doc. 3.37)
p. 176 (doc. 3.40)
p. 186 (doc. 3.52)
p. 190 (doc. 3.57)
p. 191 (doc. 3.59)
p. 202-203

Videanthrop
p. 43 (doc. 1.67)

Ville de Québec
p. 69 (ed) et p. 113 (doc. 2.64)

A : Francis Back
B : The Bridgeman Art Library
C : AKG Images
D : Bibliothèque et archives nationales du Canada
E : Francis Back
F : Fondation du patrimoine religieux du Québec
G : Bernard Duchesne
H : The Granger Collection
I : Hôtel-Dieu de Montréal
J : Francis Back
K : Bibliothèque et archives nationales du Canada
L : Bibliothèque et archives nationales du Canada
M : Bibliothèque et archives nationales du Canada
N : Bibliothèque et archives nationales du Québec